EBS

전기공사
기사·산업기사 필기
전 기 기 기

SD에듀
(주)시대고시기획

Always **with you**

사람의 인연은 길에서 우연하게 만나거나 함께 살아가는 것만을 의미하지는 않습니다.
책을 펴내는 출판사와 그 책을 읽는 독자의 만남도 소중한 인연입니다.
SD에듀는 항상 독자의 마음을 헤아리기 위해 노력하고 있습니다.
늘 독자와 함께하겠습니다.

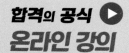

본 교재는 전기공사(산업)기사 자격증 취득을 위한 1차 필기시험 대비 수험서로서 쉽고 빠른 자격증 취득을 돕기 위해 기본이론과 중요이론, 그리고 기사, 산업기사 과년도 기출문제를 모두 장별로 분류하고 수록하였으며 이에 해설과 풀이를 통해 본 교재를 가지고 공부하시는 분들이 다른 유형의 문제도 풀 수 있도록 하였습니다.

현재 기출문제는 예전과 달리 동일한 문제가 반복적으로 출제되는 게 아니라 조금씩 변화를 주며 출제되고 있는 상황이라 이에 맞게 내용에 충실하게 교재를 준비하였습니다.

본 교재는 중요부분의 이론은 내용설명을 충실히 하였고, 가끔 출제는 되나 그 내용이 중요하지 않은 부분은 간단하게 암기할 수 있도록 만들었습니다.

끝으로 본 교재로 필기시험을 준비하시는 수험생 여러분들에게 깊은 감사를 드리며 전원 합격하시기를 기원하겠습니다.

오·탈자 및 오답이 발견될 경우 연락을 주시면 수정하여 보다 나은 수험서가 되도록 노력하겠습니다.

편저자 씀

시험안내

개 요

전기는 생산, 수송, 사용에 이르기까지의 모든 설비를 전기특성에 적합하게 시공되어야 안전하다. 이에 따라 전력시설물을 안전하게 시공하고 검사하기 위한 전문인력을 양성할 목적으로 자격제도를 제정하였다.

수행직무 및 진로

공사비의 적산, 공사공정계획의 수립, 시공과정에서 전기의 적정 여부 관리 등 주로 기술적인 직무를 수행한다. 또한, 공사현장 대리인으로서 시공자를 대리하여 현장관리를 하는 동시에 발주자에 대해서는 시공자를 대신하여 업무를 수행한다.

시험일정

구 분	필기원서접수 (인터넷)	필기시험	필기합격 (예정자) 발표	실기원서접수 (인터넷)	실기시험	최종 합격자 발표일
제1회	1.23 ~ 1.26	2.15 ~ 3.7	3.13	3.26 ~ 3.29	4.27 ~ 5.12	1차 : 5.29 / 2차 : 6.18
제2회	4.16 ~ 4.19	5.9 ~ 5.28	6.5	6.25 ~ 6.28	7.28 ~ 8.14	1차 : 8.28 / 2차 : 9.10
제3회	6.18 ~ 6.21	7.5 ~ 7.27	8.7	9.10 ~ 9.13	10.19 ~ 11.8	1차 : 11.20 / 2차 : 12.11

※ 상기 시험일정은 시행처의 사정에 따라 변경될 수 있으니, www.q-net.or.kr에서 확인하시기 바랍니다.

시험요강

❶ 시행처 : 한국산업인력공단(www.q-net.or.kr)
❷ 관련 학과 : 대학의 전기공학, 전기시스템공학, 전기제어공학 등 전기 관련 학과
❸ 시험과목
  ㉠ 필기 : 전기응용 및 공사재료(산업기사 제외), 전력공학, 전기기기, 회로이론 및 제어공학(산업기사 제외), 전기설비기술기준
  ㉡ 실기 : 전기설비 견적 및 시공
❹ 검정방법
  ㉠ 필기 : 객관식 4지 택일형, 과목당 20문항(과목당 30분)
  ㉡ 실기 : 필답형(기사 2시간 30분, 산업기사 2시간)
❺ 합격기준
  ㉠ 필기 : 100점을 만점으로 하여 과목당 40점 이상, 전 과목 평균 60점 이상
  ㉡ 실기 : 100점을 만점으로 하여 60점 이상

출제기준

필기과목명	주요항목	세부항목
전기기기	1. 직류기	1. 직류발전기의 구조 및 원리　　2. 전기자 권선법 3. 정 류　　4. 직류발전기의 종류와 그 특성 및 운전 5. 직류발전기의 병렬운전　　6. 직류전동기의 구조 및 원리 7. 직류전동기의 종류와 특성　　8. 직류전동기의 기동, 제동 및 속도제어 9. 직류기의 손실, 효율, 온도상승 및 정격　　10. 직류기의 시험
	2. 동기기	1. 동기발전기의 구조 및 원리　　2. 전기자 권선법 3. 동기발전기의 특성　　4. 단락현상 5. 여자장치와 전압조정　　6. 동기발전기의 병렬운전 7. 동기전동기 특성 및 용도　　8. 동기조상기 9. 동기기의 손실, 효율, 온도상승 및 정격　　10. 특수 동기기
	3. 전력변환기	1. 정류용 반도체 소자　　2. 정류회로의 특성 3. 제어정류기
	4. 변압기	1. 변압기의 구조 및 원리　　2. 변압기의 등가회로 3. 전압강하 및 전압변동률　　4. 변압기의 3상 결선 5. 상수의 변환　　6. 변압기의 병렬운전 7. 변압기의 종류 및 그 특성　　8. 변압기의 손실, 효율, 온도상승 및 정격 9. 변압기의 시험 및 보수　　10. 계기용 변성기 11. 특수 변압기
	5. 유도전동기	1. 유도전동기의 구조 및 원리　　2. 유도전동기의 등가회로 및 특성 3. 유도전동기의 기동 및 제동　　4. 유도전동기 제어 5. 특수 농형유도전동기　　6. 특수 유도기 7. 단상 유도전동기　　8. 유도전동기의 시험 9. 원선도
	6. 교류 정류자기	1. 교류 정류자기의 종류, 구조 및 원리　　2. 단상 직권 정류자 전동기 3. 단상 반발 전동기　　4. 단상 분권 전동기 5. 3상 직권 정류자 전동기　　6. 3상 분권 정류자 전동기 7. 정류자형 주파수 변환기
	7. 제어용 기기 및 보호기기	1. 제어기기의 종류　　2. 제어기기의 구조 및 원리 3. 제어기기의 특성 및 시험　　4. 보호기기의 종류 5. 보호기기의 구조 및 원리　　6. 보호기기의 특성 및 시험 7. 제어장치 및 보호장치

구성과 특징

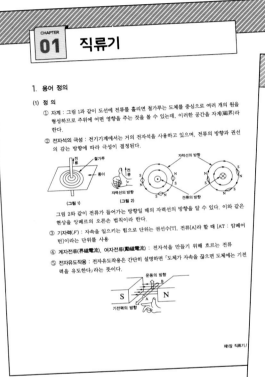

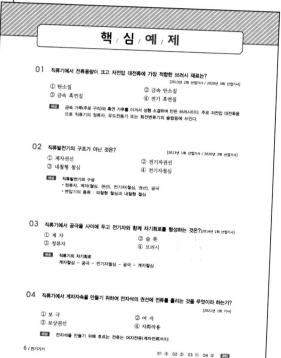

핵심이론

철저한 출제기준 분석에 따른 전기공사기사·산업기사 합격을 위한 필수적인 핵심이론을 수록하였습니다. 시험과 관계없이 두꺼운 기본서의 복잡한 이론은 이제 그만! 시험에 꼭 나오는 이론을 중심으로 효과적으로 공부하십시오.

핵심예제

최근 7개년 기출문제와 해설을 단원별로 정리하였습니다. 핵심을 꿰뚫는 상세한 해설을 수록하여 효율적인 학습이 가능하도록 하였습니다.

2023년 제4회 전기공사기사 최근 기출복원문제

01 3상 동기발전기의 매극 매상의 슬롯수를 3이라 할 때 분포권 계수는?

① $6\sin\frac{\pi}{18}$ ② $3\sin\frac{\pi}{36}$

③ $\frac{1}{6\sin\frac{\pi}{18}}$ ④ $\frac{1}{12\sin\frac{\pi}{36}}$

02 3상 V결선의 변압기에서 전부하 시의 출력을 100[kVA]라 하면 같은 용량의 변압기 한 대를 증설하여 △결선하였을 때의 정격출력은 몇 [kVA]인가?

① 50   ② $50\sqrt{3}$

③ 100   ④ $100\sqrt{3}$

03 저항 부하인 사이리스터 단상 반파 정류기로 위상 제어를 할 경우 점호각 0°에서 60°로 하면 다른 조건이 동일한 경우 출력 평균 전압은 몇 배가 되는가?

① $\frac{3}{4}$ ② $\frac{4}{3}$

③ $\frac{3}{2}$ ④ $\frac{2}{3}$

04 유도전동기의 특성에서 토크와 2차 입력 및 동기속도의 관계는?

① 토크는 2차 입력과 동기속도의 곱에 비례한다.
② 토크는 2차 입력에 반비례하고, 동기속도에 비례한다.
③ 토크는 2차 입력에 비례하고, 동기속도에 반비례한다.
④ 토크는 2차 입력의 자승에 비례하고, 동기속도의 자승에 반비례한다.

최근 기출복원문제 / 40

전기공사 기사·산업기사

전기공사기사/산업기사 | 2023년 제4회 정답 및 해설

01	02	03	04	05	06	07	08	09	10
③	②	③	①	④	③	④	②	①	①
11	12	13	14	15	16	17	18	19	20
④	④	①	④	②	③	①	④	①	①

01 전부하 전류 $I = \frac{P}{\sqrt{3}\,V\cos\theta\eta} = \frac{10\times10^3}{\sqrt{3}\times380\times0.85\times0.85} = 21[A]$

02 양호한 정류방법
- 보극과 탄소 브러시를 설치한다.
- 평균 리액턴스 전압을 줄인다.
- 정류주기를 길게 한다.
- 회전속도를 늦게 한다.
- 인덕턴스를 작게 한다(단절권 채용).

03

측정 항목	특성 시험
철손, 기계손	무부하시험
동기임피던스, 동기리액턴스	단락시험
단락비	무부하시험, 단락시험

04 최대전일효율 조건 : $24P_i = \sum h^2 P_c$
전부하시간이 길수록 철손 P_i를 크게 하고, 짧을수록 철손 P_i를 작게 한다.

05 전기자 반작용의 영향
- 주자속 감소 : 발전기 - 유기기전력 감소, 전동기 - 토크 감소, 속도 증가
- 전기적 중성축 이동 : 발전기 - 회전방향, 전동기 - 회전 반대방향
- 정류자 편 간의 불꽃 섬락 발생 : 정류 불량의 원인

06 2종 농형 유도전동기는 일반적인 농형 유도전동기에 비하여 기동전류가 작고 기동토크가 크다.

07
- 슬롯수 = $\frac{슬롯수}{극수 \times 상수} = \frac{48}{4\times3} = 4$
- 총 코일수 = $\frac{도체수}{2} = \frac{48\times2}{2} = 48$

08 직류 분권전동기의 계자저항
$T = k\phi I_a[N\cdot m], I_f = \frac{V}{R_f + R_{FR}}$ 에서 기동토크를 크게 하려면 자속이 증가해야 하고 여자전류는 클수록 좋다. 따라서 계자권선과 직렬로 연결된 계자저항을 0으로 해 둔다.

440 / 전기기기

최근 기출복원문제

가장 최근에 시행된 기출문제를 실제 시험과 같은 형식으로 복원하여 자신의 실력을 최종적으로 점검할 수 있도록 하였습니다.

정답 및 해설

가장 최근에 복원된 기출문제의 명쾌하고 상세한 해설을 수록하여 놓친 부분을 다시 한 번 확인할 수 있도록 하였습니다.

목 차

CONTENTS

전기공사

기사 · 산업기사 필기

SERIES 3

전기기기

전기공사
기사 · 산업기사
필기 SERIES **3**
전기기기

합격의 공식
온라인 강의

잠깐!

혼자 공부하기 힘드시다면 방법이 있습니다.
SD에듀의 동영상강의를 이용하시면 됩니다.
www.sdedu.co.kr → 회원가입(로그인) → 강의 살펴보기

직류기

1. 용어 정의

(1) 정 의

① **자계** : 그림 1과 같이 도선에 전류를 흘리면 철가루는 도체를 중심으로 여러 개의 원을 형성하므로 주위에 어떤 영향을 주는 것을 볼 수 있는데, 이러한 공간을 자계(磁界)라 한다.

② **전자석의 극성** : 전기기계에서는 거의 전자석을 사용하고 있으며, 전류의 방향과 권선의 감는 방향에 따라 극성이 결정된다.

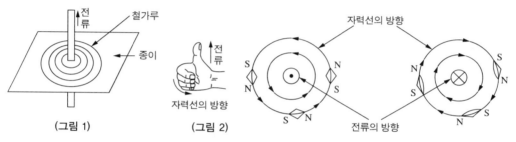

(그림 1)　　　　(그림 2)

그림 2와 같이 전류가 들어가는 방향일 때의 자력선의 방향을 알 수 있다. 이와 같은 현상을 앙페르의 오른손 법칙이라 한다.

③ **기자력(F)** : 자속을 일으키는 힘으로 단위는 권선수[T], 전류[A]라 할 때 [AT : 암페어 턴]이라는 단위를 사용

④ **계자전류(界磁電流), 여자전류(勵磁電流)** : 전자석을 만들기 위해 흐르는 전류

⑤ **전자유도작용** : 전자유도작용은 간단히 설명하면 「도체가 자속을 끊으면 도체에는 기전력을 유도한다」라는 뜻이다.

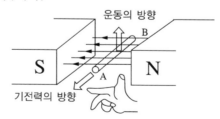

⑥ 기전력(E)

    ⊙ 방향을 알아내는 방법 : 플레밍의 오른손 법칙

       • 엄지 : 속도($v[\mathrm{m/s}]$)

       • 검지 : 자속밀도($B[\mathrm{Wb/m^2}]$)

       • 중지 : 유기기전력($e[\mathrm{V}]$)

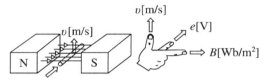

    ⓛ 기전력의 방향과 크기 : 렌츠의 법칙$(-)\left(e=-N\dfrac{d\phi}{dt}[\mathrm{V}]\right)$

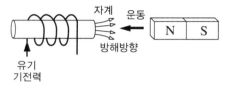

2. 직류발전기

(1) 직류발전기의 구조

① 전기자 : 원동기로 회전시켜 자속을 끊으면서 기전력을 유도하는 부분이다.

② 계자 : 전기자가 쇄교하는 자속을 만드는 부분(철심은 계자권선으로 자극을 만드는 것)이다.

③ 정류자 : 브러시(Brush)와 접촉하여 전기자권선에 유도되는 교류기전력을 정류해서 직류로 만드는 부분(브러시와 접촉하여 마찰이 생기므로 마모됨은 물론 불꽃 등으로 높은 온도가 된다)이다.

④ 브러시 : 정류자면에 접촉하여 전기자권선과 외부회로를 연결하는 것이며, 적당한 접촉저항이 있고 연마성이 적어서 정류자면을 손상시키지 않고 기계적으로 튼튼해야 한다.

    ※ 탄소 브러시 : 접촉저항이 커 정류가 용이하며 저전류, 저속기용

    ※ 금속 흑연질 : 접촉저항이 작고 저전압, 대전류용

⑤ 브러시 홀더 : 브러시를 바른 위치로 유지하게 하고 스프링에 의하여 적당한 압력(보통 0.15~0.25[kg/cm²])으로 정류자면에 접촉시키는 장치이다.

※ 브러시 전체를 정류자면에 중성축으로 이동시켜야 할 때에는 브러시 진퇴기(로커)로 이동시킴

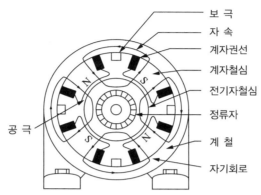

핵 / 심 / 예 / 제

01 직류기에서 전류용량이 크고 저전압 대전류에 가장 적합한 브러시 재료는?

[2013년 2회 산업기사 / 2020년 3회 산업기사]

① 탄소질
② 금속 탄소질
③ 금속 흑연질
④ 전기 흑연질

해설 금속 가루(주로 구리)와 흑연 가루를 이겨서 성형 소결하여 만든 브러시이다. 주로 저전압 대전류용으로 직류기의 정류자, 유도전동기 또는 회전변류기의 슬립링에 쓰인다.

02 직류발전기의 구조가 아닌 것은?

[2013년 1회 산업기사 / 2020년 3회 산업기사]

① 계자권선
② 전기자권선
③ 내철형 철심
④ 전기자철심

해설 **직류발전기의 구성**
  • 정류자, 계자(철심, 권선), 전기자(철심, 권선), 공극
  • 변압기의 종류 : 외철형 철심과 내철형 철심

03 직류기에서 공극을 사이에 두고 전기자와 함께 자기회로를 형성하는 것은? [2014년 1회 산업기사]

① 계 자
② 슬 롯
③ 정류자
④ 브러시

해설 **직류기의 자기회로**
계자철심 – 공극 – 전기자철심 – 공극 – 계자철심

04 직류기에서 계자자속을 만들기 위하여 전자석의 권선에 전류를 흘리는 것을 무엇이라 하는가?

[2021년 1회 기사]

① 보 극
② 여 자
③ 보상권선
④ 자화작용

해설 전자석을 만들기 위해 흐르는 전류는 여자전류(계자전류)이다.

01 ③ 02 ③ 03 ① 04 ② **정답**

3. 전기자권선법

(1) 전기자권선법의 개요

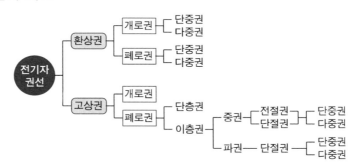

	단중 중권	단중 파권
병렬회로수 a	극수 p와 같다.	항상 2이다.
브러시수 b	극수 p와 같다.	2개로 좋으나, 극수만큼 두어도 좋다.
전기자도체의 굵기, 권수, 극수가 모두 같을 때	저전압이 되나 대전류가 이루어진다.	전류는 적으나 고전압이 이루어진다.
유도기전력의 불균일	전기자 병렬회로수가 많고, 각 병렬회로 사이에 기전력의 불균일이 생기기 쉬우며, 브러시를 통하여 국부전류가 흘러서 정류를 해칠 염려가 있다.	전기자 병렬회로수는 2이며, 각 병렬회로의 도체는 각각 모든 자극 밑을 통하고, 그 영향을 동시에 받기 때문에 병렬회로 사이에 기전력의 불균일이 생기는 일이 적다.
균압권선	필 요	불필요
다중도 m인 경우 병렬회로수 a	$a = mp$	$a = 2m$

핵 / 심 / 예 / 제

01 직류기의 전기자에 일반적으로 사용되는 전기자권선법은?

[2019년 3회 산업기사]

① 2층권

② 개로권

③ 환상권

④ 단층권

> **해설** 전기자권선법
> • 직류기 : 고상권, 폐로권, 이층권, 중권, 파권
> • 동기기 : 이층권, 중권, 단절권, 분포권

02 직류기의 권선을 단중 파권으로 감으면 어떻게 되는가?

[2020년 4회 기사]

① 저압 대전류용 권선이다.

② 균압환을 연결해야 한다.

③ 내부 병렬회로수가 극수만큼 생긴다.

④ 전기자 병렬회로수가 극수에 관계없이 언제나 2이다.

> **해설** • 직류기 전기자권선법 : 고상권, 폐로권, 이층권, 중권 및 파권
> • 중권과 파권 비교

	중 권	파 권
전기자의 병렬회로수(a)	$a = p$	$a = 2$
브러시수(b)	$b = p$	$b = 2$
용 도	저전압, 대전류	고전압, 소전류
다중도인 경우(a)	$a = mp$	$a = 2m$
균압선	○	×

03 전기자 도체의 굵기, 권수가 모두 같을 때 단중 중권에 비해 단중 파권 권선의 이점은?

[2012년 1회 기사]

① 전류는 커지며 저전압이 이루어진다.
② 전류는 적으나 저전압이 이루어진다.
③ 전류는 적으나 고전압이 이루어진다.
④ 전류가 커지며 고전압이 이루어진다.

해설
• 직류기 전기자권선법 : 고상권, 폐로권, 이층권, 중권 및 파권
• 중권과 파권 비교

	중 권	파 권
전기자의 병렬회로수(a)	$a = p$	$a = 2$
브러시수(b)	$b = p$	$b = 2$
용 도	저전압, 대전류	고전압, 소전류
다중도인 경우(a)	$a = mp$	$a = 2m$
균압선	o	x

04 직류 분권발전기의 전기자권선을 단중 중권으로 감으면?

[2013년 3회 기사]

① 브러시수는 극수와 같아야 한다.
② 균압선이 필요 없다.
③ 높은 전압, 작은 전류에 적당하다.
④ 병렬회로수는 항상 2이다.

해설 3번 해설 참조

05 직류기의 다중 중권 권선법에서 전기자 병렬회로수(a)와 극수(p)와의 관계는?(단, 다중도는 m 이다)

[2012년 2회 산업기사 / 2022년 2회 기사]

① $a = 2$ ② $a = 2m$
③ $a = p$ ④ $a = mp$

해설 3번 해설 참조

정답 03 ③   04 ①   05 ④

06 4극 단중 파권 직류발전기의 전전류가 I[A]일 때, 전기자권선의 각 병렬회로에 흐르는 전류는
몇 [A]가 되는가?　　　　　　　　　　　　　　　　　　　　　　　[2017년 1회 산업기사]

① $4I$ 　　　　　　　　　　　　　② $2I$

③ $\dfrac{I}{2}$ 　　　　　　　　　　　　④ $\dfrac{I}{4}$

해설　단중 파권에서는 $a = 2$이므로 각 권선전류 $i_a = \dfrac{I}{a} = \dfrac{I}{2}$

07 직류기의 전기자에 사용되지 않는 권선법은?　　　　　　　　　　[2016년 3회 산업기사]

① 2층권 　　　　　　　　　　　② 고상권
③ 폐로권 　　　　　　　　　　　④ 단층권

해설　• 직류기 전기자권선법 : 고상권, 폐로권, 이층권, 중권 및 파권
　　　• 중권과 파권 비교

	중 권	파 권
전기자의 병렬회로수(a)	$a = p$	$a = 2$
브러시수(b)	$b = p$	$b = 2$
용 도	저전압, 대전류	고전압, 소전류
다중도인 경우(a)	$a = mp$	$a = 2m$
균압선	o	x

08 직류기의 권선법에 대한 설명 중 틀린 것은?

[2015년 3회 산업기사]

① 전기자권선에 환상권은 거의 사용되지 않는다.
② 전기자권선에는 고상권이 주로 이용되고 있다.
③ 정류를 양호하게 하기 위해 단절권이 이용된다.
④ 저전압 대전류 직류기에는 파권이 적당하며 고전압 직류기에는 중권이 적당하다.

해설 • 직류기 전기자권선법 : 고상권, 폐로권, 이층권, 중권 및 파권
• 중권과 파권 비교

	중 권	파 권
전기자의 병렬회로수(a)	$a = p$	$a = 2$
브러시수(b)	$b = p$	$b = 2$
용 도	저전압, 대전류	고전압, 소전류
다중도인 경우(a)	$a = mp$	$a = 2m$
균압선	○	×

09 직류기 권선법에 대한 설명 중 틀린 것은?

[2016년 1회 기사]

① 단중 파권은 균압환이 필요하다.
② 단중 중권의 병렬회로수는 극수와 같다.
③ 저전류 · 고전압 출력은 파권이 유리하다.
④ 단중 파권의 유기전압은 단중 중권의 $\frac{P}{2}$ 이다.

해설 8번 해설 참조

10 직류기의 전기자권선 중 중권권선에서 뒤피치가 앞피치보다 큰 경우를 무엇이라 하는가?

[2016년 2회 산업기사]

① 진 권
② 쇄 권
③ 여 권
④ 장정권

해설 • 진권 : 권선의 진행방향은 시계방향의 방사형이며, 후절(뒤)이 전절(앞)보다 크다.
• 누권(역진권) : 권선방향은 반시계방향으로 감겨지게 되고 후절(뒤)이 전절(앞)보다 적다.

4. 직류발전기 이론

(1) 유기기전력

① 전기자 도체 1개당 유기되는 기전력 : $e = Blv$

② 회전자속도 : $v = \pi D \dfrac{N}{60} [\text{m/s}]$

따라서, $e = Blv = Bl\pi D \dfrac{N}{60} [\text{V}]$

여기서, 전기자표면의 총자속$= P\phi = Bl\pi D$

그러므로, $e = Blv = \dfrac{P\phi}{\pi Dl} \times l \times \dfrac{\pi DN}{60} = P\phi \dfrac{N}{60}$

③ 도체수가 Z개일 때 전체 유기기전력(E)

$$E = \dfrac{eZ}{a} = Bl\pi D \dfrac{N}{60} \dfrac{Z}{a} = P\phi \dfrac{N}{60} \dfrac{Z}{a} = k\phi N$$

(B : 자속밀도, l : 도체 길이, D : 회전자 지름, P : 극수, ϕ : 극당 자속수, N : 분당 회전수, Z : 도체수)

(2) 전기자 반작용

직류발전기에 부하를 접속하면 전기자권선에 전류가 흐르며 이 전류에 의하여 생긴 기자력은 주자극에 의하여 공극(Air Gap)에 만들어진 자속에 영향을 주어 자속의 분포나 크기가 변화한다. 이와 같은 전기자전류에 의한 자속이 계자권선의 주자속(계자극면)에 영향을 주는 현상을 전기자 반작용이라고 한다.

① **무부하 시 주자속** : 주자속은 자극편의 밑에서 거의 일정한 값이 되고 평등자계이다. 이때 양쪽 극의 중간에서는 자속이 0이 된다. 자속밀도가 0이 되는 위치는 중성축이 된다. 중성축과 자극축 사이의 각도는 전기적으로 $\dfrac{\pi}{2}$ 이다(전기적 중성축=기계적 중성축).

② **교차기자력** : 계자기자력을 0으로 하고 전기자에만 전류를 보낸 경우를 생각하면 그림의 (a)와 같은 자속분포가 생긴다. 이때 공극의 자속밀도에 대한 분포곡선은 (b)와 같이 된다.

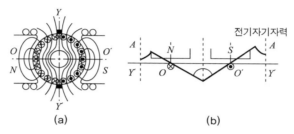

(a)   (b)

③ **편자작용** : 직류발전기에 부하를 접속하면 전기자전류와 계자전류가 흐르기 때문에 공극에 대한 자속밀도의 분포는 주자속의 그림과 교차기자력의 그림을 합성한 것이 되어서 한쪽으로 밀리게 된다.

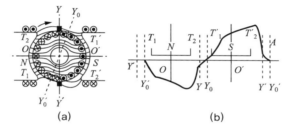

(a)   (b)

④ **전기자 반작용 현상** : 전체 자속은 다소 감소하기 때문에 이로 인해 유도기전력도 감소하는데, 이것을 전기자 반작용에 의한 전압강하(e_a)라고 한다. 전기자 반작용에 의하여 중성축이 이동(발전기 회전방향, 전동기 회전방향 반대)하면 브러시에 접촉하는 코일이 있는 위치로 자계가 이동하기 때문에, 브러시에 의하여 단락된 코일은 자속을 끊고 그 안에 기전력이 발생(국부적 전압 상승)한다. 이 기전력 때문에 브러시에는 큰 단락전류가 흐르고 불꽃이 생기게 된다. 그러므로 중성축이 이동하면 브러시도 새로운 중성축까지 이동시켜야 한다.

㉠ 유도기전력이 감소하고 아크에 의한 정류불량이 일어난다.

- 감자기자력 $A\,T_d = \dfrac{2\alpha}{\pi} \cdot \dfrac{ZI_a}{2ap}$ [AT/극]

- 교차기자력 $A\,T_c = \dfrac{\beta}{\pi} \cdot \dfrac{ZI_a}{2ap}$ [AT/극]

$\therefore \beta = (180 - 2\alpha)$

　　　ⓛ 전기자 반작용 대책
　　　　　• 브러시 이동 : 발전기인 경우 회전방향으로, 전동기인 경우 회전 반대방향으로 이동
　　　　　• 보상권선 : 주자극의 자극편에 슬롯을 만들고 그 속에 절연된 권선을 넣어서 이것
　　　　　　이 상대되는 전기자에서 나오는 전류와 직렬로 연결하여 전기자 도체의 전류와
　　　　　　반대방향으로 전류를 통하여 전기자 기전력을 소멸시키도록 한다. 이러한 권선을
　　　　　　보상권선이라 한다(전기자 반작용 대책에 가장 유효).
　　　　　• 보극 : 작은 극을 설치(공극 자속밀도 균일, 중성축 이동 방지, 정류작용에 유리)

(3) 정 류

전기자도체 안의 전류도 전기자도체가 브러시 밑을 통과할 때마다 방향이 반전한다. 그러
므로 직류발전기의 전기자권선 안에 유도되는 기전력은 교류이며 이 교류를 정류자의 작용
으로 정류하여 직류기전력으로 변환하는 것을 정류(Commutation)라고 한다.

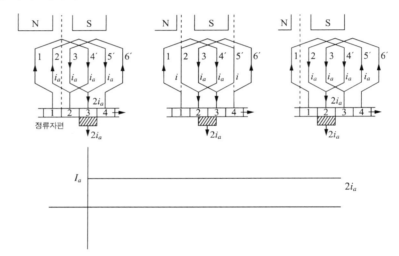

　　① 정류시간
　　　브러시의 두께를 b[m], 정류자 편 사이의 절연두께를 δ[m], 정류자의 주변속도를 v_c
　　　[m/s]라고 하면

$$T_c = \frac{b - \delta}{v_c}\,[\text{s}]$$

　　　T_c 동안에 정류를 완료하여야 한다. 이 시간은 코일이 브러시로 단락된 순간부터 시작
　　　되고, 단락이 해제될 때 끝나며 0.5~2[ms]로 극히 짧은 시간이다. 이 시간 T_c를 코일의
　　　정류시간, 또는 정류주기라고 한다.

② 정류곡선

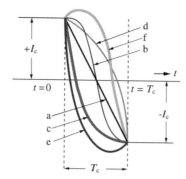

㉠ a곡선 : 직선정류로 가장 이상적인 정류이다.

㉡ d, f곡선 : 부족정류로 정류 말기에 브러시 후단부에서 전류가 급격히 변화하므로 단락되는 코일의 인덕턴스에 의하여 큰 전압이 발생하고 브러시의 뒤쪽(후단)에서 불꽃이 발생된다.

㉢ c, e곡선 : 과정류로 정류 초기에 브러시(전단부)에서 전류가 지나치게 급히 변화되어 높은 전압이 발생, 브러시 앞(전단)부분에서 불꽃이 발생된다.

㉣ b곡선 : 정현정류로 전류가 정현파로 표시되는 것으로 전류가 완만하므로 브러시 전단과 후단의 불꽃 발생은 방지할 수 있다.

③ 불꽃 없는 정류를 얻으려면

$$e_b > e_L = L\frac{di}{dt} = L\frac{2I_a}{T_c}$$

여기서, e_b : 브러시 접촉면 전압강하

e_L : 평균리액턴스 전압

I_a : 전기자전류

T_c : 정류시간

㉠ 자체 인덕턴스가 작아야 한다(L : 小).

㉡ 정류주기가 길어야 한다(회전속도는 느릴 것)(T_c : 大).

㉢ 브러시 접촉저항이 커야 한다. → 저항정류(탄소 브러시)

㉣ 리액턴스 평균전압이 작아야 한다. → 전압정류(보극 설치)

㉤ 브러시 접촉면 전압강하 > 평균리액턴스 전압($e_b > e_L$)

핵 / 심 / 예 / 제

01 포화하고 있지 않은 직류발전기의 회전수가 $\dfrac{1}{2}$로 감소되었을 때 기전력을 속도변화 전과 같은 값으로 하려면 여자를 어떻게 해야 하는가? [2017년 1회 산업기사]

① $\dfrac{1}{2}$로 감소시킨다.

② 1배로 증가시킨다.

③ 2배로 증가시킨다.

④ 4배로 증가시킨다.

해설 $E = K\phi N$에서 N이 $\dfrac{1}{2}$로 되면, ϕ가 2배가 되어야 E가 일정하다.

02 포화되지 않은 직류발전기의 회전수가 4배로 증가되었을 때 기전력을 전과 같은 값으로 하려면 자속을 속도변화 전에 비해 얼마로 하여야 하는가? [2020년 4회 기사]

① $\dfrac{1}{2}$

② $\dfrac{1}{3}$

③ $\dfrac{1}{4}$

④ $\dfrac{1}{8}$

해설 $E = K\phi N$에서 N이 4배가 되면, ϕ가 $\dfrac{1}{4}$배가 되어야 E가 일정하다.

03 전기자 지름 0.2[m]의 직류발전기가 1.5[kW]의 출력에서 1,800[rpm]으로 회전하고 있을 때 전기자 주변속도는 약 몇 [m/s]인가? [2017년 2회 산업기사]

① 18.84

② 21.96

③ 32.74

④ 42.85

해설 **전기자 주변속도**

$$V = \pi D \dfrac{N}{60} = 3.14 \times 0.2 \times \dfrac{1,800}{60} = 18.84[\text{m/s}]$$

01 ③ 02 ③ 03 ① **정답**

04 직류발전기의 유기기전력과 반비례하는 것은?

[2018년 2회 기사]

① 자 속　　　　　　　　　② 회전수
③ 전체 도체수　　　　　　④ 병렬회로수

> **해설** 유기기전력 $E = \dfrac{pZ}{a}\phi\dfrac{N}{60}[\text{V}]$
>
> 여기서, ϕ : 자속, N : 회전수, Z : 전체 도체수, a : 병렬회로수

05 극수 8, 중권 직류기의 전기자 총도체수 960, 매극 자속 0.04[Wb], 회전수 400[rpm]이라면 유기기전력은 몇 [V]인가?

[2020년 3회 기사]

① 256　　　　　　　　　② 327
③ 425　　　　　　　　　④ 625

> **해설** 중권 직류기에서 유기기전력
>
> $E = \dfrac{PZ}{60a}\phi N = \dfrac{Z}{60}\phi N(\text{중권}) = \dfrac{960}{60} \times 0.04 \times 400 = 256[\text{V}]$

정답 04 ④　05 ①

06 자극수 p, 파권, 전기자 도체수가 z인 직류발전기를 N[rpm]의 회전속도로 무부하 운전할 때 기전력이 E[V]이다. 1극당 주자속[Wb]은? [2016년 2회 기사]

① $\dfrac{120\,E}{pzN}$

② $\dfrac{120\,z}{pEN}$

③ $\dfrac{120z\,N}{pE}$

④ $\dfrac{120\,pz}{EN}$

해설

- 파권 : $\phi = \dfrac{60a}{pzN}E = \dfrac{120}{pzN}E$
- 중권 : $\phi = \dfrac{60a}{pzN}E = \dfrac{60}{zN}E$

07 직류 분권발전기의 극수 4, 전기자 총도체수 600으로 매분 600회전할 때 유기기전력이 220[V]라 한다. 전기자권선이 파권일 때 매극당 자속은 약 몇 [Wb]인가? [2018년 2회 기사]

① 0.0154

② 0.0183

③ 0.0192

④ 0.0199

해설

유기기전력 $E = \dfrac{PZ}{60a}\phi N$[V]에서

직류발전기의 자속 $\phi = \dfrac{60a}{PZN}E$ (파권)

$$= \dfrac{60 \times 2}{4 \times 600 \times 600} \times 220 ≒ 0.0183\,[\text{Wb}]$$

08 4극, 중권, 총도체수 500, 극당 자속이 0.01[Wb]인 직류발전기가 100[V]의 기전력을 발생시키는 데 필요한 회전수는 몇 [rpm]인가? [2020년 4회 기사]

① 800

② 1,000

③ 1,200

④ 1,600

해설

$E = \dfrac{PZ}{60a}\phi N = \dfrac{Z}{60}\phi N$ (중권)[V]

$N = \dfrac{60E}{Z\phi} = \dfrac{60 \times 100}{500 \times 0.01} = 1,200\,[\text{rpm}]$

여기서, E : 기전력, Z : 도체수, ϕ : 자속

06 ① 07 ② 08 ③ **정답**

09 극수 4이며 전기자권선은 파권, 전기자 도체수가 250인 직류발전기가 있다. 이 발전기가 1,200[rpm]으로 회전할 때 600[V]의 기전력을 유기하려면 1극당 자속은 몇 [Wb]인가?

[2021년 1회 기사]

① 0.04　　　　　　　　　　　② 0.05

③ 0.06　　　　　　　　　　　④ 0.07

해설

유기기전력 $E = \dfrac{PZ}{60a}\phi N$[V]에서

직류발전기의 자속 $\phi = \dfrac{60a}{PZN}E$(파권)

$$= \frac{60 \times 2}{4 \times 250 \times 1,200} \times 600 = 0.06[\text{Wb}]$$

10 극수가 4극이고 전기자권선이 단중 중권인 직류발전기의 전기자전류가 40[A]이면 전기자권선의 각 병렬회로에 흐르는 전류[A]는?

[2021년 2회 기사]

① 4　　　　　　　　　　　② 6

③ 8　　　　　　　　　　　④ 10

해설

전류$(I_a') = \dfrac{I_a}{a} = \dfrac{40}{4} = 10[\text{A}]$

11 60[kW], 4극, 전기자 도체의 수 300개, 중권으로 결선된 직류발전기가 있다. 매극당 자속은 0.05[Wb]이고 회전속도는 1,200[rpm]이다. 이 직류발전기가 전부하에 전력을 공급할 때 직렬로 연결된 전기자 도체에 흐르는 전류[A]는?

[2015년 2회 기사]

① 32 ② 42

③ 50 ④ 57

해설 • 중권 직류발전기에서 유기기전력

$$E = \frac{PZ}{60a}\phi N = \frac{Z}{60}\phi N (중권)$$
$$= \frac{300}{60} \times 0.05 \times 1,200 = 300[V]$$

• 회로에 흐르는 전류 $I = \frac{P}{E} = \frac{60 \times 10^3}{300} = 200[A]$

• 병렬회로에 흐르는 전류 $I_1 = \frac{I}{a} = \frac{200}{4} = 50[A]$

12 직류발전기에 $P[N \cdot m/s]$의 기계적 동력을 주면 전력은 몇 [W]로 변환되는가?(단, 손실은 없으며, i_a는 전기자 도체의 전류, e는 전기자 도체의 유도기전력, Z는 총도체수이다)

[2020년 1, 2회 기사]

① $P = i_a e Z$ ② $P = \frac{i_a e}{Z}$

③ $P = \frac{i_a Z}{e}$ ④ $P = \frac{eZ}{i_a}$

해설 전력$(P) = EI_a = ei_a Z$

13 8극, 유도기전력 100[V], 전기자전류 200[A]인 직류발전기의 전기자권선을 중권에서 파권으로 변경했을 경우의 유도기전력과 전기자전류는?
[2020년 1, 2회 산업기사]

① 100[V], 200[A]
② 200[V], 100[A]
③ 400[V], 50[A]
④ 800[V], 25[A]

해설 중권에서 파권의 극수(병렬회로수) $a = \dfrac{2}{8} = \dfrac{1}{4}$ 배 감소

$E = \dfrac{PZ\phi N}{60a} \propto \dfrac{1}{a}$

a가 $\dfrac{1}{4}$ 배 감소하니 기전력은 4배 증가

$\therefore E = 4 \times 100 = 400[\text{V}]$

$I = \dfrac{I_a}{8} = \dfrac{200}{8} = 25[\text{A}]$

$I_a{}' = 2I = 2 \times 25 = 50[\text{A}]$

14 직류발전기의 유기기전력이 230[V], 극수가 4, 정류자 편수가 162인 정류자 편 간 평균전압은 약 몇 [V]인가?(단, 권선법은 중권이다)
[2013년 1회 기사 / 2017년 1회 기사]

① 5.68
② 6.28
③ 9.42
④ 10.2

해설 **정류자 편 간 평균전압**

$e_{sa} = \dfrac{PE}{k} = \dfrac{4 \times 230}{162} \fallingdotseq 5.68[\text{V}]$

15 6극 직류발전기의 정류자 편수가 132, 유기기전력이 210[V], 직렬도체수가 132개이고 중권이다. 정류자 편 간 전압은 약 몇 [V]인가?
[2016년 3회 기사]

① 4
② 9.5
③ 12
④ 16

해설 **정류자 편 간 평균전압**

$e_{sa} = \dfrac{PE}{k} = \dfrac{6 \times 210}{132} \fallingdotseq 9.545[\text{V}]$

16 직류기에서 전기자 반작용이란 전기자권선에 흐르는 전류로 인하여 생긴 자속이 무엇에 영향을 주는 현상인가?　　　　　　　　　　　　[2013년 3회 산업기사 / 2016년 1회 산업기사]

① 감자 작용만을 하는 현상
② 편자 작용만을 하는 현상
③ 계자극에 영향을 주는 현상
④ 모든 부문에 영향을 주는 현상

　해설　전기자전류에 의하여 발생 자속이 계자에 의해 발생되는 주자속(계자극)에 영향을 주는 현상을 전기자 반작용이라 한다.

17 직류기의 전기자 반작용에 의한 영향이 아닌 것은?　　　　　　　　[2016년 1회 기사]

① 자속이 감소하므로 유기기전력이 감소한다.
② 발전기의 경우 회전방향으로 기하학적 중성축이 형성된다.
③ 전동기의 경우 회전방향과 반대방향으로 기하학적 중성축이 형성된다.
④ 브러시에 의해 단락된 코일에는 기전력이 발생하므로 브러시 사이의 유기기전력이 증가한다.

　해설　브러시에 의해 단락된 코일에는 기전력이 발생하므로 브러시 사이의 유기기전력이 감소한다.

18 직류기의 전기자 반작용 결과가 아닌 것은?　　　　　　　　　　[2016년 2회 기사]

① 주자속이 감소한다.
② 전기적 중성축이 이동한다.
③ 주자속에 영향을 미치지 않는다.
④ 정류자 편 사이의 전압이 불균일하게 된다.

　해설　16번 해설 참조

19 직류발전기의 전기자 반작용의 영향이 아닌 것은? [2016년 3회 기사 / 2017년 3회 산업기사]

① 주자속이 증가한다.

② 전기적 중성축이 이동한다.

③ 정류작용에 악영향을 준다.

④ 정류자 편 사이의 전압이 불균일하게 된다.

해설 **전기자 반작용의 영향**
- 주자속 감소 : 발전기 – 유기기전력 감소, 전동기 – 토크 감소, 속도 증가
- 전기적 중성축 이동 : 발전기 – 회전방향, 전동기 – 회전 반대방향
- 정류자 편 간의 불꽃 섬락 발생 : 정류 불량의 원인

20 직류기에서 전기자 반작용의 영향을 설명한 것으로 틀린 것은? [2017년 2회 산업기사]

① 주자극의 자속이 감소한다.

② 정류자 편 사이의 전압이 불균일하게 된다.

③ 국부적으로 전압이 높아져 섬락을 일으킨다.

④ 전기적 중성점이 전동기인 경우 회전방향으로 이동한다.

해설 19번 해설 참조

21 직류발전기의 전기자 반작용에 대한 설명으로 틀린 것은? [2021년 1회 기사]

① 전기자 반작용으로 인하여 전기적 중성축을 이동시킨다.

② 정류자 편간 전압이 불균일하게 되어 섬락의 원인이 된다.

③ 전기자 반작용이 생기면 주자속이 왜곡되고 증가하게 된다.

④ 전기자 반작용이란, 전기자 전류에 의하여 생긴 자속이 계자에 의해 발생되는 주자속에 영향을 주는 현상을 말한다.

> 해설 **전기자 반작용의 영향**
> • 주자속 감소 : 발전기 – 유기기전력 감소, 전동기 – 토크 감소, 속도 증가
> • 전기적 중성축 이동 : 발전기 – 회전방향, 전동기 – 회전 반대방향
> • 정류자 편 간의 불꽃 섬락 발생 : 정류 불량의 원인

22 직류발전기에서 기하학적 중성축과 각도 θ만큼 브러시의 위치가 이동되었을 때 감자기자력 $[AT/극]$은?$\left(\text{단, } K = \dfrac{I_a Z}{2Pa}\right)$ [2019년 2회 산업기사]

① $K\dfrac{\theta}{\pi}$

② $K\dfrac{2\theta}{\pi}$

③ $K\dfrac{3\theta}{\pi}$

④ $K\dfrac{4\theta}{\pi}$

> 해설 감자기자력 $AT_d = \dfrac{2\alpha}{\pi} \cdot \dfrac{ZI_a}{2aP}$ $\left(\text{여기서, } \alpha = \text{브러시 이동각}\right)$

23 전기자 총도체수 152, 4극, 파권인 직류발전기가 전기자전류를 100$[A]$로 할 때 매극당 감자기자력$[AT/극]$은 얼마인가?(단, 브러시의 이동각은 $10°$이다) [2017년 3회 기사]

① 33.6

② 52.8

③ 105.6

④ 211.2

> 해설 **감자기자력**
> $$AT_d = \frac{2\alpha}{\pi} \cdot \frac{ZI_a}{2aP} = \frac{2 \times 10}{180} \times \frac{152 \times 100}{2 \times 2 \times 4} \fallingdotseq 105.6[AT/극]$$

21 ③ 22 ② 23 ③ 정답

24 보극이 없는 직류발전기에서 부하의 증가에 따라 브러시의 위치를 어떻게 하여야 하는가?

[2017년 3회 기사]

① 그대로 둔다.
② 계자극의 중간에 놓는다.
③ 발전기의 회전방향으로 이동시킨다.
④ 발전기의 회전방향과 반대로 이동시킨다.

해설 브러시는 항상 기전력 0인 도체에 접속되어 있는 정류자 편에 접촉하도록 하여야 한다. 보극이 없는 발전기는 부하가 걸리면 중성축의 위치가 전기자 반작용 때문에 회전방향으로 이동하므로 그 위치에 브러시를 옮겨 놓아야 한다.

25 직류기의 보상권선은?

[2011년 2회 산업기사]

① 계자와 병렬로 연결
② 계자와 직렬로 연결
③ 전기자와 병렬로 연결
④ 전기자와 직렬로 연결

해설 전기자에서 나오는 전류와 직렬로 연결하여 전기자 도체의 전류와 반대방향으로 전류를 통하여 전기자 기전력을 소멸시키도록 한다.

26 직류기에서 전기자 반작용을 방지하기 위한 보상권선의 전류방향은?   [2013년 3회 산업기사]

① 전기자전류의 방향과 같다.
② 전기자전류의 방향과 반대이다.
③ 계자전류의 방향과 같다.
④ 계자전류의 방향과 반대이다.

해설 25번 해설 참조

정답 24 ③ 25 ④ 26 ②

27 다음은 직류발전기의 정류곡선이다. 이 중에서 정류 초기에 정류의 상태가 좋지 않은 것은?

[2019년 3회 산업기사]

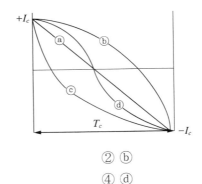

① ⓐ

② ⓑ

③ ⓒ

④ ⓓ

해설
- ⓐ곡선 : 직선정류로 가장 이상적인 정류이다.
- ⓑ곡선 : 부족정류로 정류 말기에 브러시 후단부에서 전류가 급격히 변화하므로 단락되는 코일의 인덕턴스에 의하여 큰 전압이 발생하고 브러시 뒤쪽(후단)에서 불꽃이 발생된다.
- ⓒ곡선 : 과정류로 정류 초기에 브러시(전단부)에서 전류가 지나치게 급히 변화되어 높은 전압이 발생, 브러시 앞(전단)부분에 불꽃이 발생한다.
- ⓓ곡선 : 정현정류로 전류가 정현파로 표시되는 것으로 전류가 완만하므로 브러시 전단과 후단의 불꽃 발생은 방지할 수 있다.

28 다음은 직류발전기의 정류곡선이다. 이 중에서 정류 말기에 정류의 상태가 좋지 않은 것은?

[2019년 2회 산업기사]

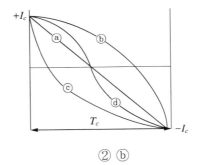

① ⓐ

② ⓑ

③ ⓒ

④ ⓓ

해설 27번 해설 참조

29 직류기에서 정류코일의 자기인덕턴스를 L이라 할 때 정류코일의 전류가 정류주기 T_c 사이에 I_c에서 $-I_c$로 변한다면 정류코일의 리액턴스 전압[V]의 평균값은?

[2017년 2회 기사]

① $L\dfrac{T_c}{2I_c}$ ② $L\dfrac{I_c}{2T_c}$ ③ $L\dfrac{2I_c}{T_c}$ ④ $L\dfrac{I_c}{T_c}$

> **해설**   전류의 변화는 $I_c - (-I_c) = 2I_c$이므로 $e_L = L\dfrac{di}{dt} = L\dfrac{2I_c}{T_c}$[V]

30 직류발전기의 정류 초기에 전류변화가 크며 이때 발생되는 불꽃정류로 옳은 것은?

[2019년 1회 기사]

① 과정류   ② 직선정류
③ 부족정류   ④ 정현파정류

> **해설**   **과정류** : 정류 초기에 브러시(전단부)에서 전류가 지나치게 급히 변화되어 높은 전압이 발생, 브러시 앞(전단)부분에서 불꽃이 발생한다.

31 직류기에 보극을 설치하는 목적은?

[2017년 1회 기사]

① 정류 개선   ② 토크의 증가
③ 회전수 일정   ④ 기동토크의 증가

> **해설**   직류기에 보극을 설치하는 목적은 불꽃이 없는 정류를 얻기 위한 것이다.

32 직류기에 관련된 사항으로 잘못 짝지어진 것은?

[2019년 2회 기사]

① 보극 – 리액턴스 전압 감소
② 보상권선 – 전기자 반작용 감소
③ 전기자 반작용 – 직류전동기 속도 감소
④ 정류기간 – 전기자 코일이 단락되는 기간

> **해설**   **전기자 반작용의 영향**
> • 주자속 감소 : 발전기 – 유기기전력 감소, 전동기 – 토크 감소, 속도 증가
> • 전기적 중성축 이동 : 발전기 – 회전방향, 전동기 – 회전 반대방향
> • 정류자 편 간의 불꽃 섬락 발생 : 정류 불량의 원인

정답   29 ③   30 ①   31 ①   32 ③

33 직류기발전기에서 양호한 정류(整流)를 얻는 조건으로 틀린 것은? [2019년 2회 기사]

① 정류주기를 크게 할 것
② 리액턴스 전압을 크게 할 것
③ 브러시의 접촉저항을 크게 할 것
④ 전기자 코일의 인덕턴스를 작게 할 것

해설 **양호한 정류방법**
• 보극과 탄소 브러시를 설치한다.
• 평균 리액턴스 전압을 줄인다.
• 정류주기를 길게 한다.
• 회전속도를 늦게 한다.
• 인덕턴스를 작게 한다(단절권 채용).

34 불꽃 없는 정류를 하기 위해 평균 리액턴스 전압(A)과 브러시 접촉면 전압강하(B) 사이에 필요한 조건은? [2022년 1회 기사]

① A>B
② A<B
③ A=B
④ A, B에 관계없다.

해설 불꽃 없는 정류를 얻으려면

$$e_b > e_L = L\frac{di}{dt} = L\frac{2I_a}{T_c}$$

여기서, e_b : 브러시 접촉면 전압강하
e_L : 평균리액턴스 전압
I_a : 전기자전류
T_c : 정류시간

• 자체 인덕턴스가 작아야 한다(L : 小).
• 정류주기가 길어야 한다(회전속도는 느릴 것)(T_c : 大).
• 브러시 접촉저항이 커야 한다. → 저항정류(탄소 브러시)
• 리액턴스 평균전압이 작아야 한다. → 전압정류(보극 설치)
• 브러시 접촉면 전압강하 > 평균리액턴스 전압($e_b > e_L$)

35 직류기에서 양호한 정류를 얻는 조건으로 틀린 것은? [2017년 2회 산업기사]

① 정류주기를 크게 한다.
② 브러시의 접촉저항을 크게 한다.
③ 전기자권선의 인덕턴스를 작게 한다.
④ 평균 리액턴스 전압을 브러시 접촉면 전압강하보다 크게 한다.

해설 **양호한 정류방법**
• 보극과 탄소 브러시를 설치한다.
• 평균 리액턴스 전압을 줄인다.
• 정류주기를 길게 한다.
• 회전속도를 늦게 한다.
• 인덕턴스를 작게 한다(단절권 채용).

36 직류기에 탄소 브러시를 사용하는 주된 이유는? [2014년 3회 산업기사]

① 고유저항이 작기 때문에
② 접촉저항이 작기 때문에
③ 접촉저항이 크기 때문에
④ 고유저항이 크기 때문에

해설 **브러시의 조건**
접촉저항이 클 것, 마찰저항이 작을 것, 기계적으로 튼튼할 것

5. 직류기의 종류와 특성

(1) 종 류

계자권선에 전류를 흘려주는 것을 여자라 하며, 여자의 방법에 따라 다음과 같이 분류한다.

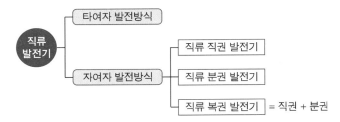

(2) 특 성

① 타여자 : 외부의 직류전원으로부터 여자전류를 받아서 계자자속을 만드는 것이다.

발전기	전동기
• 잔류자기 없이도 발전 가능 • 회전방향 반대 : 극성 반대로 발전 • 정전압 발전	• 계자회로에 퓨즈 사용 금지 (퓨즈 차단 시 위험속도 도달 → 대책 : 직결한다) • 전원 반대로 접속 : 회전방향 반대 • 정속도 운전

㉠ 무부하 특성곡선 : 직류발전기의 회전수 n[rps]를 일정하게 유지하고 계자전류 I_f와 무부하 단자전압 $V_0(=E)$[V]의 관계를 표시하는 곡선이다. 계자전류 I_f가 커지면 자기회로의 자속밀도가 높아져서 결국 포화현상이 일어난다. 이때에는 계자전류에 비례하여 자속과 유도기전력이 증가되지 못하는 것을 나타내고 있다.

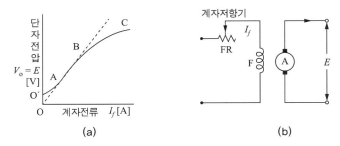

ⓛ 외부 특성곡선 : 발전기에 부하를 걸면 단자전압이 변화한다. 발전기의 회전수 n [rps]와 계자전류 I_f[A]를 일정하게 유지하고 부하전류 I[A]를 점점 증가시켰을 때, 단자전압 V[V]가 어떻게 변화하는가를 나타내는 곡선을 외부 특성곡선이라고 한다.

- 발전기는 기전력이 크다 : $V = E - R_a I_a - e_b - e_a$
- 전동기는 기전력이 작다 : $V = E + R_a I_a + e_b + e_a$
※ I_a : 전기자전류, E : 유기기전력, I_f : 계자전류, I : 부하전류, V : 단자전압,
   R_a : 전기자저항

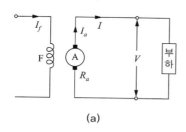

(a)

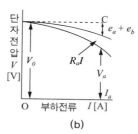

(b)

② **자여자 발전기** : 발전 전원에서 여자전류를 받아 계자 자속을 만드는 것으로 잔류자기가 있을 경우에만 발전한다. 운전 중 역회전하면 잔류자기가 소멸하여 발전이 불가능하다.

ⓐ 직권 : 직권은 계자권선과 전기자권선이 직렬로 접속되며, 부하전류에 따라 여자되기 때문에 무부하인 경우에는 잔류자기로 약간의 유도기전력이 발생하지만 자기여자에 의한 전압의 확립은 일어나지 않는다.

발전기	전동기
• 무부하 시 전압 확립 불가	• 운전 중 무부하 상태 금지(벨트운전 금지 : 벨트가 끊어지면 위험속도 도달 → 대책 : 기어로 운전한다) • 전원 반대로 접속 : 회전방향 불변 • 전기자나 계자 중 1개만 변경 : 회전방향 반대 • 부하에 따라 속도 변동이 심함

- 무부하 특성곡선 : 직권발전기는 그대로 무부하 특성곡선을 얻지 못하므로 계자권선을 분리시켜서 타여자로 하여 구한다(무부하 시 전압 확립 불가).
- 외부 특성곡선 : 직권발전기에 부하를 접속하면, 전기자회로에 전류가 흐르고 이 전류는 부하와 직권계자권선에 흐르므로 전압의 확립이 일어나서 부하전류 I[A]의 증가와 동시에 유도기전력 E[V]가 증가하고 단자전압 V[V]도 상승한다.
  - $I_a = I_f = I$
  - 발전기 : $V = E - I(R_a + R_s) - e_b - e_a$, $V = IR$
  - 전동기 : $V = E + I(R_a + R_s) + e_b + e_a$

※ R_a : 전기자권선의 저항[Ω], I_a : 전기자전류[A], R : 부하의 저항[Ω],

R_s : 직권계자권선의 저항[Ω], e_b : 브러시의 접촉저항에 의한 전압강하[V],

e_a : 전기자 반작용에 의한 전압강하[V]

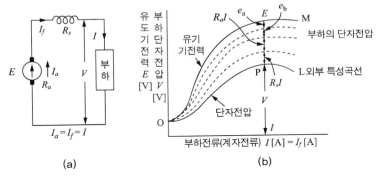

(a)   (b)

ⓛ 분권 : 분권발전기에서 계자권선은 전기자와 병렬로 되어 있고 발전기 자신의 유도기전력에 의하여 여자되기 때문에 무부하에서도 계자전류 I_f 가 전기자에 흐르므로 그만큼 전압강하가 있지만, 실용상 이를 무시해도 된다(전기자와 계자 병렬로 연결, 임계저항).

발전기	전동기
• 운전 중 계자회로 급개방 : 계자권선에 고압 유기 후 절연파괴 • 운전 중 서서히 단락 : 처음에는 큰 전류, 나중에는 소전류(임계저항)	• R_f 일정 → I_f 일정 → ϕ 일정(상수 취급) : 정속도 운전 • 운전 중 계자회로 단선 : 위험속도 도달, 벨트 사용 금지 $I_f = 0[A]$ → $\phi = 0[Wb]$ → $N = \infty[rpm]$ (위험 속도) • 전원 극성 반대 : 회전방향 불변

• 전압의 확립 : 분권발전기가 자기여자에 의하여 전압을 발생하는 것은 계자석에 약간의 잔류자속이 있고 이것에 의하여 전기자권선에 약간의 전압이 유도되기 때문이다(타여자와 비슷).

• 무부하 특성 : 계자저항 OA인 경우에 계자저항기 FR(가변저항기)을 조정하여 계자회로의 저항을 감소시키면 계자전류가 증가하여 단자전압은 상승하고, 계자회로의 저항을 증가하면 계자전류는 감소하여 단자전압은 하강한다.

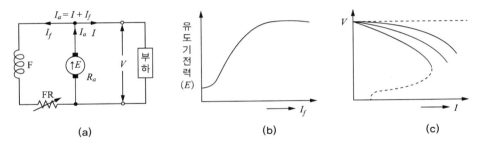

(a)   (b)   (c)

- 외부특성 : 분권발전기의 계자저항 및 회전수를 일정하게 하여 일정한 전압을 유도시키고, 이것에 부하를 증가해 나가면(부하는 병렬로 증가) 합성부하저항은 감소하므로 부하전류는 증가한다. 따라서 전기자저항과 전기자 반작용에 따른 전압강하가 커지므로 단자전압은 점점 저하하여 그림(c)와 같이 되는 것은 타여자 발전기의 경우와 같으나 단자전압이 내려가면 계자전류도 감소하기 때문에 타여자발전기와 거의 변화가 없으나 과부하가 됨에 따라 전압강하는 갑자기 증가하고, 극히 불안정하게 되며 다시 부하의 저항을 감소하여 부하전류를 증가하려고 해도 갑자기 전압이 강화하여 전류는 오히려 감소한다. 따라서 임계점부터 부하저항을 감소하면 안전한 운전은 불가능하게 된다.

  - $I = \dfrac{P}{V}$ 이며, $I_f = \dfrac{V}{R_f}$ 이다.
  - 발전기 : $V = E - I_a R_a - e_b - e_a = E - (I + I_f)R_a - e_a - e_b$
  - 전동기 : $V = E + I_a R_a + e_b + e_a = E + (I - I_f)R_a + e_a + e_b$

ⓒ 복권 : 분권계자권선 F와 직권계자권선 F_s를 가지며 접속방법에 따라 내분권과 외분권으로 나눈다.

  - 복권을 분권으로만 사용 시 : 직권계자 단락
  - 복권을 직권으로만 사용 시 : 분권계자 개방

핵 / 심 / 예 / 제

01 직류발전기의 단자전압을 조정하려면 어느 것을 조정하여야 하는가? [2014년 3회 기사]

① 기동저항
② 계자저항
③ 방전저항
④ 전기자저항

해설 $E = k\phi N$이므로 ϕ의 변화는 계자저항으로 조정한다.

02 계자권선이 전기자에 병렬로만 연결된 직류기는? [2016년 2회 기사 / 2020년 1, 2회 기사]

① 분권기
② 직권기
③ 복권기
④ 타여자기

해설 분권기(발전기)는 계자권선이 전기자권선에 병렬로 연결된다.

03 다음 (   )에 알맞은 것은? [2019년 1회 기사]

직류발전기에서 계자권선이 전기자에 병렬로 연결된 직류기는 (ⓐ) 발전기라 하며, 전기자권선과 계자권선이 직렬로 접속된 직류기는 (ⓑ) 발전기라 한다.

① ⓐ 분권, ⓑ 직권
② ⓐ 직권, ⓑ 분권
③ ⓐ 복권, ⓑ 분권
④ ⓐ 자여자, ⓑ 타여자

해설
• 분권 : 분권발전기에서 계자권선은 전기자와 병렬로 되어 있다.
• 직권 : 직권은 계자권선과 전기자권선이 직렬로 접속된다.

01 ② 02 ① 03 ① **정답**

04 직류발전기의 특성곡선 중 상호 관계가 옳지 않은 것은? [2014년 3회 기사 / 2021년 3회 기사]

① 무부하 포화곡선 : 계자전류와 단자전압
② 외부 특성곡선 : 부하전류와 단자전압
③ 부하 특성곡선 : 계자전류와 단자전압
④ 내부 특성곡선 : 부하전류와 단자전압

해설

종 류	횡 축	종 축	조 건
무부하 포화곡선	I_f (계자전류)	V (단자전압)	n 일정, $I=0$
외부 특성곡선	I (부하전류)	V (단자전압)	n 일정, R_f 일정
내부 특성곡선	I (부하전류)	E (유기기전력)	n 일정, R_f 일정
부하 특성곡선	I_f (계자전류)	V (단자전압)	n 일정, I 일정
계자 조정곡선	I (부하전류)	I_f (계자전류)	n 일정, V 일정

05 직류발전기의 특성곡선에서 각 축에 해당하는 항목으로 틀린 것은? [2021년 3회 기사]

① 외부 특성곡선 : 부하전류와 단자전압
② 부하 특성곡선 : 계자전류와 단자전압
③ 내부 특성곡선 : 무부하전류와 단자전압
④ 무부하 특성곡선 : 계자전류와 유도기전력

해설 4번 해설 참조

06 직류발전기의 무부하 특성곡선은 다음 중 어느 관계를 표시한 것인가? [2017년 3회 산업기사]

① 계자전류-부하전류
② 단자전압-계자전류
③ 단자전압-회전속도
④ 부하전류-단자전압

해설 4번 해설 참조

정답 04 ④ 05 ③ 06 ②

07 직류발전기의 외부 특성곡선에서 나타내는 관계로 옳은 것은?

[2016년 1회 기사 / 2019년 2회 산업기사]

① 계자전류와 단자전압　　　　② 계자전류와 부하전류

③ 부하전류와 단자전압　　　　④ 부하전류와 유기기전력

해설

종 류	횡 축	종 축	조 건
무부하 포화곡선	I_f(계자전류)	V(단자전압)	n일정, $I=0$
외부 특성곡선	I(부하전류)	V(단자전압)	n일정, R_f일정
내부 특성곡선	I(부하전류)	E(유기기전력)	n일정, R_f일정
부하 특성곡선	I_f(계자전류)	V(단자전압)	n일정, I일정
계자 조정곡선	I(부하전류)	I_f(계자전류)	n일정, V일정

08 그림은 복권발전기의 외부 특성곡선이다. 이 중 과복권을 나타내는 곡선은?

[2019년 2회 산업기사]

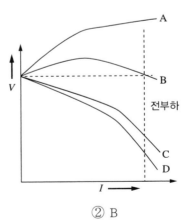

① A　　　　　　　　　　　② B

③ C　　　　　　　　　　　④ D

해설
- A – 과복권
- B – 평복권
- C – 분권
- D – 차동복권

09 직류 타여자발전기의 부하전류와 전기자전류의 크기는? [2018년 1회 산업기사]

① 전기자전류와 부하전류가 같다.
② 부하전류가 전기자전류보다 크다.
③ 전기자전류가 부하전류보다 크다.
④ 전기자전류와 부하전류는 항상 0이다.

해설 직류 타여자발전기에서 전기자전류와 부하전류는 같다.

10 정격 5[kW], 100[V], 50[A], 1,500[rpm]의 타여자 직류발전기가 있다. 계자전압 50[V], 계자전류 5[A], 전기자저항 0.2[Ω]이고 브러시에서 전압강하는 2[V]이다. 무부하 시와 정격부하 시의 전압차는 몇 [V]인가? [2012년 2회 기사]

① 12
② 10
③ 8
④ 6

해설 직류 타여자발전기에서 무부하 시의 단자전압은 유기기전력과 같다.

전류 $I_a = I = \dfrac{P}{V} = \dfrac{5 \times 10^3}{100} = 50[\text{A}]$

유기기전력 $E = V + I_a R_a + e_b = 100 + 50 \times 0.2 + 2 = 112[\text{V}]$

∴ 전위차 $e = E - V = 112 - 100 = 12[\text{V}]$

11 직류발전기를 전동기로 사용하고자 한다. 이 발전기의 정격전압 120[V], 정격전류 40[A], 전기자저항 0.15[Ω]이며, 전부하일 때 발전기와 같은 속도로 회전시키려면 단자전압은 몇 [V]를 공급하여야 하는가?(단, 전기자 반작용 및 여자전류는 무시한다) [2013년 1회 기사]

① 114[V]
② 126[V]
③ 132[V]
④ 138[V]

해설 발전기와 전동기일 때 같은 속도를 내기 위해서는 기전력이 같아야 한다.
• 직류발전기 $E = V + I_a R_a = 120 + 40 \times 0.15 = 126[\text{V}]$
• 직류전동기 $V = E + I_a R_a = 126 + 40 \times 0.15 = 132[\text{V}]$

12 분권발전기의 회전방향을 반대로 하면 일어나는 현상은? [2017년 1회 기사]

① 전압이 유기된다.　　　② 발전기가 소손된다.

③ 잔류자기가 소멸된다.　　　④ 높은 전압이 발생한다.

해설 역회전에 의하여 잔류자기에 의한 기전력의 극성이 반대로 된다. 따라서 분권회로의 여자전류가 반대로 흘러서 잔류자기를 소멸시키기 때문에 발전불능이 된다.

13 직류 분권발전기가 운전 중 단락이 발생하면 나타나는 현상으로 옳은 것은?

[2019년 2회 산업기사]

① 과전압이 발생한다.

② 계자저항선이 확립된다.

③ 큰 단락전류로 소손된다.

④ 작은 단락전류가 흐른다.

해설 분권발전기의 부하전류가 증가하면 전기자 저항강하와 전기자 반작용에 의한 감자현상으로 단자전압이 떨어지고 부하전류가 어느 값 이상으로 증가하게 되면 단자전압은 급격히 저하하여 매우 작은 단락전류에 머무르게 된다.

14 직류 분권발전기에 대한 설명으로 옳은 것은? [2016년 2회 기사]

① 단자전압이 강하하면 계자전류가 증가한다.

② 부하에 의한 전압의 변동이 타여자발전기에 비하여 크다.

③ 타여자발전기의 경우보다 외부 특성곡선이 상향(上向)으로 된다.

④ 분권권선의 접속방법에 관계없이 자기여자로 전압을 올릴 수가 있다.

해설 단자전압이 강하하면, 계자전류가 감소하여 전압이 더욱 떨어지므로 타여자발전기보다 전압강하가 크게 된다.

15 계자저항 50[Ω], 계자전류 2[A], 전기자저항 3[Ω]인 분권발전기가 무부하로 정격속도로 회전할 때 유기기전력[V]은?

[2014년 1회 기사]

① 106

② 112

③ 115

④ 120

해설 **분권발전기의 유기기전력**

$E = V + I_a R_a = 100 + 2 \times 3 = 106[\text{V}]$

여기서, $I_a = I_f + I$, 무부하 단자 시 $I_a = I_f$

단자전압 $V = I_f R_f = 2 \times 50 = 100[\text{V}]$

16 정격전압 220[V], 무부하 단자전압 230[V], 정격출력이 40[kW]인 직류 분권발전기의 계자저항이 22[Ω], 전기자 반작용에 의한 전압강하가 5[V]라면 전기자 회로의 저항[Ω]은 약 얼마인가?

[2019년 2회 기사]

① 0.026

② 0.028

③ 0.035

④ 0.042

해설 전기자전류 $I_a = I + I_f = \dfrac{40 \times 10^3}{220} + \dfrac{220}{22} \fallingdotseq 191.82[\text{A}]$

$E = V + I_a R_a + e_a$ 에서 $R_a = \dfrac{E - V - e_a}{I_a} = \dfrac{230 - 220 - 5}{191.82} \fallingdotseq 0.026[\Omega]$

17 전기자저항이 0.3[Ω]인 분권발전기가 단자전압 550[V]에서 부하전류가 100[A]일 때, 발생하는 유도기전력[V]은?(단, 계자전류는 무시한다) [2018년 2회 산업기사]

① 260　　　　　　　　　　② 420
③ 580　　　　　　　　　　④ 750

해설　**직류 분권발전기**
- 조건 : $I_a = I + I_f$에서 계자전류 무시이므로 $I_a = I = 100[\text{A}]$
- 유기기전력 : $E = V + I_a R_a = 550 + 100 \times 0.3 = 580[\text{V}]$

18 단자전압 220[V], 부하전류 50[A]인 분권발전기의 유기기전력[V]은?(단, 전기자저항 0.2 [Ω], 계자전류 및 전기자 반작용은 무시한다) [2015년 1회 산업기사 / 2021년 1회 기사]

① 210　　　　　　　　　　② 225
③ 230　　　　　　　　　　④ 250

해설　**직류 분권발전기**
- 조건 : $I_a = I + I_f$에서 계자전류 무시이므로 $I_a = I = 50[\text{A}]$
- 유기기전력 : $E = V + I_a R_a = 220 + 50 \times 0.2 = 230[\text{V}]$

19 정격전압 100[V], 정격전류 50[A]인 분권발전기의 유기기전력은 몇 [V]인가?(단, 전기자저항 0.2[Ω], 계자전류 및 전기자 반작용은 무시한다) [2015년 3회 기사 / 2019년 3회 기사]

① 110　　　　　　　　　　② 120
③ 125　　　　　　　　　　④ 127.5

해설　**분권발전기의 유기기전력**
조건 : 계자전류$(I_f) = 0$, $I = I_a + I_f = I_a$
$E = V + I_a R_a = 100 + 50 \times 0.2 = 110[\text{V}]$

20 단자전압 220[V], 부하전류 48[A], 계자전류 2[A], 전기자저항 0.2[Ω]인 직류 분권발전기의 유도기전력[V]은?(단, 전기자 반작용은 무시한다)

[2019년 1회 산업기사]

① 210

② 220

③ 230

④ 240

> **해설** 직류 분권발전기 유기기전력
>
> $E = V + R_a(I + I_f) = 220 + 0.2(48 + 2) = 230[V]$
>
> 여기서, $I_a = I + I_f$

21 단자전압 200[V], 계자저항 50[Ω], 부하전류 50[A], 전기자저항 0.15[Ω], 전기자 반작용에 의한 전압강하 3[V]인 직류 분권발전기가 정격속도로 회전하고 있다. 이때 발전기의 유도기전력은 약 몇 [V]인가?

[2022년 1회 기사]

① 211.1

② 215.1

③ 225.1

④ 230.1

> **해설** 유도기전력 $(E) = V + I_a R_a + e_a = 200 + 54 \times 0.15 + 3 = 211.1[V]$
>
> $I_a = I_f + I = \dfrac{V}{R_f} + I = \dfrac{200}{50} + 50 = 54$

22 50[Ω]의 계자저항을 갖는 직류 분권발전기가 있다. 이 발전기의 출력이 5.4[kW]일 때 단자전압은 100[V], 유기기전력은 115[V]이다. 이 발전기의 출력이 2[kW]일 때 단자전압이 125[V]라면 유기기전력은 약 몇 [V]인가? [2018년 3회 기사]

① 130

② 145

③ 152

④ 159

해설 분권발전기 $E = V + I_a R_a$

$$I_a = I + I_f = \frac{P}{V} + \frac{V}{R_f} = \frac{5.4 \times 10^3}{100} + \frac{100}{50} = 56[\text{A}]$$

$E = V + I_a R_a$ 에서 $115 = 100 + 56 R_a$

$$R_a = \frac{15}{56} \fallingdotseq 0.268[\Omega]$$

$$I_a' = I + I_f = \frac{P'}{V'} + \frac{V'}{R_f} = \frac{2 \times 10^3}{125} + \frac{125}{50} = 18.5[\text{A}]$$

$$\therefore E = V + I_a R_a = 125 + (18.5 \times 0.268) \fallingdotseq 129.96[\text{V}]$$

23 100[V], 10[A], 1,500[rpm]인 직류 분권발전기의 정격 시의 계자전류는 2[A]이다. 이때 계자회로에는 10[Ω]의 외부저항이 삽입되어 있다. 계자권선의 저항[Ω]은? [2019년 2회 기사]

① 20

② 40

③ 80

④ 100

해설 계자권선 저항 $R_f = \frac{V}{I_f} - R = \frac{100}{2} - 10 = 40[\Omega]$

24 정격 200[V], 10[kW] 직류 분권발전기의 전압변동률은 몇 [%]인가?(단, 전기자 및 분권 계자저항은 각각 0.1[Ω], 100[Ω]이다) [2016년 2회 기사]

① 2.6　　　　　　② 3.0　　　　　　③ 3.6　　　　　　④ 4.5

해설

$$I_a = I + I_f = \frac{P}{V} + \frac{V_f}{R_f} = \frac{10,000}{200} + \frac{200}{100} = 52[\text{A}]$$

$$V_0 = E = V + I_a R_a = 200 + 52 \times 0.1 = 205.2$$

전압변동률 $\varepsilon = \frac{V_0 - V_n}{V_n} \times 100 = \frac{205.2 - 200}{200} \times 100 = 2.6[\%]$

25 200[kW], 200[V]의 직류 분권발전기가 있다. 전기자권선의 저항이 0.025[Ω]일 때 전압변동률은 몇 [%]인가? [2019년 1회 산업기사]

① 6.0　　　　　　② 12.5　　　　　　③ 20.5　　　　　　④ 25.0

해설

$$E = V + I_a R_a = 200 + (1,000 \times 0.025) = 225[\text{V}]$$

$$I_a = I = \frac{P}{V} = \frac{200 \times 10^3}{200} = 1,000[\text{A}]$$

$$\therefore \varepsilon = \frac{V_0 - V_n}{V_n} = \frac{225 - 200}{200} \times 100 = 12.5[\%]$$

26 직류 분권발전기의 무부하 포화곡선이 $V = \frac{950 I_f}{30 + I_f}$ 이고, I_f는 계자전류[A], V는 무부하전압[V]으로 주어질 때 계자회로의 저항이 25[Ω]이면 몇 [V]의 전압이 유기되는가? [2014년 2회 산업기사]

① 200　　　　　　② 250　　　　　　③ 280　　　　　　④ 300

해설 **직류 분권발전기**

단자전압 $V = R_f \times I_f$, $I_f = \frac{V}{25}$ 대입

$V = \dfrac{950 \times \dfrac{V}{25}}{30 + \dfrac{V}{25}}$ 에서 $30 V + \dfrac{V^2}{25} = 950 \times \dfrac{V}{25}$

$\left(30 + \dfrac{V}{25}\right) V = 38 V$에서 양변 V를 제거하면 $30 + \dfrac{V}{25} = 38$

따라서, $V = (38 - 30) \times 25 = 200[\text{V}]$

27 전기자저항이 0.04[Ω]인 직류 분권발전기가 있다. 단자전압 100[V], 회전속도 1,000[rpm]일 때 전기자전류는 50[A]라 한다. 이 발전기를 전동기로 사용할 때 전동기의 회전속도는 약 몇 [rpm]인가?(단, 전기자 반작용은 무시한다) [2016년 3회 산업기사]

① 759　　　　　　　　　　　② 883
③ 894　　　　　　　　　　　④ 961

해설　$E \propto N$이므로 $E:N=E':N'$에서
발전기일 때 $E=100+50 \times 0.04=102$
E'는 전동기일 때이므로 $E'=100-50 \times 0.04=98$
$N=1,000$
∴ $102:1,000=98:N'$

$$N' = \frac{98}{102} \times 1,000 = 960.78[\mathrm{rpm}]$$

28 600[rpm]으로 회전하는 타여자발전기가 있다. 이때 유기기전력은 150[V], 여자전류는 5[A]이다. 이 발전기를 800[rpm]으로 회전하여 180[V]의 유기기전력을 얻으려면 여자전류는 몇 [A]로 하여야 하는가?(단, 자기회로의 포화현상은 무시한다) [2014년 2회 기사]

① 3.2　　　　　　　　　　　② 3.7
③ 4.5　　　　　　　　　　　④ 5.2

해설　타여자발전기의 유기기전력 $E=k\phi N=kI_f N[\mathrm{V}]$에서 $E \propto I_f$ 하고, $I_f \propto \phi$이므로
$$I_f : \frac{E}{N} = I_f' : \frac{E'}{N'} \text{에서} \quad I_f' = \frac{E'N}{EN'}I_f = \frac{180 \times 600}{150 \times 800} \times 5 = 4.5[\mathrm{A}]$$

29 직류발전기 중 무부하일 때보다 부하가 증가한 경우에 단자전압이 상승하는 발전기는? [2016년 1회 산업기사]

① 직권발전기　　　　　　　　② 분권발전기
③ 과복권발전기　　　　　　　④ 차동 복권발전기

해설　부하 증가에 따라 부하전류를 이용하여 전압강하를 이루는 발전기로는 복권을 사용하며 부하 증가 시 전압상승은 과복권, 하강은 차동복권을 사용한다.

30 전부하 시의 단자전압이 무부하 시의 단자전압보다 높은 직류발전기는? [2022년 2회 기사]

① 분권발전기

② 평복권발전기

③ 과복권발전기

④ 차동 복권발전기

> 해설 부하 증가에 따라 부하전류를 이용하여 전압강하를 이루는 발전기로는 복권을 사용하며 부하 증가 시 전압상승은 과복권, 하강은 차동복권을 사용한다.

31 직류 가동 복권발전기를 전동기로 사용하면 어느 전동기가 작동되는가? [2020년 3회 기사]

① 직류 직권전동기

② 직류 분권전동기

③ 직류 가동 복권전동기

④ 직류 차동 복권전동기

> 해설 발전기를 전동기로 사용했기 때문에 직류 가동 복권발전기는 직류 차동 복권전동기로 작동한다.

6. 직류발전기의 병렬운전

(1) 병렬운전 조건

① 정격 전압(단자전압)과 극성이 같아야 한다.

② 외부 특성곡선이 어느 정도 수하특성이어야 한다.

③ 용량이 다른 경우 : %부하전류로 나타낸 외부 특성곡선이 일치해야 한다.

④ 용량이 같을 경우 : 외부 특성곡선이 일치해야 한다.

※ 달라도 되는 것 : 절연저항, 손실, 용량

(2) 부하분담

① 유기기전력이 크면 부하 분담을 많이 한다.

② 유기기전력이 같으면 전기자저항에 반비례한다.

③ 용량이 다르고, 나머지가 같으면 용량에 비례한다.

(3) 균압선 : 직권, 복권 발전기는 병렬운전을 안정히 하기 위해 사용한다.

01 직류 복권발전기의 병렬운전에 있어 균압선을 붙이는 목적은 무엇인가? [2018년 3회 기사]

① 손실을 경감한다.

② 운전을 안정하게 한다.

③ 고조파의 발생을 방지한다.

④ 직원계자 간의 전류증가를 방지한다.

해설 **균압선**
- 병렬운전을 안정하게 하기 위하여 설치하는 것
- 직렬 계자권선을 가지는 발전기에 필요 : 직권 및 복권발전기

02 직류발전기의 병렬운전에서 균압모선을 필요로 하지 않는 것은? [2020년 1, 2회 산업기사]

① 분권발전기

② 직권발전기

③ 평복권발전기

④ 과복권발전기

해설 1번 해설 참조

03 직류발전기를 병렬운전할 때 균압모선이 필요한 직류기는?

[2012년 3회 기사 / 2017년 1회 기사 / 2018년 1회 산업기사 / 2020년 4회 기사]

① 직권발전기, 분권발전기

② 직권발전기, 복권발전기

③ 복권발전기, 분권발전기

④ 분권발전기, 단극발전기

해설 1번 해설 참조

정답 01 ② 02 ① 03 ②

04 직류발전기의 병렬운전에서 부하분담의 방법은? [2013년 1회 기사 / 2018년 3회 기사]

① 계자전류와 무관하다.
② 계자전류를 증가하면 부하분담은 증가한다.
③ 계자전류를 감소하면 부하분담은 증가한다.
④ 계자전류를 증가하면 부하분담은 감소한다.

> **해설** $I(부하전류) \propto E \propto \phi \propto I_f(계자전류) \propto \dfrac{1}{R_f}$

05 직류 분권발전기를 병렬운전 하기 위해서는 발전기용량 P와 정격전압 V는?

[2011년 2회 산업기사 / 2016년 3회 기사]

① P와 V 모두 달라도 된다.
② P는 같고, V는 달라도 된다.
③ P와 V가 모두 같아야 한다.
④ P는 달라도 V는 같아야 한다.

> **해설** **병렬운전 조건**
> • 정격전압과 극성이 같을 것
> • 외부 특성곡선이 어느 정도 수하특성일 것
> • 용량이 다른 경우, %부하전류로 나타낸 외부 특성곡선이 일치할 것
> • 용량이 같을 경우, 외부 특성곡선이 일치할 것
> ※ 직류 분권발전기를 병렬운전하려면 정격전압 V는 같아야 하지만 용량 P는 달라도 된다.

06 전기자저항이 각각 $R_A = 0.1[\Omega]$과 $R_B = 0.2[\Omega]$인 100[V], 10[kW]의 두 분권발전기의 유기기전력을 같게 해서 병렬운전하여, 정격전압으로 135[A]의 부하전류를 공급할 때 각 기기의 분담전류는 몇 [A]인가? [2018년 1회 산업기사]

① $I_A = 80$, $I_B = 55$
② $I_A = 90$, $I_B = 45$
③ $I_A = 100$, $I_B = 35$
④ $I_A = 110$, $I_B = 25$

> **해설** 저항의 비가 1 : 2이면 전류는 2 : 1이므로 $I_A = 90$, $I_B = 45$

7. 직류전동기

(1) 직류전동기의 원리

① 플레밍의 왼손 법칙 : 평등 자계(B) 속에 전기자 도체(l)를 놓고 전류(I)를 흘리면 도체에 전자력(F)이 발생한다.

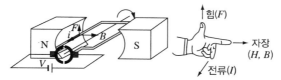

※ 전류(I), 전속밀도 $B=\dfrac{\phi}{A}[\mathrm{Wb/m^2}]$, 전자력 $F=BlI\sin\theta[\mathrm{N}]$

② 역기전력 : 도체가 정격속도로 회전하면 자속을 끊어 기전력이 유기되어 공급하는 단자전압과 반대 방향이므로 역기전력이라 한다.

조 건	단자전압 > 역기전력
역기전력	$E=\dfrac{PZ}{60a}\phi N=k\phi N[\mathrm{V}]$, $E=V+I_aR_a(G)$, $E=V-I_aR_a(M)$
단자전압	$V=E+I_aR_a(M)$
회전속도	$N=k\dfrac{V-I_aR_a}{\phi}[\mathrm{rpm}]$
토크(회전력)	$T=\dfrac{Pz}{2a\pi}\phi I_a=k\phi I_a[\mathrm{N\cdot m}]$, $T=\dfrac{P}{\omega}=9.55\dfrac{P}{N}[\mathrm{N\cdot m}]=0.975\dfrac{P}{N}[\mathrm{kg\cdot m}]$
출 력	$P=\omega T=I_aE[\mathrm{W}]$

③ 구조 : 직류발전기는 직류전동기로 사용할 수 있기 때문에 구조는 발전기와 똑같다.

④ 종류 : 발전기의 경우와 같이 계자권선과 전기자권선의 접속방식에 따라 다음과 같이 분류된다.

　㉠ 타여자전동기 : 계자권선과 전기자권선이 각기 다른 전원에 접속

　㉡ 분권전동기 : 계자권선과 전기자권선이 전원에 병렬로 접속

　㉢ 직권전동기 : 계자권선과 전기자권선이 직렬로 접속

　㉣ 가동 복권전동기 : 직권계자권선에 의하여 발생되는 자속이 분권계자권선에 의하여 발생되는 자속과 같은 방향이 되어 합성자속이 증가하는 구조

　㉤ 차동 복권전동기 : 분권계자권선과 직권계자권선이 서로 반대가 되어 상쇄되도록 하는 구조

(2) 발전기와 전동기

	발전기의 기본식	전동기의 기본식
타여자	$E=R_aI_a+V+e_a+e_b=V+R_aI_a[\text{V}]$	$V=R_aI_a+E+e_a+e_b=E+I_aR_a$
분 권	$E=V+R_aI_a=V+R_a(I+I_f)[\text{V}]$	$V=E+I_aR_a=E+R_a(I-I_f)$
직 권	$E=V+(R_a+R_s)I_a[\text{V}]$	$E=V-(R_a+R_s)I_a$

(3) 회전속도

$$E=\frac{P}{a}Z\phi\frac{N}{60},\ \ N=\frac{60aE}{PZ\phi}\ \left(여기서,\ \frac{60a}{PZ}=k\right)$$

회전속도 $N=k\dfrac{E}{\phi}=k\dfrac{V-I_aR_a}{\phi}$ (여기서, $E=V-I_aR_a$)

속도제어

- 자속(ϕ)을 변화시켜 전자속의 세기에 따라 속도 변화를 일으킴(자속제어)
- 공급전압(V)을 변화시켜 속도 변화를 일으킴(전압제어)
- 전기자저항(R_a)을 변화시켜 공급전압을 변화, 속도 변화를 일으킴(저항제어)
- 속도변동률 $\varepsilon=\dfrac{N_0-N}{N}\times100[\%]$

전압제어	효율이 좋다.	• 광범위 속도제어 • 일그너방식(부하가 급변하는 곳, 플라이휠) • 정토크제어 • 직병렬제어
계자제어	효율이 좋다.	• 세밀하고 안정된 속도제어 • 속도 조정 범위가 좁다. • 정출력 구동방식
저항제어	효율이 나쁘다.	• 속도 조정 범위가 좁다.

(4) 회전력(토크)

힘 $F=Bli$

전기자지름 $D[\text{m}]$일 때 전기자도체 1개당 회전력 토크는 $\tau=F\cdot\dfrac{D}{2}=Bli\dfrac{D}{2}[\text{N}\cdot\text{m}]$

각 자극의 자속을 $\phi[\text{Wb}]$라 하면 전기자 표면의 자속밀도는 $B=\dfrac{P\phi}{\pi Dl}[\text{Wb/m}^2]$

도체 총수를 Z로 하고 전체 도체가 받는 힘을 $F[\text{N}]$이라 하면

전체 회전력 $T=F\dfrac{D}{2}=Bli\dfrac{D}{2}\times Z=\dfrac{P\phi}{\pi Dl}\times liZ\times\dfrac{D}{2}=\dfrac{PZ\phi}{2\pi}i$

전기자전류 I_a, 병렬회로수 a라 하면 전기자도체를 흐르는 전류 $i_a = \dfrac{I_a}{a}$ 이므로

$$\text{토크 } T = \frac{P\phi}{2\pi} \times \frac{I_a}{a} \times Z = \frac{PZ\phi}{2\pi a} I_a [\text{N} \cdot \text{m}]$$

(5) 출 력

① $P = VI_a$ (여기서, $V = E_0 + I_a R_a$)

$\quad = (E_0 + I_a R_a) I_a$

$\quad = E_0 I_a + I_a^2 R_a [\text{W}]$ (여기서, $E_0 I_a$: 기계적 에너지로 바뀌는 유효전력

$\qquad\qquad\qquad\qquad\qquad\quad I_a^2 R_a$: 전기자에서 열로 소비되는 열손실)

② 기계적 출력 $P_m = E_0 I_a = \left(\dfrac{P}{a} Z\phi \dfrac{N}{60} \right) I_a = 2\pi \dfrac{N}{60} \times T$

$$\left(\text{여기서, } T = \frac{P_0}{\omega} = \frac{P_0}{2\pi \dfrac{N}{60}} [\text{N} \cdot \text{m}] \right)$$

01 그림과 같이 전기자권선에 전류를 보낼 때 회전방향을 알기 위한 법칙 및 회전방향은?

[2017년 1회 산업기사]

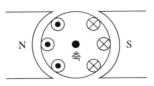

① 플레밍의 왼손 법칙, 시계방향
② 플레밍의 오른손 법칙, 시계방향
③ 플레밍의 왼손 법칙, 반시계방향
④ 플레밍의 오른손 법칙, 반시계방향

해설 전기자전류를 보낼 때라는 것은 전기에너지를 입력으로 하고 회전방향을 출력으로 보는 것이므로
전동기를 의미하므로 플레밍의 왼손 법칙이다.

02 다음 전자석의 그림 중에서 전류의 방향이 화살표와 같을 때 위쪽 부분이 N극인 것은?

[2017년 1회 산업기사]

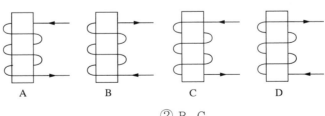

① A, B
③ A, D
② B, C
④ B, D

해설
앙페르의 오른나사 법칙을 사용하면 A와 D가 위쪽을 향한다.

03 직류전동기의 역기전력에 대한 설명 중 틀린 것은?　[2015년 1회 산업기사 / 2020년 3회 산업기사]

① 역기전력이 증가할수록 전기자전류는 감소한다.

② 역기전력은 속도에 비례한다.

③ 역기전력은 회전방향에 따라 크기가 다르다.

④ 부하가 걸려 있을 때에는 역기전력은 공급전압보다 크기가 작다.

> **해설**　③ 역기전력은 회전방향과 무관하다.
>
> **직류전동기의 역기전력**
> - $E = V - I_a R_a [\text{V}]$: 역기전력 증가하면 전기자전류 감소
> - $E = \dfrac{PZ}{60a} \phi N [\text{V}]$: 역기전력은 회전수(속도)에 비례
> - $E = V - I_a R_a [\text{V}]$: 공급전압 > 역기전력

04 직류 분권전동기의 공급전압의 극성을 반대로 하면 회전방향은?

[2013년 3회 기사 / 2014년 2회 산업기사 / 2017년 2회 산업기사]

① 변하지 않는다.　　　　　② 반대로 된다.

③ 회전하지 않는다.　　　　④ 발전기로 된다.

> **해설**　직류 분권발전기에서 공급전압의 극성을 반대로 하면 계자전류와 전기자전류가 동시에 반대가 되므로 회전방향은 변하지 않는다.

05 전기자저항과 계자저항이 각각 0.8[Ω]인 직류 직권전동기가 회전수 200[rpm], 전기자전류 30[A]일 때 역기전력은 300[V]이다. 이 전동기의 단자전압을 500[V]로 사용한다면 전기자전류가 위와 같은 30[A]로 될 때의 속도[rpm]는?(단, 전기자 반작용, 마찰손, 풍손 및 철손은 무시한다)

[2020년 1, 2회 산업기사]

① 200　　　　　　　　　　② 301

③ 452　　　　　　　　　　④ 500

> **해설**
> $$E = k\phi N \propto N$$
> $$E' = V - I_a (R_a + R_s) = 500 - 30(0.8 + 0.8) = 452[\text{V}]$$
> $$N' = \frac{E'}{E} N = \frac{452}{300} \times 200 = 301[\text{rpm}]$$

06 정격전압 200[V], 전기자전류 100[A]일 때 1,000[rpm]으로 회전하는 직류 분권전동기가 있다. 이 전동기의 무부하속도는 약 몇 [rpm]인가?(단, 전기자저항은 0.15[Ω], 전기자 반작용은 무시한다)

[2016년 2회 산업기사 / 2019년 3회 산업기사]

① 981
② 1,081
③ 1,100
④ 1,180

해설 $E \propto N$이므로 $E : N = E' : N'$에서

$E = 200 - 100 \times 0.15 = 185$

E'는 무부하일 때이므로 $E' = 200$

$N = 1,000$

$185 : 1,000 = 200 : N'$

$\therefore N' = \dfrac{200}{185} \times 1,000 = 1,081[\mathrm{rpm}]$

07 자극수 4, 전기자 도체수 50, 전기자저항 0.1[Ω]의 중권 타여자전동기가 있다. 정격전압 105[V], 정격전류 50[A]로 운전하던 것을 전압 106[V] 및 계자회로를 일정하게 하고 무부하로 운전했을 때 전기자전류가 10[A]이라면 속도변동률[%]은?(단, 매극의 자속은 0.05[Wb]라 한다)

[2019년 2회 산업기사]

① 3
② 5
③ 6
④ 8

해설 $E = V - I_a R_a = 105 - 50 \times 0.1 = 100[\mathrm{V}]$

유도기전력 $E = \dfrac{PZ}{a} \phi \dfrac{N}{60}[\mathrm{V}]$에서

$N = \dfrac{aE \times 60}{PZ\phi} = \dfrac{4 \times 100 \times 60}{4 \times 50 \times 0.05} = 2,400[\mathrm{rpm}]$, $E' = V' - I'_a R_a = 106 - 10 \times 0.1 = 105[\mathrm{V}]$

$N_0 = \dfrac{105}{100} \times 2,400 = 2,520[\mathrm{rpm}]$

속도변동률 $= \dfrac{N_0 - N}{N} \times 100[\%] = \dfrac{2,520 - 2,400}{2,400} \times 100 = 5[\%]$

08 직류전동기의 공급전압을 $V[\mathrm{V}]$, 자속을 $\phi[\mathrm{Wb}]$, 전기자전류를 $I_a[\mathrm{A}]$, 전기자저항을 $R_a[\Omega]$, 속도를 $N[\mathrm{rpm}]$이라 할 때 속도의 관계식은 어떻게 되는가?(단, k는 상수이다)

[2018년 3회 산업기사]

① $N = k\dfrac{V + I_a R_a}{\phi}$　　　　② $N = k\dfrac{V - I_a R_a}{\phi}$

③ $N = k\dfrac{\phi}{V + I_a R_a}$　　　　④ $N = k\dfrac{\phi}{V - I_a R_a}$

해설　속도 $N = k\dfrac{V - I_a R_a}{\phi}$

09 직류전동기의 속도제어방법이 아닌 것은?

[2017년 3회 기사]

① 계자제어법　　　　② 전압제어법
③ 주파수제어법　　　④ 직렬저항제어법

해설　직류전동기 속도제어법

전압제어	효율이 좋다.	• 광범위 속도제어 • 일그너 방식(부하가 급변하는 곳, 플라이휠) • 정토크제어 • 직병렬제어
계자제어	효율이 좋다.	• 세밀하고 안정된 속도제어 • 속도 조정 범위가 좁다. • 정출력 구동 방식
저항제어	효율이 나쁘다.	속도 조정 범위가 좁다.

10 직류전동기의 속도제어법이 아닌 것은?

[2020년 3회 기사]

① 계자제어법　　　　② 전력제어법
③ 전압제어법　　　　④ 저항제어법

해설　9번 해설 참조

정답　08 ②　09 ③　10 ②

11 직류전동기의 워드-레오나드 속도제어방식으로 옳은 것은? [2020년 1, 2회 기사]

① 전압제어   ② 저항제어

③ 계자제어   ④ 직병렬제어

해설 직류전동기 속도제어 : $n = K' \dfrac{V - I_a R_a}{\phi}$ (K' : 기계정수)

종 류	특 징
전압제어	• 광범위 속도제어가 가능하다. • 워드-레오나드 방식(광범위한 속도 조정, 효율양호) • 일그너 방식(부하가 급변하는 곳, 플라이휠 효과 이용, 제철용 압연기) • 정토크제어 • SCR과 조합하여 사용하는 방식
계자제어	• 세밀하고 안정된 속도제어를 할 수 있다. • 속도제어 범위가 좁다. • 효율은 양호하나 정류가 불량하다. • 정출력 가변속도제어
저항제어	• 속도 조정 범위가 좁다. • 효율이 저하된다.

12 직류전동기에서 정속도(Constant Speed)전동기라고 볼 수 있는 전동기는? [2017년 2회 기사]

① 직권전동기   ② 타여자전동기

③ 화동복권전동기   ④ 차동복권전동기

해설 직류전동기의 종류

종 류	특 징
타여자	• 회전방향 반대 : (+), (−) 극성을 반대 • 정속도전동기
분 권	• 정속도 특성의 전동기 • 위험 상태 : 정격전압 시 무여자 상태 • (+), (−) 극성을 반대 : 회전방향 불변 • $T \propto I \propto \dfrac{1}{N}$
직 권	• 변속도전동기(전기철도, 기중기 등에 적합) • 부하에 따라 속도가 심하게 변한다. • (+), (−) 극성을 반대 : 회전방향이 불변 • 위험 상태 : 정격전압 시 무부하 상태 • $T \propto I^2 \propto \dfrac{1}{N^2}$

11 ①   12 ②   **정답**

13 직류전동기의 속도제어방법에서 광범위한 속도제어가 가능하며, 운전효율이 가장 좋은 방법은?

[2016년 2회 산업기사 / 2017년 3회 산업기사 / 2018년 2회 산업기사 / 2019년 2회 기사]

① 계자제어   ② 전압제어

③ 직렬 저항제어   ④ 병렬 저항제어

해설 직류전동기 속도제어 : $n = K'\dfrac{V - I_a R_a}{\phi}$ (K' : 기계정수)

종 류	특 징
전압제어	• 광범위 속도제어가 가능하다. • 워드-레오나드 방식(광범위한 속도 조정, 효율양호) • 일그너 방식(부하가 급변하는 곳, 플라이휠 효과 이용, 제철용 압연기) • 정토크제어 • SCR과 조합하여 사용하는 방식
계자제어	• 세밀하고 안정된 속도제어를 할 수 있다. • 속도제어 범위가 좁다. • 효율은 양호하나 정류가 불량하다. • 정출력 가변속도제어
저항제어	• 속도 조정 범위가 좁다. • 효율이 저하된다.

14 타여자 직류전동기의 속도제어에 사용되는 워드-레오나드(Ward-Leonard) 방식은 다음 중 어느 제어법을 이용한 것인가?

[2017년 3회 산업기사]

① 저항제어법   ② 전압제어법

③ 주파수제어법   ④ 직병렬제어법

해설 직류전동기 속도제어법

전압제어	효율이 좋다.	• 광범위 속도제어가 가능하다. • 워드-레오나드 방식(광범위한 속도 조정, 효율양호) • 일그너 방식(부하가 급변하는 곳, 플라이휠) • 정토크제어 • 직병렬제어
계자제어	효율이 좋다.	• 세밀하고 안정된 속도제어 • 속도 조정 범위가 좁다. • 효율은 양호하나 정류가 불량하다. • 정출력 구동 방식
저항제어	효율이 나쁘다.	• 속도 조정 범위가 좁다. • 효율이 저하된다.

15 직류 직권전동기에서 분류 저항기를 직권권선에 병렬로 접속해 여자전류를 가감시켜 속도를 제어하는 방법은? [2021년 3회 기사]

① 저항제어
② 전압제어
③ 계자제어
④ 직병렬제어

해설 계자저항 $R_f\uparrow = \dfrac{V일정}{I_f\downarrow}$, $I_f \propto \phi$이므로 ϕ는 감소한다.

따라서, 속도 $N = k\dfrac{V - I_a R_a}{\phi\downarrow}$ 이므로 속도는 증가한다.

16 직류 분권전동기에서 정출력 가변속도의 용도에 적합한 속도제어법은? [2022년 2회 기사]

① 계자제어
② 저항제어
③ 전압제어
④ 극수제어

해설 **직류전동기 속도제어법**

전압제어	효율이 좋다.	• 광범위 속도제어가 가능하다. • 워드-레오나드 방식(광범위한 속도 조정, 효율양호) • 일그너 방식(부하가 급변하는 곳, 플라이휠) • 정토크제어 • 직병렬제어
계자제어	효율이 좋다.	• 세밀하고 안정된 속도제어 • 속도 조정 범위가 좁다. • 효율은 양호하나 정류가 불량하다. • 정출력 구동 방식
저항제어	효율이 나쁘다.	• 속도 조정 범위가 좁다. • 효율이 저하된다.

17 직류 분권전동기 운전 중 계자권선의 저항이 증가할 때 회전속도는? [2018년 3회 산업기사]

① 일정하다.
② 감소한다.
③ 증가한다.
④ 관계없다.

해설 **직류 분권전동기**

$N = k\dfrac{E}{\phi}$ 에서 $N \propto \dfrac{1}{\phi} \propto \dfrac{1}{I_f} \propto R_f$

18 직류 분권전동기의 계자저항을 운전 중에 증가시키면? [2016년 1회 산업기사]

① 전류는 일정   ② 속도는 감소

③ 속도는 일정   ④ 속도는 증가

해설 **직류 분권전동기**

$N = k\dfrac{E}{\phi}$ 에서 $N \propto \dfrac{1}{\phi} \propto \dfrac{1}{I_f} \propto R_f$

19 직류전동기 중 부하가 변하면 속도가 심하게 변하는 전동기는? [2020년 3회 산업기사]

① 분권전동기   ② 직권전동기

③ 자동 복권전동기   ④ 가동 복권전동기

해설

종 류	특 징
타여자	• 회전방향 반대 : (+), (−) 극성을 반대 • 정속도전동기
분 권	• 정속도 특성의 전동기 • 위험 상태 : 정격전압 시 무여자 상태 • (+), (−) 극성을 반대 : 회전방향 불변 • $T \propto I \propto \dfrac{1}{N}$
직 권	• 변속도전동기(전기철도, 기중기 등에 적합) • 부하에 따라 속도가 심하게 변한다. • (+), (−) 극성을 반대 : 회전방향이 불변 • 위험 상태 : 정격전압 시 무부하 상태 • $T \propto I^2 \propto \dfrac{1}{N^2}$

20 직류전동기의 회전수를 $\dfrac{1}{2}$ 로 하자면 계자자속을 어떻게 해야 하는가? [2018년 1회 기사]

① $\dfrac{1}{4}$ 로 감소시킨다.   ② $\dfrac{1}{2}$ 로 감소시킨다.

③ 2배로 증가시킨다.   ④ 4배로 증가시킨다.

해설

$n = K\dfrac{V - I_a R_a}{\phi}$ 이므로 n을 $\dfrac{1}{2}$ 로 하자면 자속 ϕ는 2배가 되어야 한다.

정답 18 ④ 19 ② 20 ③

21 직류 분권전동기를 무부하로 운전 중 계자회로에 단선이 생긴 경우 발생하는 현상으로 옳은 것은?

[2017년 2회 기사]

① 역전한다.

② 즉시 정지한다.

③ 과속도로 되어 위험하다.

④ 무부하이므로 서서히 정지한다.

해설 $n = k\dfrac{V - I_a R_a}{\phi}$ 에서 계자회로가 단선되면 ϕ가 0이 되므로 과속도로 되어 위험하다.

22 직류 직권전동기의 운전상 위험속도를 방지하는 방법 중 가장 적합한 것은?

[2018년 2회 산업기사]

① 무부하 운전한다.　　　　　② 경부하 운전한다.

③ 무여자 운전한다.　　　　　④ 부하와 기어를 연결한다.

해설 직권전동기의 위험속도는 정격전압에 무부하 시이므로 기어운전을 한다.

23 직류 분권전동기의 정격전압 200[V], 정격전류 105[A], 전기자저항 및 계자회로의 저항이 각각 0.1[Ω] 및 40[Ω]이다. 기동전류를 정격전류의 150[%]로 할 때의 기동저항은 약 몇 [Ω]인가?

[2016년 3회 산업기사]

① 0.46　　　　　　　　　　② 0.92

③ 1.08　　　　　　　　　　④ 1.21

해설 직류 분권전동기 $I_s = 1.5 \times I_n = 1.5 \times 105 = 157.5[\text{A}]$

이 중 전기자에 대한 전류 $I_{as} = I - I_f = 157.5 - \dfrac{200}{40} = 152.5[\text{A}]$

전기자저항 $R_s = r_a + r_s = \dfrac{E}{I_{as}} = \dfrac{200}{152.5} \fallingdotseq 1.311$

$\therefore r_s = R_s - r_a = 1.311 - 0.1 = 1.211[\Omega]$

24 직류 분권전동기의 정격전압 220[V], 정격전류 105[A], 전기자저항 및 계자회로의 저항이 각 각 0.1[Ω] 및 40[Ω]이다. 기동전류를 정격전류의 150[%]로 할 때의 기동저항은 약 몇 [Ω]인 가?

[2020년 1, 2회 산업기사]

① 0.46
② 0.92
③ 1.21
④ 1.35

해설 직류 분권전동기 $I_s = 1.5 \times I_n = 1.5 \times 105 = 157.5$[A]

이 중 전기자에 대한 전류 $I_{as} = I - I_f = 157.5 - \frac{220}{40} = 152$[A]

전기자저항 $R_s = r_a + r_s = \frac{E}{I_{as}} = \frac{220}{152} \fallingdotseq 1.447$

$\therefore r_s = R_s - r_a = 1.447 - 0.1 \fallingdotseq 1.35$[Ω]

25 직류 분권전동기의 공급전압이 V[V], 전기자전류 I_a[A], 전기자저항 R_a[Ω], 회전수 N [rpm]일 때, 발생토크는 몇 [kg·m]인가?

[2014년 1회 기사]

① $\frac{30}{9.8}\left(\frac{VI_a - I_a^2 R_a}{\pi N}\right)$
② $\frac{30}{9.8}\left(\frac{V - I_a^2 R_a}{\pi N}\right)$
③ $30\left(\frac{VI_a - I_a^2 R_a}{\pi N}\right)$
④ $\frac{1}{9.8}\left(\frac{V - I_a^2 R_a}{2\pi N}\right)$

해설 정격부하 시 역기전력 $E = V - I_a R_a$

토크 $T = \frac{P}{\omega} = \frac{EI_a}{2\pi \times \frac{N}{60}} = \frac{(V - I_a R_a)I_a}{2\pi \times \frac{N}{60}} = \frac{30(VI_a - I_a^2 R_a)}{\pi N}$[N·m] $= \frac{30}{9.8}\frac{(VI_a - I_a^2 R_a)}{\pi N}$[kg·m]

26 정격출력 5[kW], 정격전압 100[V]의 직류 분권전동기를 전기동력계로 사용하여 시험하였더니 전기동력계의 저울이 5[kg]을 나타내었다. 이때 전동기의 출력[kW]은 약 얼마인가?(단, 동력계의 암(Arm) 길이는 0.6[m], 전동기의 회전수는 1,500[rpm]으로 한다) [2014년 2회 기사]

① 3.69

② 3.81

③ 4.62

④ 4.87

해설 전기동력계의 전동기 토크

$$T = WL = 5 \times 0.6 = 3[\text{kg} \cdot \text{m}]$$

$$T = 0.975 \frac{P}{N} \text{에서} \quad P = \frac{NT}{0.975} = \frac{1,500 \times 3}{0.975} \times 10^{-3} \fallingdotseq 4.62[\text{kW}]$$

27 전체 도체수는 100, 단중 중권이며 자극수는 4, 자속수는 극당 0.628[Wb]인 직류 분권전동기가 있다. 이 전동기의 부하 시 전기자에 5[A]가 흐르고 있었다면 이때의 토크[N · m]는? [2015년 3회 기사]

① 12.5

② 25

③ 50

④ 100

해설 직류 분권전동기 중권에서 토크

$$T = \frac{PZ}{2\pi a}\phi I_a = \frac{Z}{2\pi}\phi I_a = \frac{100}{2\pi} \times 0.628 \times 5 \fallingdotseq 50[\text{N} \cdot \text{m}]$$

28 전기자 총도체수 500, 6극, 중권의 직류전동기가 있다. 전기자 전 전류가 100[A]일 때의 발생 토크는 약 몇 [kg · m]인가?(단, 1극당 자속수는 0.01[Wb]이다) [2019년 1회 산업기사]

① 8.12

② 9.54

③ 10.25

④ 11.58

해설 토크 $T = \frac{PZ\phi I_a}{2a\pi}[\text{N} \cdot \text{m}] = \frac{1}{9.8}\frac{PZ\phi I_a}{2a\pi}[\text{kg} \cdot \text{m}] = \frac{1}{9.8}\frac{6 \times 500 \times 0.01 \times 100}{2\pi \times 6} \fallingdotseq 8.12[\text{kg} \cdot \text{m}]$

29 직류전동기의 역기전력이 220[V], 분당 회전수가 1,200[rpm]일 때에 토크가 15[kg · m]가 발생한다면 전기자전류는 약 몇 [A]인가? [2015년 2회 기사]

① 54   ② 67

③ 84   ④ 96

해설

전기자전류 $I_a = \dfrac{TN}{0.975E} = \dfrac{15 \times 1,200}{0.975 \times 220} \fallingdotseq 84[A]$

여기서, 토크 $T = \dfrac{P}{\omega} = 9.55\dfrac{P}{N}[\text{N} \cdot \text{m}] = 0.975\dfrac{P}{N} = 0.975\dfrac{EI_a}{N}[\text{kg} \cdot \text{m}]$

30 어떤 직류전동기가 역기전력 200[V], 매분 1,200회전으로 토크 158.76[N · m]를 발생하고 있을 때의 전기자전류는 약 몇 [A]인가?(단, 기계손 및 철손은 무시한다) [2021년 2회 기사]

① 90   ② 95

③ 100   ④ 105

해설

$T = \dfrac{60P}{2\pi N} = \dfrac{60EI_a}{2\pi N}$

∴ 전기자 전류$(I_a) = \dfrac{2\pi NT}{60E} = \dfrac{2\pi \times 1,200 \times 158.76}{60 \times 200} = 99.75 \fallingdotseq 100[A]$

31 단자전압 110[V], 전기자전류 15[A], 전기자 회로의 저항 2[Ω], 정격속도 1,800[rpm]으로 전부하에서 운전하고 있는 직류 분권전동기의 토크는 약 몇 [N · m]인가? [2020년 1, 2회 기사]

① 6.0   ② 6.4

③ 10.08   ④ 11.14

해설

토크$(T) = \dfrac{EI_a}{2\pi\dfrac{N}{60}} = \dfrac{(V - I_a R_a)I_a}{2\pi\dfrac{N}{60}} = \dfrac{(110 - 15 \times 2) \times 15}{2\pi \times \dfrac{1,800}{60}} = 6.4[\text{N} \cdot \text{m}]$

32 직류 분권전동기에서 단자전압 210[V], 전기자전류 20[A], 1,500[rpm]으로 운전할 때 발생토 크는 약 몇 [N·m]인가?(단, 전기자저항은 0.15[Ω]이다)

[2018년 1회 산업기사]

① 13.2
② 26.4
③ 33.9
④ 66.9

해설 토 크

$$T = \frac{P}{\omega} = \frac{EI_a}{2\pi \times \frac{N}{60}} = \frac{(V - I_a R_a)I_a}{2\pi \times \frac{N}{60}} = \frac{(210 - 20 \times 0.15) \times 20}{2\pi \times \frac{1,500}{60}} = 26.36 = 26.4[\text{N} \cdot \text{m}]$$

33 직류전동기의 전기자전류가 10[A]일 때 5[kg·m]의 토크가 발생하였다. 이 전동기의 계자속 이 80[%]로 감소되고, 전기자전류가 12[A]로 되면 토크는 약 몇 [kg·m]인가?

[2017년 3회 기사 / 2022년 2회 기사]

① 5.2
② 4.8
③ 4.3
④ 3.9

해설 토크 $T = \frac{PZ}{2\pi a}\phi I_a = k\phi I_a [\text{N} \cdot \text{m}]$

$T[\text{kg} \cdot \text{m}] : T'[\text{kg} \cdot \text{m}] = \phi I_a : \phi' I_a'$

$T' = \left(\frac{\phi' I_a'}{\phi I_a}\right) \times T = \frac{0.8 \times 12}{1 \times 10} \times 5 = 4.8[\text{kg} \cdot \text{m}]$

34 직류 분권전동기가 전기자전류 100[A]일 때 50[kg·m]의 토크를 발생하고 있다. 부하가 증가하여 전기자전류가 120[A]로 되었다면 발생토크[kg·m]는 얼마인가? [2019년 1회 기사]

① 60

② 67

③ 88

④ 160

해설

토크 $T = \dfrac{PZ}{2\pi a}\phi I_a = k\phi I_a\,[\mathrm{N\cdot m}]$

$T[\mathrm{kg\cdot m}] : T'[\mathrm{kg\cdot m}] = I_a : I_a'$

$T' = \left(\dfrac{I_a'}{I_a}\right) \times T = \left(\dfrac{120}{100}\right) \times 50 = 60\,[\mathrm{kg\cdot m}]$

35 200[V], 10[kW]의 직류 분권전동기가 있다. 전기자저항은 0.2[Ω], 계자저항은 40[Ω]이고 정격전압에서 전류가 15[A]인 경우 5[kg·m]의 토크를 발생한다. 부하가 증가하여 전류가 25[A]로 되는 경우 발생토크[kg·m]는? [2018년 3회 기사]

① 2.5

② 5

③ 7.5

④ 10

해설

정격전류가 15[A]일 때 전기자전류는 $I_a = I_n - \dfrac{V}{R_f} = 15 - \dfrac{200}{40} = 10\,[\mathrm{A}]$

정격전류가 20[A]일 때 전기자전류는 $I_a' = I_n - \dfrac{V}{R_f} = 25 - \dfrac{200}{40} = 20\,[\mathrm{A}]$

$T \propto I_a$

$\therefore\ T' = \dfrac{I_a'}{I_a}T = \dfrac{20}{10} \times 5 = 10\,[\mathrm{kg\cdot m}]$

36 직류 분권전동기의 전압이 일정할 때 부하토크가 2배로 증가하면 부하전류는 약 몇 배가 되는가? [2021년 3회 기사]

① 1

② 2

③ 3

④ 4

해설

$T = \dfrac{PZ\phi}{2a\pi}I_a$에서 $T \propto I$이므로 2배가 된다.

37 부하전류가 크지 않을 때 직류 직권전동기 발생토크는?(단, 자기회로가 불포화인 경우이다)

[2021년 2회 기사]

① 전류에 비례한다.　　　　　　　　② 전류에 반비례한다.

③ 전류의 제곱에 비례한다.　　　　　④ 전류의 제곱에 반비례한다.

해설　**직류 직권전동기**

자기포화 ＼ 관 계	토크와 회전수
자기포화 전	$T = kI_a^2[\text{N} \cdot \text{m}]$, $T \propto I_a^2 \propto \dfrac{1}{N^2}$
자기포화 시	$T = kI_a[\text{N} \cdot \text{m}]$, $T \propto I_a \propto \dfrac{1}{N}$

38 직류 직권전동기의 발생 토크는 전기자 전류를 변화시킬 때 어떻게 변하는가?(단, 자기포화는 무시한다)

[2022년 1회 기사]

① 전류에 비례한다.　　　　　　　　② 전류에 반비례한다.

③ 전류의 제곱에 비례한다.　　　　　④ 전류의 제곱에 반비례한다.

해설　37번 해설 참조

39 직류 직권전동기를 정격전압에서 전부하전류 50[A]로 운전할 때, 부하토크가 $\dfrac{1}{2}$로 감소하면 그 부하전류는 약 몇 [A]인가?(단, 자기포화는 무시한다) [2012년 2회 산업기사 / 2018년 2회 산업기사]

① 20　　　　　　　　　　　　　　　② 25

③ 30　　　　　　　　　　　　　　　④ 35

해설　**직권전동기에서 자기포화를 무시한 경우($I_a = \phi$)**

토크　$T = \dfrac{PZ}{2\pi a}\phi I_a = kI_a^2[\text{N} \cdot \text{m}]$, $T \propto I_a^2$

$T[\text{kg} \cdot \text{m}] : T'[\text{kg} \cdot \text{m}] = I_a^2 : I_a'^2$

$1 : \dfrac{1}{2} = 50^2 : I_a'^2$에서

부하전류　$I_a' = \sqrt{\dfrac{1}{2}} \times 50 ≒ 35.4[\text{A}]$

40 직류 직권전동기에서 토크 T와 회전수 N과의 관계는?　　　　　[2016년 1회 산업기사]

① $T \propto N$　　　　　　　　　　　② $T \propto N^2$

③ $T \propto \dfrac{1}{N}$　　　　　　　　　　④ $T \propto \dfrac{1}{N^2}$

해설　직류 직권전동기

자기포화　　관계	토크와 회전수
자기포화 전	$T = kI_a^2[\text{N} \cdot \text{m}]$, $T \propto I_a^2 \propto \dfrac{1}{N^2}$
자기포화 시	$T = kI_a[\text{N} \cdot \text{m}]$, $T \propto I_a \propto \dfrac{1}{N}$

41 직류 분권전동기의 기동 시에는 계자저항기의 저항값은 어떻게 설정하는가?

[2018년 3회 산업기사]

① 끊어 둔다.

② 최대로 해 둔다.

③ 0(영)으로 해 둔다.

④ 중위(中位)로 해 둔다.

해설　직류 분권전동기의 계자저항

$T = k\phi I_a[\text{N} \cdot \text{m}]$, $I_f = \dfrac{V}{R_f + R_{FR}}$ 에서 기동토크를 크게 하려면 자속이 증가해야 하고 여자전류는 클수록 좋다. 따라서 계자권선과 직렬로 연결된 계자저항을 0으로 해 둔다.

42 직류 분권전동기의 기동 시에 정격전압을 공급하면 전기자전류가 많이 흐르다가 회전속도가 점점 증가함에 따라 전기자전류가 감소하는 원인은? [2021년 3회 기사]

① 전기자 반작용의 증가

② 전기자권선의 저항 증가

③ 브러시의 접촉저항 증가

④ 전동기의 역기전력 상승

해설 속도$(N) = k\dfrac{E}{\phi}$ 에서 $N \propto E$ 하고 $I_a = \dfrac{V-E}{R_a}$ 에 의해 $N(\uparrow),\ E(\uparrow),\ I_a(\downarrow)$ 하게 된다.

43 220[V], 50[kW]인 직류 직권전동기를 운전하는데 전기자저항(브러시의 접촉저항 포함)이 0.05[Ω]이고 기계적 손실이 1.7[kW], 표유손이 출력의 1[%]이다. 부하전류가 100[A]일 때의 출력은 약 몇 [kW]인가? [2018년 1회 산업기사]

① 14.5

② 16.7

③ 18.2

④ 19.6

해설 $E_c = V - (R_a + R_s)I = 220 - 0.05 \times 100 = 215[\text{V}]$

$\therefore\ P = E_c I = 215 \times 100 = 21,500[\text{W}] = 21.5[\text{kW}]$

$\therefore\ P' = 21.5 - 1.7 - (21.5 \times 0.01) = 19.585[\text{kW}] \fallingdotseq 19.6[\text{kW}]$

8. 직류전동기 특성

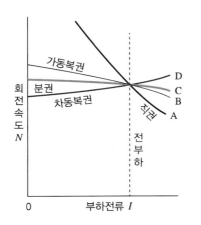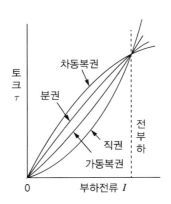

※ 속도 변동이 제일 큰 것(A : 직권 - 변속도)

※ 속도 변동이 제일 작은 것(D : 차동)

※ 직-가-분-차-타(타여자가 있으면 타여자가 제일 작다)

9. 손실 및 효율

(1) 손 실

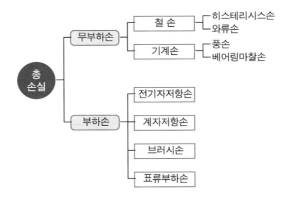

(2) 효율(규약효율)

① $\eta = \dfrac{출력}{입력} \times 100\,[\%]$

② $\eta_{전동기} = \dfrac{입력 - 손실}{입력} \times 100\,[\%]$

③ $\eta_{발전기} = \dfrac{출력}{출력 + 손실} \times 100\,[\%]$

10. 시험법

(1) 온도시험법

① 실부하법
  ㉠ 발전기 : 수저항 또는 전구
  ㉡ 전동기 : 전기 동력계, 기계적 브레이크, 발전기

② 반환부하법
  ㉠ 카프 : 전기적 손실 공급
  ㉡ 홉킨스 : 기계적 손실
  ㉢ 블론델 : 전기적+기계적 손실
  ※ 키크법은 중성축을 결정하는 방법이다.

(2) 절연물의 허용온도[℃]

Y	A	E	B	F	H	C
90	105	120	130	155	180	180 초과

(3) 토크 측정시험

① 보조발전기 쓰는 방법
② 프로니 브레이크를 쓰는 방법
③ 전기 동력계를 쓰는 방법(대형 직류전동기 토크 측정)

11. 특수 직류기

(1) 전기동력계 : 출력이나 동력 측정을 하기 위한 특수 직류기

① 토크(T) $= W \cdot L[\text{kg} \cdot \text{m}] = 9.8\,W \cdot L[\text{N} \cdot \text{m}]$

여기서, W : 힘[kg]

L : 동력계 중심과의 거리[m]

② 출력(P) $= 2\pi n\,T = 2\pi\dfrac{N}{60} \times 9.8\,W \cdot L = 1.027\,N \cdot W \cdot L[\text{W}]$

(2) 단극발전기 : 정류자가 필요 없는 구조의 발전기

① 특 징

㉠ 많은 슬립링이 필요하다.

㉡ 3~15[V]의 저전압과 수천[A] 이상의 대전류 발생용에 사용된다.

㉢ 효율이 높다(철손이 없다).

(3) 증폭기 : 작은 전력의 변화로 증폭하는 것

① 앰플리다인(Amplidyne)

② 로토트롤(Rototrol)

③ HT 다이나모(Hitachi Dynamo)

(4) 정전압발전기

① 로젠베르크

② 베르그만

③ 제3브러시

핵 / 심 / 예 / 제

01 그림은 여러 직류전동기의 속도 특성곡선을 나타낸 것이다. 1부터 4까지 차례로 옳은 것은?

[2019년 3회 기사]

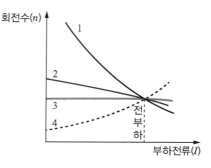

① 차동복권, 분권, 가동복권, 직권
② 직권, 가동복권, 분권, 차동복권
③ 가동복권, 차동복권, 직권, 분권
④ 분권, 직권, 가동복권, 차동복권

해설 **직류전동기 특성**

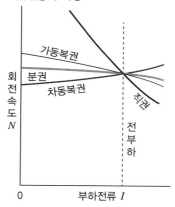

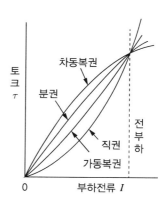

01 ② **정답**

02 다음 직류전동기 중에서 속도변동률이 가장 큰 것은? [2014년 1회 기사]

① 직권전동기　　　　　　　　　② 분권전동기
③ 차동 복권전동기　　　　　　　④ 가동 복권전동기

> **해설**　**직류 전동기의 속도변동률(큰 순서)**
> 직권전동기 - 가동 복권전동기 - 분권전동기 - 차동 복권전동기

03 전동력 응용기기에서 GD^2의 값이 작은 것이 바람직한 기기는? [2019년 1회 산업기사]

① 압연기　　　　　　　　　　　② 송풍기
③ 냉동기　　　　　　　　　　　④ 엘리베이터

> **해설**　GD^2은 플라이휠효과이므로 즉, 관성모멘트가 작은 것을 뜻하므로 엘리베이터는 관성모멘트가 작아야 한다.

04 직류전동기의 속도제어법 중 정지 워드-레오나드 방식에 관한 설명으로 틀린 것은?

[2019년 1회 산업기사]

① 광범위한 속도제어가 가능하다.
② 정토크 가변속도의 용도에 적합하다.
③ 제철용 압연기, 엘리베이터 등에 사용된다.
④ 직권전동기의 저항제어와 조합하여 사용한다.

> **해설**
>
> | 종 류 | 특 징 |
> |---|---|
> | 타여자 | • 회전방향 반대 : (+), (−) 극성을 반대
• 정속도전동기 |
> | 분 권 | • 정속도 특성의 전동기
• 위험 상태 : 정격전압 시 무여자 상태
• (+), (−) 극성을 반대 : 회전방향 불변
• $T \propto I \propto \dfrac{1}{N}$ |
> | 직 권 | • 변속도전동기(전기철도, 기중기 등에 적합)
• 부하에 따라 속도가 심하게 변한다.
• (+), (−) 극성을 반대 : 회전방향 불변
• 위험 상태 : 정격전압 시 무부하 상태
• $T \propto I^2 \propto \dfrac{1}{N^2}$ |

05 직류 직권전동기가 전차용에 사용되는 이유는? [2013년 2회 기사]

① 속도가 높을 때 토크가 크다.
② 토크가 클 때 속도가 작다.
③ 기동토크가 크고 속도는 불변이다.
④ 토크는 일정하고 속도는 전류에 비례한다.

해설 **직류 직권전동기의 토크 특성**

$T \propto I^2 \propto \dfrac{1}{N^2}$ 이므로 전차, 기중기 등의 부하 변동이 심하고 큰 기동토크가 요구되는 기기에 주로

사용된다.

06 직류기의 온도상승 시험 방법 중 반환부하법의 종류가 아닌 것은? [2018년 3회 기사]

① 카프법 ② 홉킨스법
③ 스코트법 ④ 블론델법

해설 **온도시험법**
• 실부하법
  – 발전기 : 수저항 또는 전구
  – 전동기 : 전기 동력계, 기계적 브레이크, 발전기
• 반환부하법
  – 카프 : 전기적 손실 공급
  – 홉킨스 : 기계적 손실
  – 블론델 : 전기적 + 기계적 손실
  ※ 키크법은 중성축을 결정하는 방법이다.

07 직류전동기의 규약효율을 나타낸 식으로 옳은 것은? [2017년 2회 기사]

① $\dfrac{출력}{입력} \times 100[\%]$ ② $\dfrac{입력}{입력 + 손실} \times 100[\%]$

③ $\dfrac{출력}{출력 + 손실} \times 100[\%]$ ④ $\dfrac{입력 - 손실}{입력} \times 100[\%]$

> **해설** **규약효율 η**
>
> 전동기 $\eta = \dfrac{입력 - 손실}{입력} \times 100[\%]$, 발전기 $\eta = \dfrac{출력}{출력 + 손실} \times 100[\%]$

08 출력이 20[kW]인 직류발전기의 효율이 80[%]이면 전손실은 약 몇 [kW]인가?

[2020년 1, 2회 기사]

① 0.8   ② 1.25
③ 5   ④ 45

> **해설** **직류발전기**
>
> 발전기 규약효율$(\eta_G) = \dfrac{출력(P_o)}{출력(P_o) + 손실(P')}$ 에서 손실$(P') = \dfrac{출력}{\eta_G} - 출력 = \dfrac{20}{0.8} - 20 = 5[kW]$

09 직류기의 손실 중 기계손에 속하는 것은? [2017년 2회 산업기사]

① 풍 손   ② 와전류손
③ 히스테리시스손   ④ 브러시의 전기손

> **해설** 기계손은 브러시 마찰손, 베어링 마찰손, 풍손 등이다. 또한 다른 항은 다음과 같다.
> - 와류손 : 철손
> - 표류부하손 : 철손, 동손, 기계손 이외의 손실
> - 브러시의 전기손 : 동손

10 직류기의 손실 중에서 기계손으로 옳은 것은? [2019년 1회 기사]

① 풍 손   ② 와류손

③ 표류부하손   ④ 브러시의 전기손

해설

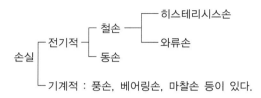

```
             ┌ 철손 ─┬ 히스테리시스손
       ┌ 전기적┤       └ 와류손
손실 ─┤       └ 동손
       └ 기계적 : 풍손, 베어링손, 마찰손 등이 있다.
```

11 직류발전기가 90[%] 부하에서 최대효율이 된다면 이 발전기의 전부하에 있어서 고정손과 부하손의 비는? [2018년 1회 기사 / 2022년 1회 기사]

① 1.1   ② 1.0

③ 0.9   ④ 0.81

해설

$$\frac{1}{m} = \sqrt{\frac{P_i}{P_c}}$$

$$0.9^2 = \frac{P_i}{P_c}$$

고정손과 부하손의 비는 $0.9^2 = 0.81$

12 일정 전압으로 운전하는 직류전동기의 손실이 $x + yI^2$으로 될 때 어떤 전류에서 효율이 최대가 되는가?(단, x, y는 정수이다)

[2019년 1회 산업기사]

① $I = \sqrt{\dfrac{x}{y}}$

② $I = \sqrt{\dfrac{y}{x}}$

③ $I = \dfrac{x}{y}$

④ $I = \dfrac{y}{x}$

해설　**최대효율조건** : 고정손(철손)=가변손(동손)

$x + yI^2$(이때 x는 고정손, y는 가변손이다)

$\therefore I = \sqrt{\dfrac{x}{y}}$

---

13 직류기의 철손에 관한 설명으로 틀린 것은?

[2018년 2회 기사]

① 성층철심을 사용하면 와전류손이 감소한다.

② 철손에는 풍손과 와전류손 및 저항손이 있다.

③ 철에 규소를 넣게 되면 히스테리시스손이 감소한다.

④ 전기자 철심에는 철손을 작게 하기 위해 규소강판을 사용한다.

해설

```
            ┌ 전기적 ┌ 철손 ┌ 히스테리시스손
손실 ┤         │        └ 와류손
    │         └ 동손
    └ 기계적 : 풍손, 베어링손, 마찰손 등이 있다.
```

14 2대의 같은 정격의 타여자 직류발전기가 있다. 그 정격은 출력 10[kW], 전압 100[V], 회전속도 1,500[rpm]이다. 이 2대를 카프법에 의해서 반환부하시험을 하니 전원에서 흐르는 전류는 22[A]이었다. 이 결과에서 발전기의 효율은 약 몇 [%]인가?(단, 각 기의 계자저항손을 각각 200[W]라고 한다) [2016년 2회 산업기사]

① 88.5

② 87

③ 80.6

④ 76

해설 각 발전기의 계자저항손 $R_f I_f^2 = 200[\text{W}]$

전류에 의한 나머지 손= $VI_0 = 100 \times 22 = 2,200[\text{W}]$

∴ 1대 발전기 효율

$$\eta_g = \frac{P_0}{P_0 + \frac{1}{2}VI_0 + R_f I_f^2} \times 100 = \frac{10,000}{10,000 + \frac{1}{2} \times 2,200 + 200} \times 100 \fallingdotseq 88.5$$

15 일반적인 직류전동기의 정격표시 용어로 틀린 것은? [2017년 3회 산업기사]

① 연속정격

② 순시정격

③ 반복정격

④ 단시간정격

해설 **직류전동기의 정격표시**
- 연속정격
- 단시간정격
- 반복정격
- 공칭정격(전기철도용 전원기기에 사용)

일정한 주파수의 교류기전력을 발생하기 위해 동기속도로 회전하는 것을 3상 동기발전기라고 한다. 동기발전기도 구조가 동기전동기와 같으므로 전동기로 운전할 수 있다.

1. 동기발전기의 원리와 구조 : 회전계자에 의해 전압이 발생한다.

(1) 원리

① 2극 동기발전기(단상)

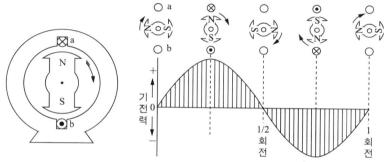

② 2극 동기발전기(3상)

계자권선(회전자)에 직류전류를 흘려주고 회전자를 일정속도로 회전시키면 시계방향으로 교번자계가 발생하여 전기자권선(고정자)에 3상 유기기전력이 유기된다.

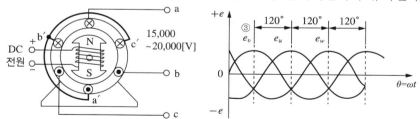

(2) 구조

① 고정자(Stator) : 전기자나 부하권선 지지
② 회전자(Rotor) : 회전계자형과 회전전기자형이 있으나 동기기는 회전계자형이 표준이 된다.

③ 회전계자형의 장점

　　㉠ 전기자권선이 고정되어 있고 외부 Slot에 사용되므로 충분한 절연을 할 수 있다(기계적으로 유리).

　　㉡ 권선과 절연물이 원심력을 받지 않아 기계적인 진동이 적다.

　　㉢ 고전압이 발생하여도 브러시를 통하지 않고 직접 외부회로에 연결할 수 있다. 브러시를 통하는 것은 직류 저전압이다.

④ 여자기 : 직류전원(DC 발전기 사용)

⑤ 냉각장치

　　㉠ 전기자권선의 과열 방지

　　㉡ 냉매 : 공기, 물, 수소, 헬륨

⑥ 회전자 구조

구 분	극 수	회전속도	배치, 지름	단락비	리액턴스	최대출력 부하각
돌극형	16 ~ 32	저속 (수차발전기)	수직형	0.9 ~ 1.2	직축 > 횡축	60°
비돌극형	2 ~ 4	고속 (터빈발전기)	수평형	0.6 ~ 1.0	직축 = 횡축	90°

2. 동기속도

일반적으로 1초 동안에 n_s 회전[rps]하는 경우에는 $f = \dfrac{P}{2} n_s \,[\text{Hz}]$ 이고, $f = \dfrac{P}{2} \dfrac{N_s}{60}$ 에서 $N_s = \dfrac{120 f}{P} \,[\text{rpm}]$ 이 되며, 이 회전수를 동기속도라고 한다.

핵 / 심 / 예 / 제

01 동기기의 회전자에 의한 분류가 아닌 것은? [2017년 2회 기사]

① 원통형 ② 유도자형
③ 회전계자형 ④ 회전전기자형

> **해설** **동기발전기 회전자에 의한 분류**
> • 회전계자형 : 전기자를 고정자로 하고 계자극을 회전자로 한 것
> • 회전전기자형 : 계자극을 고정자로 한 것으로 특수용도 및 극히 소용량에 적용
> • 유도자형 : 계자극과 전기자를 함께 고정시키고 그 중앙에 유도자라고 하는 권선이 없는 회전자를 갖춘 것

02 회전계자형 동기발전기에 대한 설명으로 틀린 것은? [2014년 3회 기사 / 2019년 3회 산업기사]

① 전기자권선은 전압이 높고 결선이 복잡하다.
② 대용량의 경우에도 전류는 작다.
③ 계자회로는 직류의 저압회로이며 소요전력도 작다.
④ 계자극은 기계적으로 튼튼하게 만들기 쉽다.

> **해설** **동기기에서 회전계자형을 쓰는 이유**
> • 전기자권선은 고전압에 결선이 복잡하며 대용량인 경우 전류도 커지고 3상 결선 시 인출선은 4개이다.
> • 계자권선에 저압 직류회로로 소요동력이 적다(인출도선 2개).
> • 절연이 용이하다.
> • 전기자권선은 고전압에 유리하다(Y결선).
> • 기계적으로 튼튼하다.

03 동기발전기에 회전계자형을 사용하는 경우에 대한 이유로 틀린 것은?

[2019년 2회 기사 / 2019년 3회 산업기사]

① 기전력의 파형을 개선한다.
② 전기자가 고정자이므로 고압 대전류용에 좋고, 절연하기 쉽다.
③ 계자가 회전자지만 저압 소용량의 직류이므로 구조가 간단하다.
④ 전기자보다 계자극을 회전자로 하는 것이 기계적으로 튼튼하다.

> **해설** 2번 해설 참조

04 동기발전기 종류 중 회전계자형의 특징으로 옳은 것은? [2020년 3회 산업기사]

① 고조파 발전기에 사용
② 극소용량, 특수용으로 사용
③ 소요전력이 크고 기구적으로 복잡
④ 기계적으로 튼튼하여 가장 많이 사용

해설 동기기에서 회전계자형을 쓰는 이유
- 전기자권선은 고전압에 결선이 복잡하며 대용량인 경우 전류도 커지고 3상 결선 시 인출선은 4개이다.
- 계자권선에 저압 직류회로로 소요동력이 작다(인출도선 2개).
- 절연이 용이하다.
- 전기자권선은 고전압에 유리하다(Y결선).
- 기계적으로 튼튼하다.

05 구조가 회전계자형으로 된 발전기는? [2016년 2회 산업기사]

① 동기발전기   ② 직류발전기
③ 유도발전기   ④ 분권발전기

해설 4번 해설 참조

     04 ④   05 ①   **정답**

06 발전기의 종류 중 회전계자형으로 하는 것은? [2016년 3회 산업기사]

① 동기발전기
② 유도발전기
③ 직류 복권발전기
④ 직류 타여자발전기

해설 **동기발전기** : 회전계자형과 회전전기자형이 있으나 회전계자형이 표준이 된다.

07 돌극형 동기발전기에서 직축 동기리액턴스를 X_d, 횡축 동기리액턴스를 X_q라 할 때의 관계는? [2012년 1회 기사 / 2018년 3회 기사]

① $X_d > X_q$ ② $X_d < X_q$
③ $X_d = X_q$ ④ $X_d \ll X_q$

해설 • 돌극(수차)형 동기발전기 : $X_d > X_q$
• 터빈(원통)형 동기발전기 : 공극이 일정하므로 $X_d = X_q$

08 돌극형 동기발전기에서 직축 리액턴스 X_d와 횡축 리액턴스 X_q는 그 크기 사이에 어떤 관계가 있는가? [2020년 3회 산업기사]

① $X_d = X_q$ ② $X_d > X_q$
③ $X_d < X_q$ ④ $2X_d = X_q$

해설 7번 해설 참조

09 그림은 동기발전기의 구동 개념도이다. 그림에서 2를 발전기라 할 때 3의 명칭으로 적합한 것은?

[2015년 3회 기사]

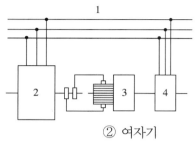

① 전동기　　　　　　　　　　　② 여자기
③ 원동기　　　　　　　　　　　④ 제동기

> **해설**　**동기발전기의 구동 방식**
> 1 : 전원 모선
> 2 : 발전기
> 3 : 여자기
> 4 : 전원 모선에 연결하면 전동기, 연결되지 않으면 원동기

10 3상 20,000[kVA]인 동기발전기가 있다. 이 발전기는 60[Hz]일 때는 200[rpm], 50[Hz]일 때는 약 167[rpm]으로 회전한다. 이 동기발전기의 극수는?

[2020년 1, 2회 기사]

① 18극　　　　　　　　　　　② 36극
③ 54극　　　　　　　　　　　④ 72극

> **해설**　동기속도 $N_s = \dfrac{120f}{P}$[rpm]
>
> 극수 $P = \dfrac{120f}{N_s}$
>
> $P_1 = \dfrac{120f_1}{N_{s1}} = \dfrac{120 \times 60}{200} = 36$[극]
>
> $P_2 = \dfrac{120f_2}{N_{s2}} = \dfrac{120 \times 50}{167} \fallingdotseq 36$[극]

11 동기발전기에서 동기속도와 극수와의 관계를 표시한 것은?(단, N : 동기속도, P : 극수이다)

[2015년 3회 기사 / 2021년 2회 기사]

①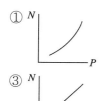

②

③

④

> **해설** 동기속도 $N_s = \dfrac{120f}{P}$ [rpm]에서 $N_s \propto \dfrac{1}{P}$ 의 그래프

12 60[Hz], 12극, 회전자 외경 2[m]의 동기발전기에 있어서 자극면의 주변속도[m/s]는 약 얼마인가?

[2012년 2회 산업기사 / 2018년 1회 산업기사 / 2019년 3회 산업기사]

① 34 ② 43
③ 59 ④ 62

> **해설** 동기발전기의 회전자 주변속도
>
> $$v = \pi D \frac{N_s}{60} = \frac{\pi D}{60} \cdot \frac{120f}{P} \text{[rpm]} = \frac{\pi \times 2}{60} \times \frac{120 \times 60}{12} ≒ 62.8 \text{[m/s]}$$

13 4극 60[Hz]의 3상 동기발전기가 있다. 회전자의 주변속도를 200[m/s] 이하로 하려면 회전자의 최대직경을 약 몇 [m]로 하여야 하는가?

[2013년 1회 산업기사]

① 1.5 ② 1.8
③ 2.1 ④ 2.8

> **해설** 동기발전기의 회전자 주변속도
>
> $$v \geq \pi D \frac{N_s}{60} \text{[rpm]} = \pi D n_s \text{[rps]} \text{에서}$$
>
> 회전자의 최대직경 $D \leq \dfrac{v}{\pi n} \leq \dfrac{200}{\pi \times 30} ≒ 2.122 \text{[m]}$

정답 11 ② 12 ④ 13 ③

14 60[Hz], 12극의 동기전동기 회전자계의 주변속도[m/s]는?(단, 회전자계의 극간격은 1[m]이다)

[2014년 1회 산업기사]

① 10
② 31.4
③ 120
④ 377

해설 동기발전기의 회전자 주변속도

$$v = \pi D \frac{N_s}{60} = \frac{\pi D}{60} \cdot \frac{120f}{P} [\mathrm{rpm}] = \frac{12}{60} \times \frac{120 \times 60}{12} = 120 [\mathrm{m/s}]$$

여기서, 회전자 둘레(πD)=극수 × 극간격=12 × 1=12[m]

15 터빈발전기의 냉각을 수소냉각방식으로 하는 이유로 틀린 것은?

[2019년 3회 기사]

① 풍손이 공기 냉각 시의 약 1/10로 줄어든다.
② 열전도율이 좋고 가스냉각기의 크기가 작아진다.
③ 절연물의 산화작용이 없으므로 절연열화가 적어서 수명이 길다.
④ 반폐형으로 하기 때문에 이물질의 침입이 없고 소음이 감소한다.

해설 수소냉각방식의 장단점
- 장 점
  - 풍손이 약 1/10로 감소된다.
  - 열전도율은 공기의 약 7배로 공기냉각방식에 비해 약 25[%] 출력이 증가한다.
  - 코일의 절연이 파괴되어 불꽃이 생겨도 연소하지 않는다.
  - 코로나 발생 전압이 높고 코로나손이 적다.
  - 운전 중의 소음이 적다.
- 단 점
  - 폭발성이 있으므로 방폭 구조로 하여야 한다.
  - 수소가스의 압력 및 순도를 제어할 필요가 있다.
  - 수소가스의 봉입 배출에는 탄산가스로 치환하지 않으면 안 된다.

3. 전기자권선법

(1) **단절권** : 극간격보다 코일간격이 짧다(전절권 : 극간격=코일간격).

　① 단절비율 : 권선피치와 자극피치의 비를 β라 한다.

$$\beta = \frac{코일간격}{극간격} < 1$$

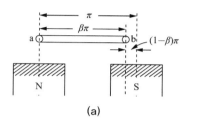
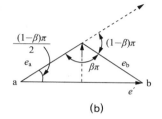

(a)　　　　　　　　　　　　　　　(b)

　② 단절계수 : 코일의 양쪽변에 유도하는 기전력의 위상차에 따라 합성기전력이 감소하는 비율을 나타내는 계수이다.

　　• 단절계수 $k_p = \sin\dfrac{\beta\pi}{2}$

　　• h고조파에 대한 단절계수 $k_{ph} = \sin\dfrac{h\beta\pi}{2}$

　③ 장단점

　　㉠ 장 점

　　　• 동량 감소(기계적 길이 축소)

　　　• 일반적으로 코일간격을 극간격의 $\dfrac{1}{n}$로 줄이면 제n고조파 기전력은 서로 상쇄되어 나타나지 않는다.

　　　• 고조파 제거로 좋은 파형을 얻을 수 있다.

　　㉡ 단점 : 유기기전력 감소

(2) **분포권**

매극 매상의 슬롯수가 1이면 유도기전력은 매극 매상의 코일변을 형성하는 각 도체의 유도기전력 사이에 위상차가 없는 경우이며 이와 같은 권선법을 집중권이라고 한다. 그러나 실제의 발전기에서 매극 매상의 코일은 2개 이상의 슬롯으로 분산하여 감으며 이것을 분포권이라고 한다.

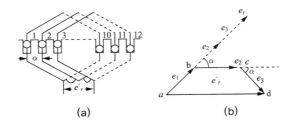

(a)　　　　　　　　(b)

① 매극 매상당 슬롯수 : $q = \dfrac{총슬롯수}{극수 \times 상수}$

② 분포계수 : $k_d = \dfrac{\sin\dfrac{\pi}{2m}}{q\sin\dfrac{\pi}{2mq}}$

③ h 고조파에 대한 분포계수 : $k_{dh} = \dfrac{\sin\dfrac{h\pi}{2m}}{q\sin\dfrac{h\pi}{2mq}}$

④ 장단점

　㉠ 장 점

　　• 기전력의 고조파 감소

　　• 파형 개선

　　• 권선의 리액턴스가 감소

　　• 열이 고르게 분포되어 과열을 방지

　㉡ 단점 : 분포권에서는 집중권에 비하면 합성유도기전력은 감소

(3) 권선계수 : 단절권과 분포권을 사용 시 전체에 대한 감소계수를 권선계수라 한다.

※ 권선계수 $K_\omega = K_p \times K_d$

4. Y결선 및 △결선

3ϕ의 기본파 위상차는 120°이다. Y 결선에서 3고조파는 $120 \times 3 = 360$°이므로 위상이 일치하며 선간에는 각 상의 차로 나타나 제3고조파 전압은 0이다. a상의 상고조파에 대해서 3배수이기 때문에 120°라는 것은 360°가 된다. 따라서 각각의 차가 없기에 전압이 없다. 즉, 선간에는 3고조파 전압이 없다.

(1) 파형 개선

△결선에서 3고조파에 대해서는 동일 위상이나 합이 되므로 큰 순환전류가 흐른다.

(2) 파형을 좋게 하는 법

① 극면의 모양을 정현파가 나오도록 만든다.
② Y결선을 하여 제3고조파 및 그 배수고조파를 제거한다.
③ 단절권을 채용한다.
④ 분포권을 채용하여 나머지 고조파를 대폭 감축시킨다.
⑤ 매극 매상의 슬롯수(q)를 크게 한다.

5. 유기기전력

1개의 전기자 도체에 유기되는 기전력의 순시치로 $e = Blv[\mathrm{V}]$, $v = \pi D \cdot \dfrac{N}{60} = 2\pi D \cdot \dfrac{f}{P}$ 이

므로 $e = 2f \dfrac{\pi DL}{P} B[\mathrm{V}]$ 이다. B가 정현파형으로 변화하면 e도 정현파형으로 변화하며 이

기전력의 평균치를 E_{mean} 이라고 하면 $E_{mean} = 2f \cdot \dfrac{\pi DL}{P} \cdot B_{mean}[\mathrm{V}]$ 가 된다. 여기서

$\dfrac{\pi DL}{P}$ 은 1자극 밑의 전기자 표면적으로 이것과 평균자속 밀도 B_{mean} 과는 1극의 총자속수 ϕ 를

표시한다. 그러므로 $E_{mean} = 2f\phi[\mathrm{V}]$ 가 되며 실효치 $E =$ 파형률$\times E_{mean} = 1.11 E_{mean}$ 이 되

므로 도체 한 개의 유기기전력은 $E = 2.22f\phi[\mathrm{V}]$ 로 된다.

코일의 각 변이 전기 각도로 180°만큼 떨어져 있고, 1극 1상당 슬롯수가 1인 경우 권수
W가 되는 권선에 유기되는 기전력은 전부 동상이 되므로 전기전력은 1개 도체 유기 전압
의 $2W$배가 된다. 즉, 이러한 권선의 유기기전력 $E[\mathrm{V}]$는 $E = 4.44fW\phi[\mathrm{V}]$ 이다. 그런데
동기기의 권선은 분포 단절권선으로 되어 있으므로 어느 1상에 직렬로 연결되어 있는 각
도체의 기전력 사이에는 위상차가 생겨 그 합성기전력은 식에 의하여 계산값보다 작게
된다. 그러므로 집중권, 전절권선의 기전력의 식에 1보다 작은 계수 K_ω를 곱하면
$E = 4.44k_\omega f\phi W[\mathrm{V}]$ 의 식이 된다.

여기서, D는 전기자의 직경[m], $N[\mathrm{rpm}]$은 회전수, P는 극수, $f[\mathrm{Hz}]$는 주파수,
$B[\mathrm{Wb/m^2}]$는 자속밀도, $v[\mathrm{m/s}]$는 가속도, $L[\mathrm{m}]$도 도체의 길이이다.

6. 동기발전기의 출력

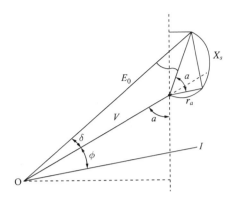

벡터도에서 발전기 1상의 출력 P_0는 $P_0 = VI\cos\theta\,[\mathrm{W}]$ 이다. 그런데 $\alpha = \tan^{-1}\dfrac{x_s}{r_a}$ 이며

$x_s \gg r_a$ 이기 때문에 $\alpha \fallingdotseq \dfrac{\pi}{2}$ 이다. $\alpha = \dfrac{\pi}{2}$ 라 하면 1상의 출력은 다음과 같이 된다.

$$P_0 = \frac{VE_0}{Z_s}\cos\left(\frac{\pi}{2} - \delta\right) = \frac{VE_0}{Z_s}\sin\delta$$

즉, 발전기의 출력은 부하각 δ에 비례한다. 따라서 V, E_0를 일정하게 하면, 부하가 변하는 경우에 δ도 변화한다. 또 일정한 부하에 대해서는 일정한 δ가 필요하다. 3상인 경우 출력은

$E\,V_1$도 선간 전압을 나타내므로 $P = \dfrac{\sqrt{3}\,E\sqrt{3}\,V_1}{x_s}\sin\delta = 3\dfrac{EV_1}{x_s}\sin\delta$가 된다. δ는 전기

각으로 나타내고 보통 전부하에서 30° 전후로 취해진다. 부하가 늘면 δ가 증가해서 부하의 크기에 대응하는데 δ가 90°에서 최대(비돌주기)가 되고 이것을 넘으면 출력은 감소하므로 운전할 수 없게 된다. 이것을 동기탈조라 한다.

※ 참고 : 돌극기 $\delta = 60°$에서 최대출력을 낸다.

핵 / 심 / 예 / 제

01 동기기의 권선법 중 기전력의 파형을 좋게 하는 권선법은?　　　　　　[2022년 1회 기사]

① 전절권, 2층권　　　　　　　　　　② 단절권, 집중권
③ 단절권, 분포권　　　　　　　　　　④ 전절권, 집중권

> **해설** **파형을 좋게 하는 법**
> • 극면의 모양을 정현파가 나오도록 만든다.
> • 결선을 하여 제3고조파 및 그 배수고조파를 제거한다.
> • 단절권을 채용한다.
> • 분포권을 채용하여 나머지 고조파를 대폭 감축시킨다.
> • 매극 매상의 슬롯수(q)를 크게 한다.

02 동기발전기의 전기자권선을 단절권으로 하는 가장 큰 이유는?　　　　[2017년 2회 산업기사]

① 과열을 방지
② 기전력 증가
③ 기본파를 제거
④ 고조파를 제거해서 기전력 파형 개선

> **해설** **단절권**
> • 고조파를 제거하여 기전력의 파형을 개선
> • 동량 감소
> • 코일단이 짧게 되므로 재료가 절약
> • 단점은 권선계수 $K_w < 1$, 유기기전력($E = 4.44k_w f \omega \phi$) 감소

03 동기발전기 단절권의 특징이 아닌 것은?　　　　　　　　　　　　　　[2020년 4회 기사]

① 코일간격이 극간격보다 작다.
② 전절권에 비해 합성유기기전력이 증가한다.
③ 전절권에 비해 코일단이 짧게 되므로 재료가 절약된다.
④ 고조파를 제거해서 전절권에 비해 기전력의 파형이 좋아진다.

> **해설** 단절권 : 극간격 > 코일간격 ↔ 전절권 : 극간격 = 코일간격(파형 불량)
> • 고조파를 제거하여 기전력의 파형을 개선
> • 코일의 길이가 짧게 되어 동량이 절약
> • 단점 : 전절권에 비해 합성유기기전력이 감소

정답 　01 ③　02 ④　03 ②

04 3상 동기발전기 각 상의 유기기전력 중 제3고조파를 제거하려면 코일간격/극간격을 어떻게 하면 되는가? [2019년 1회 산업기사]

① 0.11

② 0.33

③ 0.67

④ 1.34

해설 3고조파를 제거하기 위해서는 $\frac{코일간격}{극간격}$ 을 67[%]로 해야 한다.

5고조파를 제거하기 위해서는 $\frac{코일간격}{극간격}$ 을 80[%]로 해야 한다.

$\therefore 0.67$

05 코일피치와 자극피치의 비를 β라 하면 기본파 기전력에 대한 단절계수는? [2016년 2회 산업기사]

① $\sin\beta\pi$

② $\cos\beta\pi$

③ $\sin\dfrac{\beta\pi}{2}$

④ $\cos\dfrac{\beta\pi}{2}$

해설 **단절권 계수**

$$K_p = \sin\frac{\beta\pi}{2}$$

06 3상, 6극, 슬롯수 54의 동기발전기가 있다. 어떤 전기자코일의 두 변이 제1슬롯과 제8슬롯에 들어 있다면 단절권 계수는 약 얼마인가? [2012년 1회 산업기사 / 2020년 3회 산업기사]

① 0.9397

② 0.9567

③ 0.9837

④ 0.9117

해설 **단절권 계수**

$$K_p = \sin\frac{\beta\pi}{2} = \sin\frac{\left(\frac{7}{9}\right)\times\pi}{2} = \sin\frac{7}{18}\pi = \sin70° \fallingdotseq 0.9397$$

여기서, 극간격 $= \dfrac{슬롯수}{극수} = \dfrac{54}{6} = 9$, 단절비율 $\beta = \dfrac{코일간격}{극간격} = \dfrac{7}{9}$

07 동기발전기에서 기전력의 파형이 좋아지고 권선의 누설리액턴스를 감소시키기 위하여 채택한 권선법은? [2015년 1회 산업기사]

① 집중권
② 형 권
③ 쇄 권
④ 분포권

> **해설** 분포권의 특징
> • 분포권은 집중권에 비하여 합성유기기전력이 감소한다.
> • 기전력의 고조파가 감소하여 파형이 좋아진다.
> • 권선의 누설리액턴스가 감소한다.
> • 전기자권선에 의한 열을 고르게 분포시켜 과열을 방지한다.

08 동기발전기의 전기자권선법 중 집중권에 비해 분포권이 갖는 장점은? [2017년 1회 산업기사 / 2018년 2회 기사]

① 난조를 방지할 수 있다.
② 기전력의 파형이 좋아진다.
③ 권선의 리액턴스가 커진다.
④ 합성유도기전력이 높아진다.

> **해설** 7번 해설 참조

09 동기발전기의 권선을 분포권으로 하면? [2019년 2회 산업기사]

① 난조를 방지한다.
② 파형이 좋아진다.
③ 권선의 리액턴스가 커진다.
④ 집중권에 비하여 합성유도기전력이 높아진다.

> **해설** 7번 해설 참조

10 동기기의 기전력의 파형 개선책이 아닌 것은? [2018년 3회 기사]

① 단절권 ② 집중권
③ 공극조정 ④ 자극모양

> **해설**
> - 단절권 : 극간격 > 코일간격 ↔ 전절권 : 극간격 = 코일간격(파형 불량)
>   - 고조파를 제거하여 기전력의 파형을 개선
>   - 코일의 길이가 짧게 되어 동량이 절약
>   - 단점 : 전절권에 비해 합성유기기전력이 감소
> - 분포권 : 1극, 1상이 코일이 차지하는 슬롯수가 2개 이상 ↔ 집중권 : 슬롯수가 1개
>   - 기전력의 파형이 개선
>   - 권선의 누설리액턴스가 감소
>   - 전기자에 발생되는 열을 골고루 분포시켜 과열을 방지

11 동기기의 전기자권선법으로 적합하지 않은 것은? [2020년 3회 산업기사]

① 중 권 ② 2층권
③ 분포권 ④ 환상권

> **해설** **전기자권선법**
> - 직류기 : 고상권, 폐로권, 이층권, 중권, 파권
> - 동기기 : 2층권, 중권, 단절권, 분포권

10 ② 11 ④ **정답**

12 동기발전기의 전기자권선법 중 집중권인 경우 매극 매상의 홈(Slot)수는? [2019년 1회 기사]

① 1개

② 2개

③ 3개

④ 4개

> **해설** 매극 매상의 슬롯수가 1이면 유도기전력은 매극 매상의 코일변을 형성하는 각 도체의 유도기전력 사이에 위상차가 없는 경우이며 이와 같은 권선법을 집중권이라고 한다.

13 상수 m, 매극 매상당 슬롯수 q인 동기발전기에서 n차 고조파분에 대한 분포계수는?

[2016년 3회 기사]

① $\left(q\sin\dfrac{n\pi}{mq}\right)\bigg/\left(\sin\dfrac{n\pi}{m}\right)$

② $\left(\sin\dfrac{n\pi}{m}\right)\bigg/\left(q\sin\dfrac{n\pi}{mq}\right)$

③ $\left(\sin\dfrac{\pi}{2m}\right)\bigg/\left(q\sin\dfrac{n\pi}{2mq}\right)$

④ $\left(\sin\dfrac{n\pi}{2m}\right)\bigg/\left(q\sin\dfrac{n\pi}{2mq}\right)$

> **해설**
> 분포권 계수 $k_d = \dfrac{\sin\dfrac{n\pi}{2m}}{q\sin\dfrac{n\pi}{2mq}}$
>
> 여기서, q : 매극 매상의 슬롯수, m : 상수, n : n차 고조파

14 3상 동기발전기의 매극 매상의 슬롯수를 3이라 할 때 분포권 계수는?

[2013년 2회 기사 / 2013년 3회 기사 / 2015년 1회 산업기사 / 2019년 2회 기사]

① $6\sin\dfrac{\pi}{18}$

② $3\sin\dfrac{\pi}{36}$

③ $\dfrac{1}{6\sin\dfrac{\pi}{18}}$

④ $\dfrac{1}{12\sin\dfrac{\pi}{36}}$

> **해설** n차 고조파 분포권 계수(K_d)
>
> $$K_d = \frac{\sin\dfrac{\pi}{2m}}{q\sin\dfrac{\pi}{2mq}} = \frac{\sin\dfrac{\pi}{2\times 3}}{3\sin\dfrac{\pi}{2\times 3\times 3}} = \frac{\sin\dfrac{\pi}{6}}{3\sin\dfrac{\pi}{18}} = \frac{\dfrac{1}{2}}{3\sin\dfrac{\pi}{18}} = \frac{1}{6\sin\dfrac{\pi}{18}}$$

15 4극, 3상 동기기가 48개의 슬롯을 가진다. 전기자권선 분포계수 K_d를 구하면 약 얼마인가?

[2017년 1회 기사]

① 0.923　　　　　　　　　② 0.945

③ 0.957　　　　　　　　　④ 0.969

해설 분포계수 $K_d = \dfrac{\sin\dfrac{\pi}{2m}}{q\sin\dfrac{\pi}{2mq}} = \dfrac{\sin\dfrac{180}{2\times3}}{4\times\sin\dfrac{180}{2\times3\times4}} ≒ 0.957$

여기서, 매극 매상 슬롯수 $q = \dfrac{slot}{극수\times상수} = \dfrac{48}{4\times3} = 4$

16 슬롯수 36의 고정자 철심이 있다. 여기에 3상 4극의 2층권을 시행할 때 매극 매상의 슬롯수와 총 코일수는?

[2015년 2회 산업기사]

① 3과 18　　　　　　　　② 9와 36

③ 3과 36　　　　　　　　④ 9와 18

해설 매극 매상의 슬롯수 $q = \dfrac{총슬롯수}{상수\times극수} = \dfrac{36}{3\times4} = 3$

코일수 $z = \dfrac{총슬롯수\times층수}{2} = \dfrac{36\times2}{2} = 36$

17 교류발전기의 고조파 발생을 방지하는 방법으로 틀린 것은?

[2018년 1회 기사]

① 전기자 반작용을 크게 한다.

② 전기자권선을 단절권으로 감는다.

③ 전기자 슬롯을 스큐 슬롯으로 한다.

④ 전기자권선의 결선을 성형으로 한다.

해설 **고조파 기전력의 소거 방법**
- 매극 매상의 슬롯수 q를 크게 한다.
- 반폐 슬롯을 사용한다.
- 단절권 및 분포권으로 한다.
- 공극의 길이를 크게 한다.
- Y결선을 한다.
- 전기자 철심을 사(斜)슬롯으로 한다.

18 극수 20, 주파수 60[Hz]인 3상 동기발전기의 전기자 권선이 2층 중권, 전기자 전 슬롯 수 180, 각 슬롯 내의 도체 수 10, 코일피치 7슬롯인 2중 성형 결선으로 되어 있다. 선간전압 3,300[V]를 유도하는 데 필요한 기본파 유효자속은 약 몇 [Wb]인가?(단, 코일피치와 자극피치의 비 β = $\dfrac{7}{9}$ 이다)

[2022년 2회 기사]

① 0.004   ② 0.062

③ 0.053   ④ 0.07

해설

$E = 4.44f\phi\omega k_\omega[\text{V}]$, 상전압 $E = \dfrac{V_l}{\sqrt{3}}$

$\phi = \dfrac{E}{4.44f\omega k_\omega}$

$= \dfrac{\dfrac{3,300}{\sqrt{3}}}{4.44 \times 60 \times 150 \times 0.94 \times 0.96}$

$= 0.053[\text{Wb}]$

- ω = 한 상의 권선수

$= \dfrac{180 \times 10}{2 \times 3 \times 2} = 150$회

- $k_\omega = k_p \times k_d$

$k_p = \sin\dfrac{\beta\pi}{2} = \sin\dfrac{\dfrac{7}{9} \times 180}{2} = 0.94$

$k_d = \dfrac{\sin\dfrac{\pi}{2\eta}}{q\sin\dfrac{\pi}{2\eta q}} = \dfrac{\sin\dfrac{180}{2 \times 3}}{3\sin\dfrac{180}{2 \times 3 \times 3}} = 0.96 \ (\because q = \dfrac{180}{20 \times 3} = 3)$

19 비돌극형 동기발전기 한 상의 단자전압을 V, 유기기전력을 E, 동기리액턴스를 X_s, 부하각이 δ이고 전기자저항을 무시할 때 한 상의 최대출력[W]은?

[2017년 3회 기사 / 2022년 1회 기사]

① $\dfrac{EV}{X_s}$ ② $\dfrac{3EV}{X_s}$

③ $\dfrac{E^2 V}{X_s}\sin\delta$ ④ $\dfrac{EV^2}{X_s}\sin\delta$

해설

비돌극형인 경우 최대출력은 부하각(δ)=90°이므로 $P_0 = \dfrac{EV}{X_s}\sin90° = \dfrac{EV}{X_s}$ 이다.

20 전기자저항 $r_a = 0.2[\Omega]$, 동기리액턴스 $X_s = 20[\Omega]$인 Y결선의 3상 동기발전기가 있다. 3상 중 1상의 단자전압 $V = 4,400[V]$, 유도기전력 $E = 6,600[V]$이다. 부하각 $\delta = 30°$라고 하면 발전기의 출력은 약 몇 [kW]인가?

[2018년 1회 기사]

① 2,178
② 3,251
③ 4,253
④ 5,532

해설 3상 동기발전기의 출력

$$P = \frac{3EV}{X_S}\sin\delta = \frac{3 \times 6,600 \times 4,400}{20}\sin30° = 2,178[\text{kW}]$$

21 비철극형 3상 동기발전기의 동기리액턴스 $X_s = 10[\Omega]$, 유도기전력 $E = 6,000[V]$, 단자전압 $V = 5,000[V]$, 부하각 $\delta = 30°$일 때 출력은 몇 [kW]인가?(단, 전기자 권선저항은 무시한다)

[2016년 3회 기사]

① 1,500
② 3,500
③ 4,500
④ 5,500

해설 3상 동기발전기의 출력

$$P = \frac{3EV}{X_S}\sin\delta = \frac{3 \times 6,000 \times 5,000}{10}\sin30° = 4,500[\text{kW}]$$

22 동기리액턴스 $X_s = 10[\Omega]$, 전기자 권선저항 $r_a = 0.1[\Omega]$, 3상 중 1상의 유도기전력 $E = 6,400[V]$, 단자전압 $V = 4,000[V]$, 부하각 $\delta = 30°$이다. 비철극기인 3상 동기발전기의 출력은 약 몇 [kW]인가?

[2021년 1회 기사]

① 1,280
② 3,840
③ 5,560
④ 6,650

해설 3상 동기발전기의 출력

$$P = \frac{3EV}{X_S}\sin\delta = \frac{3 \times 6,400 \times 4,000}{10}\sin30° = 3,840[\text{kW}]$$

23 3상 비돌극형 동기발전기가 있다. 정격출력 5,000[kVA], 정격전압 6,000[V], 정격역률 0.8 이다. 여자를 정격상태로 유지할 때 이 발전기의 최대출력은 약 몇 [kW]인가?(단, 1상의 동기 리액턴스는 0.8[P.U]이며 저항은 무시한다) [2019년 1회 기사]

① 7,500

② 10,000

③ 11,500

④ 12,500

해설

$$발전기\ 최대출력(P) = \frac{\sqrt{\cos^2\theta + (\sin\theta + x_s)^2}}{x_s}P_n = \frac{\sqrt{0.8^2 + (0.6 + 0.8)^2}}{0.8} \times 5,000 ≒ 10,000\,[\text{kW}]$$

24 정격출력 10,000[kVA], 정격전압 6,600[V], 정격역률 0.8인 3상 비돌극 동기발전기가 있다. 여자를 정격상태로 유지할 때 이 발전기의 최대출력은 약 몇 [kW]인가?(단, 1상의 동기 리액턴스를 0.9[pu]라 하고 저항은 무시한다) [2021년 3회 기사]

① 17,089

② 18,889

③ 21,259

④ 23,619

해설

$$발전기\ 최대출력(P_m) = \frac{\sqrt{\cos^2\theta + (\sin\theta + x_s)^2}}{x_s} \times P_n = \frac{\sqrt{0.8^2 + (0.6 + 0.9)^2}}{0.9} \times 10,000 ≒ 18,889\,[\text{kW}]$$

25 원통형 회전자(비철극기)를 가진 동기발전기는 부하각 δ가 몇 °일 때 최대출력을 낼 수 있는가?

[2013년 1회 기사 / 2017년 1회 기사]

① 0°   ② 30°

③ 60°   ④ 90°

해설　철극형과 비철극형

구 분	돌극형	비돌극형
극 수	16~32	2~4
회전속도	저 속	고 속
크 기	D대, l소	D소, l대
단락비	0.9~1.2	0.6~1.0
리액턴스	직축>횡축	직축 = 횡축
최대출력 부하각	60°	90°
설 치	수직형	수평형

7. 전기자 반작용 이론

(1) 전기자전류 I_a가 유기기전력 E와 동상일 때(역률 $\cos\theta = 1$)
  → 교차 자화작용(횡축 반작용)

(2) 전기자전류 I_a가 유기기전력 E보다 $\dfrac{\pi}{2}$ 뒤질 때(역률 $\cos\theta = 0\,(\text{lag})$)
  → 감자작용(직축 반작용)

(3) 전기자전류 I_a가 유기기전력 E보다 $\dfrac{\pi}{2}$ 앞설 때(역률 $\cos\theta = 0\,(\le \text{ad})$)
  → 증자작용 또는 자화작용(직축 반작용)

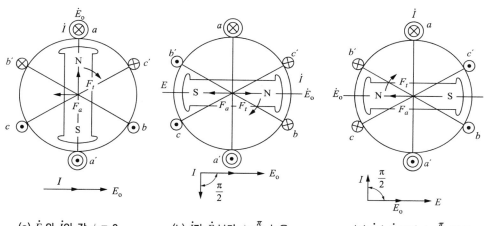

(a) $\dot{E}_o$와 $\dot{i}$의 각 $\phi = 0$　　(b) $\dot{i}$가 $\dot{E}_o$보다 $\phi=\dfrac{\pi}{2}$ 늦음　　(C) $\dot{i}$가 $\dot{E}_o$보다 $\phi=\dfrac{\pi}{2}$ 앞섬

발전기	전동기
• 앞선 전류 – 진전류– C부하(진상) = 증자작용 • 뒤진 전류 – 지전류– L부하(지상) = 감자작용	• 앞선 전류 – 진전류– C부하(진상) = 감자작용 • 뒤진 전류 – 지전류 – L부하(지상) = 증자작용

핵 / 심 / 예 / 제

01 동기전동기에서 전기자 반작용을 설명한 것 중 옳은 것은? [2018년 1회 기사]

① 공급전압보다 앞선 전류는 감자작용을 한다.

② 공급전압보다 뒤진 전류는 감자작용을 한다.

③ 공급전압보다 앞선 전류는 교차 자화작용을 한다.

④ 공급전압보다 뒤진 전류는 교차 자화작용을 한다.

해설 **동기기 전기자 반작용**

• 횡축 반작용(교차 자화작용 : R부하) : 전기자전류와 단자전압 동상

• 직축 반작용(L부하, C부하)

자 속	발전기	전동기
감 자	• 전류가 전압보다 뒤짐 • 뒤진 전류−지전류−L부하(지상)=감자작용	• 전류가 전압보다 앞섬 • 앞선 전류−진전류−C부하(진상)=감자작용
증 자	• 전류가 전압보다 앞섬 • 앞선 전류−진전류−C부하(진상)=증자작용	• 전류가 전압보다 뒤짐 • 뒤진 전류−지전류−L부하(지상)=증자작용

02 동기발전기에서 전기자전류를 I, 유기기전력과 전기자전류와의 위상각을 θ라 하면 직축 반작용을 나타내는 성분은? [2016년 3회 산업기사]

① $I\tan\theta$ ② $I\cot\theta$

③ $I\sin\theta$ ④ $I\cos\theta$

해설 $I\cos\theta$는 기전력과 같은 위상의 전류성분으로서 횡축 반작용을 하며, 무효분 $I\sin\theta$는 $\frac{\pi}{2}[\text{rad}]$만큼 뒤지거나 앞서기 때문에 직축 반작용을 한다.

       01 ①   02 ③   정답

03 동기발전기에서 전기자전류를 I, 역률을 $\cos\theta$ 라고 하면 횡축 반작용을 하는 성분은?

[2019년 1회 산업기사]

① $I\cos\theta$

② $I\cot\theta$

③ $I\sin\theta$

④ $I\tan\theta$

> **해설** $I\cos\theta$는 기전력과 같은 위상의 전류성분으로서 횡축 반작용을 하며, 무효분 $I\sin\theta$는 $\dfrac{\pi}{2}$[rad]만큼
> 뒤지거나 앞서기 때문에 직축 반작용을 한다.

04 동기전동기에서 90° 앞선 전류가 흐를 때 전기자 반작용은?

[2019년 1회 산업기사]

① 감자작용

② 증자작용

③ 편자작용

④ 교차 자화작용

> **해설**
> • 발전기
>   – 앞선 전류–진상전류–C부하(진상) = 증자작용
>   – 뒤진 전류–지상전류–L부하(지상) = 감자작용
> • 전동기
>   – 앞선 전류–진상전류–C부하(진상) = 감자작용
>   – 뒤진 전류–지상전류–L부하(지상) = 증자작용

05 동기전동기의 전기자 반작용에서 전기자전류가 앞서는 경우 어떤 작용이 일어나는가?

[2019년 3회 산업기사]

① 증자작용

② 감자작용

③ 횡축 반작용

④ 교차 자화작용

> **해설** 동기기 전기자 반작용
> • 횡축 반작용(교차 자화작용 : R부하) : 전기자전류와 단자전압 동상
> • 직축 반작용(L부하, C부하)

자 속	발전기	전동기
감 자	• 전류가 전압보다 뒤짐 • 뒤진 전류–지전류–L부하(지상)=감자작용	• 전류가 전압보다 앞섬 • 앞선 전류–진전류–C부하(진상)=감자작용
증 자	• 전류가 전압보다 앞섬 • 앞선 전류–진전류–C부하(진상)=증자작용	• 전류가 전압보다 뒤짐 • 뒤진 전류–지전류–L부하(지상)=증자작용

06 3상 교류발전기의 기전력에 대하여 $\frac{\pi}{2}$ [rad] 뒤진 전기자전류가 흐르면 전기자 반작용은?

[2016년 1회 산업기사]

① 증자작용을 한다.　　　　　　　② 감자작용을 한다.

③ 횡축 반작용을 한다.　　　　　　④ 교차 자화작용을 한다.

해설　• 발전기
　　　– 앞선 전류–진전류–C 부하(진상) = 증자작용
　　　– 뒤진 전류–지전류–L 부하(지상) = 감자작용
　　• 전동기
　　　– 앞선 전류–진전류–C 부하(진상) = 감자작용
　　　– 뒤진 전류–지전류–L 부하(지상) = 증자작용

8. 단락비와 %동기임피던스

(1) 동기기 영구단락전류

전압을 유기하고 있는 3상 동기발전기를 갑자기 단락하면 그 순간 큰 전류가 흐르게 되는데, 시간이 경과함에 따라 점차 감소하여 마침내 어느 일정값에 이르게 된다. 이것은 3상 발전기의 각 상 단자를 미리 단락시키고 여자전류 I_f를 0에서 차차 증가시켜 운전 중 돌발단락 시 계자전류값과 같게 하면 전기자에는 영구단락전류 또는 지속단락전류 I_s가 흐르게 된다. 이때의 단락전류는 다음 식으로 나타낼 수 있다.

$$I_s = \frac{E_0}{Z_s}$$

(2) 동기기 돌발단락현상(최초 돌발단락전류 제한 : 누설리액턴스)

일정전압을 유도하고 있는 발전기의 3단자를 갑자기 단락하면 큰 돌발단락전류가 흐른후 점점 감쇠하여 몇 초 뒤에는 지속단락전류의 값이 된다. 이런 상태는 다음 그림과 같이된다.

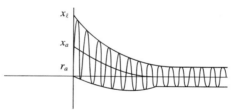

이것은 전기자 반작용이 순간적으로는 나타나지 않기 때문에, 단락하는 순간 단락전류를 제한하는 것은 전기자권선의 저항을 무시한 전기자 누설리액턴스 x_l뿐이므로, 대단히큰 과도전류$\left(\text{또는 돌발단락전류 } I_s = \dfrac{E}{x_l}\right)$가 생긴다. 또, 몇 초 뒤에는 전기자 반작용이나타나서 과도전류는 급속히 감쇠하고 결국에는 동기리액턴스에 의하여 정해지는 지속단락전류$\left(I_s = \dfrac{E}{x_l + x_a} = \dfrac{E}{x_s}\right)$가 된다.

※ x_a는 전기자 반작용 리액턴스, x_l은 전기자 누설리액턴스, x_f는 계자 누설리액턴스, x_d는 제동권선의 리액턴스이다.

(3) 단락비

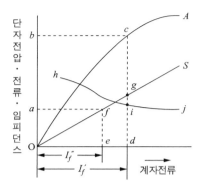

곡선 OA는 무부하 포화곡선, 곡선 OS는 단락곡선이다. 정격속도에서 무부하 정격전압 $V_n[\mathrm{V}]$(그림의 cd)를 발생시키는 데 필요한 계자전류 $I_f{'}[\mathrm{A}]$(그림의 Od)와 정격전류 $I_n[\mathrm{A}]$(그림의 ef)와 같은 영구단락전류를 통하는 데 요하는 계자전류 $I_f{''}[\mathrm{A}]$(그림의 Oe)와의 비를 단락비라 한다.

단락비 $K_s = \dfrac{I_f{'}}{I_f{''}} = \dfrac{\overline{Od}}{\overline{Oe}} = \dfrac{I_s(\text{단락전류})}{I_n(\text{정격전류})}$

단락비 K_s의 값은 수차 및 엔진발전기에서 0.9~1.2 정도, 터빈 발전기에서는 0.6~1.0 정도로 된 것이 많다.

즉, $K_s = \dfrac{\text{무부하 시 정격전압을 유기하는 데 필요한 여자전류}(I_f{'})}{\text{3상 단락 시 정격전류와 같은 단락전류를 흐르게 하는 데 필요한 여자전류}(I_f{''})}$

(4) 동기임피던스

등가회로에서 영구단락전류 $I_s[\mathrm{A}]$는 1상의 유도기전력 $E_0[\mathrm{V}]$를 1상의 동기임피던스 $Z_s[\Omega]$으로 나눈 것이기 때문에 $Z_s = \dfrac{E_0}{I_s}[\Omega]$이 된다. 그림에서 같은 계자전류에 대한 상전압 E_0와 단락전류 I_s의 비에서 Z_s를 구하면 곡선 hij와 같이 되어서 그 값은 일정한 것이 아니고, 계자전류 I_f의 값이 증가함에 따라 자기회로의 포화상태로 인한 Z_s는 다르게 되는 것을 알 수 있다. 그리하여 일반적으로 동기임피던스라는 것은 정격상전압 $E_n[\mathrm{V}]$ $\left(\text{성형결선일 때에는 } \dfrac{V_n}{\sqrt{3}}\right)$와 이 E_n을 유도하는 데 필요한 것이 계자전류일 때의 3상 단락전류 $I_s[\mathrm{A}]$와의 비로 하여 구해진다.

즉, $Z_s = \dfrac{E_n}{I_s} = \dfrac{\overline{dc}/\sqrt{3}}{\overline{dg}} = \overline{di}\,[\Omega]$

Z_s는 편의상 $[\Omega]$으로 표시하지 않고, 정격전류 I_n에 대한 임피던스강하 $Z_s I_n\,[\mathrm{V}]$와 정격 상전압 $E_n\,[\mathrm{V}]$의 비에 대한 [%]로 표시하는 일이 많다. 이것을 %동기임피던스라고 한다.

%동기임피던스 $\%Z_s = \dfrac{Z_s I_n}{E_n} \times 100\,[\%]$

또는 $\%Z_s = \dfrac{Z_s I_n}{E_n}\,[\mathrm{p \cdot u}]$으로도 표시(단위법[per unit]이라고 한다)한다.

(5) %동기임피던스와 단락비의 관계

%동기임피던스 $\%Z_s$는 단락비 K_s의 역수를 퍼센트로 표시한 것과 같다. 단위법으로 표시한 $\%Z_s$는 $\%Z_s = \dfrac{1}{K_s}\,[\mathrm{p \cdot u}]$이다.

(6) 단락비에 따른 기계

① 단락비가 큰 기계(철기계)

단락비가 큰 기계는 자속의 분포를 크게 하기 위하여 철심 형태를 크게 하여 계자의 구조가 크게 된다. 그러므로 이것에 비례해서 전기자의 구조가 커지기 때문에 발전기 구조가 전반적으로 크게 되는데, 이때 코일인 동보다는 철심의 분포가 더 많기 때문에 철기계라고 하며 다음과 같은 특성을 갖는다.

특 성	
• 동기임피던스가 작다.	• 철손이 크다.
• 전압변동이 작다.	• 효율이 나쁘다.
• 공극이 크다.	• 설비비가 고가이다.
• 전기자 반작용이 작다.	• 단락전류가 커진다.
• 계자의 기자력이 크다.	• 선로의 충전용량이 크다.
• 전기자 기자력은 작다.	
• 출력이 향상된다.	
• 자기여자를 방지할 수 있다.	

② 단락비가 작은 기계(동기계)

단락비가 작은 동기계는 철기계와 상반된 특성을 가지나 발전기 특성면에서 단락비가 큰 기계보다는 떨어진다.

(7) 안정도 증진법

① 동기임피던스를 작게 한다.

② 속응여자방식을 채택한다(AVR의 속응도를 크게 한다).

③ 회전자에 플라이휠을 설치하여 관성모멘트를 크게 한다.

④ 정상임피던스는 작게, 영상 및 역상임피던스는 크게 한다.

⑤ 단락비를 크게 한다.

(8) 전압변동률

$$\varepsilon = \frac{V_0 - V_n}{V_n} \times 100\,[\%]$$

여기서, V_0 : 무부하 단자전압[V], V_n : 정격 단자전압[V]

핵심정리

단락비와 %임피던스 구하는 시험(무부하시험, 3상 단락시험)

• 단락비란?
  정상상태의 정격전류와 단락 시 단락전류의 비가 단락비이다.

• 3상 동기발전기를 운전 중 갑자기 단락하면?
  전류는 처음은 크나, 점차 감소한다.

• 단락하는 순간 단락전류를 제한하는 것은?
  누설리액턴스(최초 돌발단락전류 제한)
  → 전기자 누설리액턴스와 계자 누설리액턴스(이 중에서도 최초는 전기자 누설리액턴스)

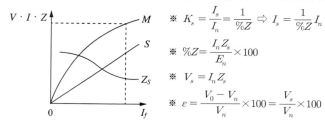

※ $K_s = \dfrac{I_s}{I_n} = \dfrac{1}{\%Z} \Rightarrow I_s = \dfrac{1}{\%Z}I_n$

※ $\%Z = \dfrac{I_n Z_s}{E_n} \times 100$

※ $V_s = I_n Z_s$

※ $\varepsilon = \dfrac{V_0 - V_n}{V_n} \times 100 = \dfrac{V_s}{V_n} \times 100$

단락비(K_s)(大) ⇨ I_s(大) ⇨ 차단기프레임(大) ⇨ 시설비(高)
└── %Z(小) ⇨ Z_s(小) ⇨ V_s(小) ⇨ ε(小) ⇨ 안정도 증진
       └── $r_a + X_s$(小)
            └── $(X_a + X_l)$(小)

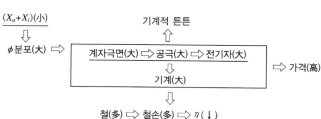

핵 / 심 / 예 / 제

01 동기기의 전기자저항을 r, 전기자 반작용 리액턴스를 X_a, 누설리액턴스를 X_l 라고 하면 동기 임퍼던스를 표시하는 식은?

[2020년 3회 기사]

① $\sqrt{r^2 + \left(\dfrac{X_a}{X_l}\right)^2}$

② $\sqrt{r^2 + X_l^2}$

③ $\sqrt{r^2 + X_a^2}$

④ $\sqrt{r^2 + (X_a + X_l)^2}$

해설 **동기임피던스**

$$Z_s = r_a + jx_s = r_a + j(x_a + x_l)$$

$$|Z_s| = \sqrt{r_a^2 + (x_a + x_l)^2}$$

여기서, x_a : 전기자리액턴스, x_l : 누설리액턴스

02 동기기의 단락전류를 제한하는 요소는?

[2018년 2회 산업기사]

① 단락비
② 정격전류
③ 동기임피던스
④ 자기여자작용

해설 단락전류를 제한하는 것은 누설리액턴스지만 동기임피던스는 전기자저항과 전기자 반작용 리액턴스, 누설리액턴스의 합으로 나타낸다.

03 동기기에서 동기임피던스값과 실용상 같은 것은?(단, 전기자저항은 무시한다)

[2013년 3회 산업기사]

① 전기자 누설리액턴스
② 동기리액턴스
③ 유도리액턴스
④ 등가리액턴스

해설 1번 해설 참조

정답 01 ④ 02 ③ 03 ②

04 동기발전기의 단자 부근에서 단락 시 단락전류는? [2020년 4회 기사]

① 서서히 증가하여 큰 전류가 흐른다.
② 처음부터 일정한 큰 전류가 흐른다.
③ 무시할 정도의 작은 전류가 흐른다.
④ 단락된 순간은 크나, 점차 감소한다.

해설 평형 3상 전압을 유기하고 있는 발전기의 단자를 갑자기 단락하면 단락 초기에 전기자 반작용이
순간적으로 나타나지 않기 때문에 막대한 과도전류가 흐르고 수초 후에는 영구단락전류값에 이르게
된다.

05 동기발전기의 단자 부근에서 단락이 일어났다고 하면 단락전류는 어떻게 되는가?

[2017년 1회 기사]

① 전류가 계속 증가한다.
② 큰 전류가 증가와 감소를 반복한다.
③ 처음에는 큰 전류이나 점차 감소한다.
④ 일정한 큰 전류가 지속적으로 흐른다.

해설 4번 해설 참조

06 동기발전기의 돌발단락 시 발생되는 현상으로 틀린 것은? [2019년 3회 기사]

① 큰 과도전류가 흘러 권선 소손
② 단락전류는 전기자저항으로 제한
③ 코일 상호 간 큰 전자력에 의한 코일 파손
④ 큰 단락전류 후 점차 감소하여 지속단락전류 유지

해설 단락전류를 제한하는 것은 누설리액턴스지만 동기임피던스는 전기자저항과 전기자 반작용 리액턴스, 누설 리액턴스의 합으로 나타낸다.

07 동기발전기의 단자 부근에서 단락이 발생되었을 때 단락전류에 대한 설명으로 옳은 것은? [2020년 1, 2회 산업기사]

① 서서히 증가한다.
② 발전기는 즉시 정지한다.
③ 일정한 큰 전류가 흐른다.
④ 처음은 큰 전류가 흐르나 점차 감소한다.

해설 평형 3상 전압을 유기하고 있는 발전기의 단자를 갑자기 단락하면 단락 초기에 전기자 반작용이 순간적으로 나타나지 않기 때문에 막대한 과도전류가 흐르고 수초 후에는 영구단락전류값에 이르게 된다.

08 동기발전기의 무부하 포화곡선은 그림 중 어느 것인가?(단, V는 단자전압, I_f는 여자전류이다) [2013년 3회 기사]

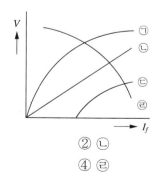

① ㉠
② ㉡
③ ㉢
④ ㉣

해설
㉠ 무부하 포화곡선   ㉡ 단락곡선
㉢ 전부하 포화곡선   ㉣ 외부 특성곡선

09 3상 동기발전기의 단락곡선이 직선으로 되는 이유는?   [2017년 2회 기사]

① 전기자 반작용으로   ② 무부하 상태이므로

③ 자기포화가 있으므로   ④ 누설리액턴스가 크므로

해설   전기자 반작용으로 인해 단락곡선이 직선으로 된다.

10 동기발전기의 3상 단락곡선에서 단락전류가 계자전류에 비례하여 거의 직선이 되는 이유로 가장 옳은 것은?   [2019년 3회 기사]

① 무부하 상태이므로   ② 전기자 반작용으로

③ 자기포화가 있으므로   ④ 누설리액턴스가 크므로

해설   9번 해설 참조

09 ①   10 ②   정답

11 동기발전기의 단락시험, 무부하시험에서 구할 수 없는 것은? [2019년 2회 산업기사]

① 철 손
② 단락비
③ 동기리액턴스
④ 전기자 반작용

측정 항목	특성 시험
철손, 기계손	무부하시험
동기임피던스, 동기리액턴스	단락시험
단락비	무부하시험, 단락시험

12 그림과 같은 동기발전기의 무부하 포화곡선에서 포화계수는? [2014년 1회 산업기사]

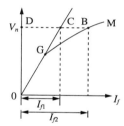

① $\overline{OA}/\overline{OG}$
② $\overline{OD}/\overline{DB}$
③ $\overline{BC}/\overline{CD}$
④ $\overline{CD}/\overline{CO}$

해설 무부하 포화곡선에서 포화계수(포화율)

$$\delta = \frac{\overline{BC}}{\overline{CD}}$$

13 3상 3,300[V], 100[kVA]의 동기발전기의 정격전류는 약 몇 [A]인가? [2016년 1회 기사]

① 17.5
② 25
③ 30.3
④ 33.3

해설 정격전류 $I = \frac{100,000}{\sqrt{3} \times 3,300} = 17.5[A]$

14 3상 동기발전기의 여자전류 5[A]에 대한 1상의 유기기전력이 600[V]이고 그 3상 단락전류는 30[A]이다. 이 발전기의 동기임피던스[Ω]는?

[2017년 2회 산업기사]

① 10   ② 20

③ 30   ④ 40

해설 동기임피던스

$$Z_s = \frac{E_n}{I_s} = \frac{600}{30} = 20[\Omega]$$

15 3상 동기발전기의 여자전류 10[A]에 대한 단자전압이 $1,000\sqrt{3}$ [V], 3상 단락전류가 50[A]인 경우 동기 임피던스는 몇 [Ω]인가?

[2022년 2회 기사]

① 5   ② 11

③ 20   ④ 34

해설

$$동기임피던스(Z_s) = \frac{E_n}{I_s} = \frac{\frac{1,000\sqrt{3}}{\sqrt{3}}}{50} = 20[\Omega]$$

16 동기발전기에서 무부하 정격전압일 때의 여자전류를 I_{f0}, 정격부하 정격전압일 때의 여자전류를 I_{f1}, 3상 단락 정격전류에 대한 여자전류를 I_{fs}라 하면 정격속도에서의 단락비 K는?

[2022년 2회 기사]

① $K = \dfrac{I_{fs}}{I_{f0}}$ ② $K = \dfrac{I_{f0}}{I_{fs}}$

③ $K = \dfrac{I_{fs}}{I_{f1}}$ ④ $K = \dfrac{I_{f1}}{I_{fs}}$

해설 $K = \dfrac{I_{f0}}{I_{fs}}$

17 어떤 수차용 교류발전기의 단락비가 1.2이다. 이 발전기의 %동기임피던스는?

[2012년 3회 기사 / 2017년 3회 기사]

① 0.12   ② 0.25

③ 0.52   ④ 0.83

해설   **%동기임피던스**

$$\%Z[\text{pu}] = \frac{I_{1n}Z_{21}}{V_{1n}} = \frac{I_{1n}}{I_{1s}} = \frac{PZ_{21}}{V_{1n}^2} = \frac{1}{K_s} = \frac{1}{1.2} \fallingdotseq 0.83$$

여기서, 단락비 $K_s = \dfrac{1}{\%Z[\text{pu}]} = \dfrac{V_{1n}^2}{PZ_{21}} = 1.2$

18 정격전압 6,000[V], 용량 5,000[kVA]의 Y결선 3상 동기발전기가 있다. 여자전류 200[A]에서의 무부하 단자전압 6,000[V], 단락전류 600[A]일 때, 이 발전기의 단락비는 약 얼마인가?

[2019년 3회 산업기사]

① 0.25   ② 1

③ 1.25   ④ 1.5

해설   단락비 $K = \dfrac{1}{Z_s} = \dfrac{1}{0.8} = 1.25$

이때 동기임피던스 $Z_s = \dfrac{I_n}{I_s} = \dfrac{\frac{P}{\sqrt{3}\,V_n}}{I_s} = \dfrac{\frac{5,000 \times 10^3}{\sqrt{3} \times 6,000}}{600} = 0.8$

$P = \sqrt{3}\,V_n I_n$ 에서 $I_n = \dfrac{P}{\sqrt{3}\,V_n}$

19 정격출력 5,000[kVA], 정격전압 3.3[kV], 동기임피던스가 매상 1.8[Ω]인 3상 동기발전기의 단락비는 약 얼마인가?

[2017년 2회 기사]

① 1.1   ② 1.2

③ 1.3   ④ 1.4

해설   단락비 $k_s = \dfrac{1}{\%Z} = \dfrac{1}{0.826} \fallingdotseq 1.21$

여기서, $\%Z = \dfrac{I_n Z_s}{E_n} = \dfrac{\left(\frac{5,000,000}{\sqrt{3} \times 3,300}\right) \times 1.8}{\left(\frac{3,300}{\sqrt{3}}\right)} \fallingdotseq 0.826$

20 단락비가 큰 동기기에 대한 설명으로 옳은 것은? [2014년 2회 산업기사 / 2016년 3회 기사]

① 안정도가 높다. ② 기계가 소형이다.
③ 전압변동률이 크다. ④ 전기자 반작용이 크다.

해설 **단락비가 큰 기계**
- 동기임피던스, 전압변동률, 전기자 반작용, 효율이 작다.
- 출력, 선로의 충전 용량, 계자기자력, 공극, 단락전류가 크다.
- 안정도가 좋고 중량이 무거우며 가격이 비싸다.
- 철기계로 저속인 수차발전기($K_s = 0.9 \sim 1.2$)에 적합하다.

21 단락비가 큰 동기기의 특징 중 옳은 것은? [2017년 3회 산업기사]

① 전압변동률이 크다.
② 과부하 내량이 크다.
③ 전기자 반작용이 크다.
④ 송전선로의 충전용량이 작다.

해설 20번 해설 참조

22 단락비가 큰 동기기의 특징으로 옳은 것은? [2017년 1회 기사]

① 안정도가 떨어진다.
② 전압변동률이 크다.
③ 선로 충전용량이 크다.
④ 단자 단락 시 단락전류가 적게 흐른다.

해설 부피가 커지며 값이 비싸고 철손, 기계손 등의 고정손이 커서 효율은 나빠지나 전압변동률이 작고 안정도 및 선로 충전용량이 커지는 현상이 있다.

20 ① 21 ② 22 ③ **정답**

23 동기발전기의 단락비가 적을 때의 설명으로 옳은 것은? [2019년 1회 기사]

① 동기임피던스가 크고 전기자 반작용이 작다.
② 동기임피던스가 크고 전기자 반작용이 크다.
③ 동기임피던스가 작고 전기자 반작용이 작다.
④ 동기임피던스가 작고 전기자 반작용이 크다.

해설   **단락비가 큰 기계(철기계)**

특 성	
• 동기임피던스가 작다.	• 철손이 크다.
• 전압변동이 작다.	• 효율이 나쁘다.
• 공극이 크다.	• 설비비가 고가이다.
• 전기자 반작용이 작다.	• 단락전류가 커진다.
• 계자의 기자력이 크다.	• 선로의 충전용량이 크다.
• 전기자 기자력은 작다.	
• 출력이 향상된다.	
• 자기여자를 방지할 수 있다.	

단락비가 작은 동기계는 철기계와 상반된 특성을 가지나 발전기 특성면에서 단락비가 큰 기계보다는 떨어진다.

24 단락비가 큰 동기발전기에 대한 설명 중 틀린 것은? [2019년 2회 산업기사]

① 효율이 나쁘다.
② 계자전류가 크다.
③ 전압변동률이 크다.
④ 안정도와 선로 충전용량이 크다.

해설   **단락비가 큰 기계**
• 동기임피던스, 전압변동률, 전기자 반작용, 효율이 작다.
• 출력, 선로의 충전 용량, 계자기자력, 공극, 단락전류가 크다.
• 안정도가 좋고 중량이 무거우며 가격이 비싸다.
• 철기계로 저속인 수차발전기($K_s = 0.9 \sim 1.2$)에 적합하다.

정답   23 ②   24 ③

25 동기발전기의 단락비나 동기임피던스를 산출하는 데 필요한 특성곡선은?

[2013년 2회 산업기사 / 2016년 2회 기사 / 2016년 3회 산업기사 / 2018년 3회 산업기사]

① 단상 단락곡선과 3상 단락곡선
② 무부하 포화곡선과 3상 단락곡선
③ 부하 포화곡선과 3상 단락곡선
④ 무부하 포화곡선과 외부 특성곡선

해설

측정 항목	특성 시험
철손, 기계손	무부하시험
동기임피던스, 동기리액턴스	단락시험
단락비	무부하시험, 단락시험

26 동기기의 과도안정도를 증가시키는 방법이 아닌 것은?

[2018년 3회 산업기사]

① 단락비를 크게 한다.
② 속응여자방식을 채용한다.
③ 회전부의 관성을 작게 한다.
④ 역상 및 영상임피던스를 크게 한다.

해설 **동기기의 안정도 증진법**
• 동기화 리액턴스를 작게 할 것
• 회전자의 플라이휠 효과를 크게 할 것
• 속응여자방식을 채용할 것
• 발전기의 조속기 동작을 신속하게 할 것
• 동기탈조계전기를 사용할 것

27 동기기의 과도안정도를 증가시키는 방법이 아닌 것은? [2014년 3회 산업기사 / 2016년 1회 산업기사]

① 속응여자방식을 채용한다.
② 회전자의 플라이휠 효과를 크게 한다.
③ 동기화 리액턴스를 크게 한다.
④ 조속기의 동작을 신속히 한다.

해설 26번 해설 참조

28 동기발전기의 안정도를 증진시키기 위한 대책이 아닌 것은? [2017년 3회 기사]

① 속응여자방식을 사용한다.
② 정상임피던스를 작게 한다.
③ 역상·영상임피던스를 작게 한다.
④ 회전자의 플라이휠 효과를 크게 한다.

해설 **안정도 증진법**
• 속응여자방식을 채택할 것
• 회전자의 플라이휠 효과를 크게 할 것
• 정상임피던스는 작게, 영상 및 역상임피던스는 크게 할 것
• 단락비를 크게 할 것
• 발전기의 조속기 동작을 신속하게 할 것
• 동기화 리액턴스를 작게 할 것
• 동기탈조계전기를 사용할 것

29 동기기의 과도안정도를 증가시키는 방법이 아닌 것은? [2020년 1, 2회 산업기사]

① 속응여자방식을 채용한다.
② 동기탈조계전기를 사용한다.
③ 동기화 리액턴스를 작게 한다.
④ 회전자의 플라이휠 효과를 작게 한다.

해설 28번 해설 참조

30 동기기의 안정도를 증진시키는 방법이 아닌 것은? [2020년 4회 기사]

① 단락비를 크게 할 것
② 속응여자방식을 채용할 것
③ 정상리액턴스를 크게 할 것
④ 영상 및 역상임피던스를 크게 할 것

해설 28번 해설 참조

31 정격전압 6,600[V]인 3상 동기발전기가 정격출력(역률 = 1)으로 운전할 때 전압변동률이 12[%]이었다. 여자전류와 회전수를 조정하지 않은 상태로 무부하운전하는 경우 단자전압[V] 은? [2020년 1, 2회 기사]

① 6,433
② 6,943
③ 7,392
④ 7,842

해설

$$\varepsilon = \frac{V_0 - V}{V}$$

$$V \cdot \varepsilon = V_0 - V$$

∴ 단자전압 $V_0 = V \cdot \varepsilon + V = V(\varepsilon + 1) = 6,600(0.12 + 1) = 7,392[V]$

32 전압변동률이 작은 동기발전기는? [2015년 1회 기사]

① 동기리액턴스가 크다.
② 전기자 반작용이 크다.
③ 단락비가 크다.
④ 자기여자작용이 크다.

해설

단락비	소	대
동기리액턴스	대	소
전압변동률	대	소
전기자 반작용	대	소
자기여자현상	대	소

33 전압변동률이 작은 동기발전기의 특성으로 옳은 것은? [2020년 1, 2회 기사]

① 단락비가 크다.
② 속도변동률이 크다.
③ 동기리액턴스가 크다.
④ 전기자 반작용이 크다.

해설 32번 해설 참조

9. 동기발전기의 병렬운전 조건

(1) 동기발전기의 병렬운전을 시키려면 각 발전기는 다음 조건을 만족해야 한다.

① 기전력의 위상이 같을 것
② 기전력의 크기가 같을 것
③ 기전력의 주파수가 같을 것
④ 기전력의 파형이 같을 것
⑤ 기전력의 상회전이 일치할 것

※ ②는 계자전류를 조정해서 전압계로 확인할 수 있고 ①, ③, ⑤는 발전기의 속도, 즉 원동기의 출력으로 조정해서 만족시킬 수 있는데 이것은 동기 검정기로서 조사한다. ④는 발전기 제작상의 문제이며 운전 중에는 고려할 필요가 없다.

(2) 동기발전기는 병렬운전 중 서로 같지 않을 때 다음과 같은 사항이 발생한다.

① 기전력의 크기가 같지 않은 경우

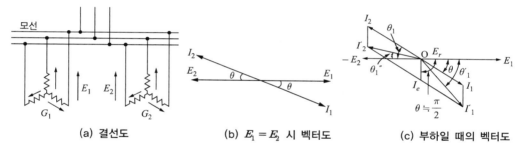

| (a) 결선도 | (b) $E_1 = E_2$ 시 벡터도 | (c) 부하일 때의 벡터도 |

그림 (a)와 같이 2대의 동기발전기 G_1, G_2가 모선에 병렬로 접속되어 있을 때, 두 발전기의 1상의 유도기전력 $E_1[\mathrm{V}]$ 및 $E_2[\mathrm{V}]$는 모선에 대해서는 같은 위상이지만, 두 발전기의 전기자로 구성되는 내부회로에 대해서 생각하면 그 위상은 π만큼 다르게 되어 있다. 따라서, 이 경우 $E_1 = E_2$이면 합성기전력 $E_r[\mathrm{V}]$는 0이며, 전기자의 내부회로에는 순환전류가 흐르지 않는다(그림 (b)). 그러나 이 경우에 가령 G_1의 계자전류를 증가하여 $E_1 > E_2$로 하면 합성기전력 $E_1 - E_2 = E_r[\mathrm{V}]$가 전기자의 내부회로에 작용하고 두 발전기 사이에 횡류(Cross Current) $I_c[\mathrm{A}]$가 흐르게 된다(그림 (c)).

두 발전기의 전기자권선저항 $r_a[\Omega]$ 및 동기리액턴스 $x_s[\Omega]$가 각각 서로 같고, I_c가 E_r보다 늦은 각을 θ로 해서, 모선의 임피던스를 생략하면 I_c 및 θ는 다음과 같이 된다.

$$I_c = \frac{E_r}{2Z_s}[\mathrm{A}], \quad \theta = \tan^{-1}\frac{2x_s}{2r_a} = \tan^{-1}\frac{x_s}{r_a}$$

일반적으로 $x_s \gg r_a$이기 때문에 $\theta \fallingdotseq \dfrac{\pi}{2}$가 된다.

즉, 이 횡류 I_c는 G_1에 대하여는 뒤진 전류가 되고 전기자 반작용은 감자작용을 한다. 또 G_2에 대해서는 앞선 전류가 되고 전기자 반작용은 증자작용을 하여 두 발전기의 유도기전력과 단자전압을 같게 하고, 앞에서 보다 높은 전압으로 평형을 유지하게 된다. 이 I_c는 역률이 거의 0인 무효전류이기 때문에 출력에는 관계가 없다. 다만, 두 발전기 사이를 순환하여 전기자권선에 저항손이 생기게 된다. 이것을 무효순환전류라고 한다. 따라서 동기발전기의 병렬운전에서는 한쪽 계자전류를 증가하여 유도기전력을 증가시켜도 다만 무효순환전류가 흐르고, 계자를 강하게 한 발전기 G_1의 역률이 낮아지며, 발전기 G_2의 역률이 높아져 두 발전기의 역률이 변할 뿐 유효전력의 분담을 바꿀 수는 없다.

② 기전력의 위상이 같지 않을 때

두 발전기가 병렬운전 중 한쪽 발전기의 원동기 출력이 변하게 되면 두 발전기의 위상이 같지 않게 되는데, 이때 위상차 때문에 A 발전기에서 B 발전기로 순환전류가 흐르게 된다. 이 순환전류는 두 발전기의 위상을 같게 하려고 하는 전류가 되기 때문에 동기화전류라 하며, 또한 유효분의 크기만 변화시키므로 유효순환전류라고도 한다.

동기임피던스 Z_s도 서로 같다고 하면 A, B의 두 발전기에서 1상의 수수전력 P는 다음과 같이 된다.

$$E_s = 2E\sin\frac{\delta}{2}\left(I_s = \frac{E_s}{2Z_s}\right)$$

$$P = EI_s\cos\frac{\delta}{2} = E\times\frac{E_s}{2Z_s}\times\cos\frac{\delta}{2} = E\times\frac{1}{2Z_s}\times2E\sin\frac{\delta}{2}\cos\frac{\delta}{2} = \frac{1}{2Z_s}E^2\sin\delta$$

이 전력 P는 A기에서는 부하로 되고, B기에서는 마이너스 부하로 되는 것으로 A기의 위상은 늦어지고, B기의 위상은 빨라져서 A, B기의 전압위상을 일치시켜서 동기속도로 되도록 작용한다$\left(\text{수수전력}(P_s) = \dfrac{E^2}{2Z_s}\sin\delta, \text{동기화력}(P_s) = \dfrac{E^2}{2Z_s}\cos\delta\right)$.

③ 기전력의 주파수가 같지 않은 경우

두 기전력의 주파수가 조금이라도 다르면, 기전력의 위상이 일치하지 않은 시간이 생기고 동기화전류가 두 발전기 사이에 서로 주기적으로 흐른다. 이와 같은 동기화전류의 교환이 심하게 되면 만족한 병렬운전이 되지 않고 난조의 원인이 된다.

④ 기전력의 파형이 같지 않은 경우

두 기전력의 실횻값이 같고 또 같은 위상이라도 그 파형이 다르면 각 순시의 기전력 크기가 같지 않기 때문에 고조파 무효순환전류가 흐르고, 이것이 크면 전기자권선의 저항손이 증가하여, 과열의 원인이 되는 일이 있다. 실제로 파형은 크게 틀리지 않도록 설계되어 있으므로 실제의 운전에서는 위상, 크기, 주파수의 세 가지 조건을 생각하면 된다.

10. 병렬운전 시 원동기에 필요한 조건

(1) 균일한 각속도를 가져야 한다.

(2) 적당한 속도조정률을 가져야 한다.

(3) 조속기가 적당한 불감도를 가져야 한다.

핵심정리

동기발전기의 병렬운전 조건

필요 조건	다른 경우 현상		
기전력의 위상이 같을 것	유효순환전류★	수수전력 $P = \dfrac{E^2}{2Z_s}\sin\delta[\mathrm{kW}]$ 병렬운전 조건(병렬운전일 때 이 공식계산)	원동기 출력 조정
기전력의 크기가 같을 것	 무효순환전류★★	$G_1 = E_1(\uparrow) \to I_{f1}(\uparrow) \to$ 무효순환전류 $I_c = \dfrac{E}{Z} = \dfrac{E_{(\pm)} - E_{(\pm)}}{2Z}$ $\cos\theta_1' \to$ 역률이 나빠진다. $\to I_c$ 뒤진 전류 감자 <table><tr><td>$\theta = \tan^{-1}\dfrac{X_s}{r_a} = 90°$</td><td>$\cos 90° = 0 \to$ 유효 ×</td></tr><tr><td></td><td>$\sin 90° = 1 \to$ 무효 ○</td></tr></table> $E \propto \phi$ $G_2 \to E_2 < E_1$ $\cos\theta_2 \to$ 역률이 좋아진다. $\to I_c$ 앞선 전류 증자	여자전류 조정
기전력의 주파수가 같을 것	유효순환전류	ϕ	원동기 속도 조정
기전력의 파형이 같을 것	고주파 순환전류 : 과열 원인		제작상의 문제
기전력의 상회전 방향이 같을 것	검출 → 동기검전등 → "같은 경우" $L_1 L_2 L_3$ 소등 → "다른 경우" $L_1 L_2 L_3$ 순차적 점등★		1대 정지 → 반대회전

01 동기발전기의 병렬운전에 필요한 조건이 아닌 것은? [2014년 3회 기사 / 2021년 2회 기사]

① 기전력의 크기가 같을 것   ② 기전력의 위상이 같을 것

③ 기전력의 주파수가 같을 것   ④ 기전력의 용량이 같을 것

해설 동기발전기의 병렬운전 조건

필요 조건	다른 경우 현상
기전력의 크기가 같을 것	무효순환전류(무효횡류)
기전력의 위상이 같을 것	동기화전류(유효횡류)
기전력의 주파수가 같을 것	동기화전류 : 난조 발생
기전력의 파형이 같을 것	고주파 무효순환전류 : 과열 원인
(3상) 기전력의 상회전 방향이 같을 것	

02 동기발전기의 병렬운전 조건에서 같지 않아도 되는 것은? [2012년 2회 산업기사 / 2014년 2회 산업기사]

① 주파수   ② 용 량

③ 위 상   ④ 기전력

해설 1번 해설 참조

03 동기발전기를 병렬운전하는 데 필요하지 않은 조건은? [2020년 3회 기사]

① 기전력의 용량이 같을 것   ② 기전력의 파형이 같을 것

③ 기전력의 크기가 같을 것   ④ 기전력의 주파수가 같을 것

해설 1번 해설 참조

01 ④ 02 ② 03 ① **정답**

04 3상 동기발전기를 병렬운전하는 경우 필요한 조건이 아닌 것은? [2016년 3회 산업기사]

① 회전수가 같다.   ② 상회전이 같다.

③ 발생 전압이 같다.   ④ 전압 파형이 같다.

해설 동기발전기의 병렬운전 조건

필요 조건	다른 경우 현상
기전력의 크기가 같을 것	무효순환전류(무효횡류)
기전력의 위상이 같을 것	동기화전류(유효횡류)
기전력의 주파수가 같을 것	동기화전류 : 난조 발생
기전력의 파형이 같을 것	고주파 무효순환전류 : 과열 원인
(3상) 기전력의 상회전 방향이 같을 것	

05 동기발전기의 병렬운전에서 일치하지 않아도 되는 것은? [2016년 2회 산업기사]

① 기전력의 크기   ② 기전력의 위상

③ 기전력의 극성   ④ 기전력의 주파수

해설 4번 해설 참조

06 병렬운전을 하고 있는 두 대의 3상 동기발전기 사이에 무효순환전류가 흐르는 경우는?

[2015년 1회 기사 / 2018년 1회 산업기사]

① 여자전류의 변화   ② 부하의 증가

③ 부하의 감소   ④ 원동기 출력변화

해설 동기발전기의 병렬운전 조건에서 유기기전력의 크기가 같지 않으면 여자전류의 변화에 의해 두 발전기 사이에 무효순환전류가 흐르게 된다.

무효순환전류 $I_c = \dfrac{E_1 - E_2}{2Z_s} = \dfrac{E_c}{2Z_c}$

정답 04 ①   05 ③   06 ①

07 정전압 계통에 접속된 동기발전기의 여자를 약하게 하면? [2016년 1회 기사]

① 출력이 감소한다.
② 전압이 강하한다.
③ 앞선 무효전류가 증가한다.
④ 뒤진 무효전류가 증가한다.

> **해설** **동기발전기의 병렬운전**
> - 유기기전력이 높은 발전기(여자전류가 높은 경우) : 90° 지상전류가 흘러 역률이 저하된다.
> - 유기기전력이 낮은 발전기(여자전류가 낮은 경우) : 90° 진상전류가 흘러 역률이 상승된다.

08 병렬운전 중인 A, B 두 동기발전기 중 A발전기의 여자를 B발전기보다 증가시키면 A발전기는?
[2018년 2회 산업기사]

① 동기화전류가 흐른다.
② 부하전류가 증가한다.
③ 90° 진상전류가 흐른다.
④ 90° 지상전류가 흐른다.

> **해설** 7번 해설 참조

09 2대의 동기발전기를 병렬운전할 때, 무효횡류(무효순환전류)가 흐르는 경우는?
[2017년 1회 산업기사]

① 부하분담의 차가 있을 때
② 기전력의 위상차가 있을 때
③ 기전력의 파형에 차가 있을 때
④ 기전력의 크기에 차가 있을 때

> **해설** 두 발전기의 기전력의 크기에 차가 있을 때 무효순환전류가 흐른다.

07 ③ 08 ④ 09 ④ **정답**

10 동기발전기의 병렬운전 중 위상차가 생기면 어떤 현상이 발생하는가? [2019년 2회 기사]

① 무효횡류가 흐른다.

② 무효전력이 생긴다.

③ 유효횡류가 흐른다.

④ 출력이 요동하고 권선이 가열된다.

해설 동기발전기의 병렬운전 조건

필요조건	다른 경우 현상
기전력의 크기가 같을 것	무효순환전류(무효횡류)
기전력의 위상이 같을 것	동기화전류(유효횡류)
기전력의 주파수가 같을 것	동기화전류 : 난조 발생
기전력의 파형이 같을 것	고주파 무효순환전류 : 과열 원인
(3상) 기전력의 상회전 방향이 같을 것	

11 동기발전기의 병렬운전 중 유도기전력의 위상차로 인하여 발생하는 현상으로 옳은 것은?

[2022년 1회 기사]

① 무효전력이 생긴다.

② 동기화전류가 흐른다.

③ 고조파 무효순환전류가 흐른다.

④ 출력이 요동하고 권선이 가열된다.

해설 10번 해설 참조

12 2대의 동기발전기가 병렬운전하고 있을 때 동기화전류가 흐르는 경우는?

[2013년 3회 산업기사 / 2015년 2회 기사 / 2018년 1회 산업기사]

① 기전력의 크기에 차가 있을 때

② 기전력의 위상에 차가 있을 때

③ 기전력의 파형에 차가 있을 때

④ 부하 분담에 차가 있을 때

해설 10번 해설 참조

정답 10 ③ 11 ② 12 ②

13 유도기전력의 크기가 서로 같은 A, B 2대의 동기발전기를 병렬운전할 때, A발전기의 유기기전력 위상이 B보다 앞설 때 발생하는 현상이 아닌 것은? [2018년 2회 기사]

① 동기화력이 발생한다.
② 고조파 무효순환전류가 발생된다.
③ 유효전류인 동기화전류가 발생된다.
④ 전기자 동손을 증가시키며 과열의 원인이 된다.

해설 **동기발전기의 병렬운전 조건**

필요조건	다른 경우 현상
기전력의 크기가 같을 것	무효순환전류(무효횡류)
기전력의 위상이 같을 것	동기화전류(유효횡류)
기전력의 주파수가 같을 것	동기화전류 : 난조 발생
기전력의 파형이 같을 것	고주파 무효순환전류 : 과열 원인
(3상) 기전력의 상회전 방향이 같을 것	

14 기전력(1상)이 E_0이고 동기임피던스(1상)가 Z_s인 2대의 3상 동기발전기를 무부하로 병렬운전시킬 때 각 발전기의 기전력 사이에 δ_s의 위상차가 있으면 한쪽 발전기에서 다른 쪽 발전기로 공급되는 1상당의 전력[W]은? [2021년 1회 기사]

① $\dfrac{E_0}{Z_s}\sin\delta_s$ ② $\dfrac{E_0}{Z_s}\cos\delta_s$

③ $\dfrac{E_0^2}{2Z_s}\sin\delta_s$ ④ $\dfrac{E_0^2}{2Z_s}\cos\delta_s$

해설 수수전력 $P_s = \dfrac{E_0^2}{2Z_s}\sin\delta_s$

15 동일 정격의 3상 동기발전기 2대를 무부하로 병렬운전하고 있을 때 두 발전기의 기전력 사이에 30°의 위상차가 있으면 한 발전기에서 다른 발전기에 공급되는 유효전력은 몇 [kW]인가?(단, 각 발전기의(1상의) 기전력은 1,000[V], 동기리액턴스는 4[Ω]이고, 전기자저항은 무시한다)

[2013년 1회 산업기사 / 2019년 3회 산업기사]

① 62.5

② $62.5 \times \sqrt{3}$

③ 125.5

④ $125.5 \times \sqrt{3}$

해설 두 기기의 수수전력

$$P = E_0 I_s \cos\frac{\delta}{2} = E_0 \cdot \frac{E_s}{2Z_s} \cdot \cos\frac{\delta}{2} = \frac{E_0^2}{2Z_s} \cdot \sin\frac{\delta}{2}$$

$$\fallingdotseq \frac{E_0^2}{2x_s} \cdot \sin\frac{\delta}{2} \fallingdotseq \frac{E_0^2}{2x_s} \cdot \sin\delta = \frac{1,000^2}{2 \times 4} \cdot \sin30° = 62,500[\mathrm{W}] = 62.5[\mathrm{kW}]$$

16 2대의 3상 동기발전기를 동일한 부하로 병렬운전하고 있을 때 대응하는 기전력 사이에 60°의 위상차가 있다면 한쪽 발전기에서 다른 쪽 발전기에 공급되는 1상당 전력은 약 몇 [kW]인가? (단, 각 발전기의 기전력(선간)은 3,300[V], 동기리액턴스는 5[Ω]이고 전기자저항은 무시한다)

[2017년 3회 산업기사]

① 181

② 314

③ 363

④ 720

해설

$$\text{수수전력} \quad P = \frac{E^2}{2Z_s}\sin\delta = \frac{\left(\dfrac{3,300}{\sqrt{3}}\right)^2}{2 \times 5} \times \sin60° \times 10^{-3} \fallingdotseq 314[\mathrm{kW}]$$

17 극수 6, 회전수 1,200[rpm]의 교류발전기와 병렬운전하는 극수 8의 교류발전기의 회전수[rpm]는?

[2015년 1회 산업기사 / 2015년 3회 기사]

① 600   ② 750

③ 900   ④ 1,200

해설 동기속도 $N_s = \dfrac{120f}{p}$[rpm]에서 $N_s \propto \dfrac{1}{p}$

회전수와 극수는 $N_{s1} : \dfrac{1}{p_1} = N_{s2} : \dfrac{1}{p_2}$

$\therefore N_{s2} = \dfrac{p_1}{p_2} N_{s1} = \dfrac{6}{8} \times 1,200 = 900[\mathrm{rpm}]$

18 8극, 900[rpm] 동기발전기와 병렬운전하는 6극 동기발전기의 회전수는 몇 [rpm]인가?

[2021년 2회 기사]

① 900   ② 1,000

③ 1,200   ④ 1,400

해설 동기속도 $N_s = \dfrac{120f}{P}$[rpm]에서 $N_s \propto \dfrac{1}{P}$

회전수와 극수는 $N_{s1} : \dfrac{1}{P_1} = N_{s2} : \dfrac{1}{P_2}$

$\therefore N_{s2} = \dfrac{P_1}{P_2} N_{s1} = \dfrac{8}{6} \times 900 = 1,200[\mathrm{rpm}]$

11. 속도조정률

$$s = \frac{N_0 - N}{N} \times 100 [\%]$$

여기서, N_0 : 조속기를 조정하지 않고 무부하로 했을 때의 회전수, N : 정격회전수

12. 동기전동기

(1) 원리 : 전기자 도체에 3상 교류를 흘려 주면 회전 자장이 발생하고 전동기는 동기속도로 회전한다(회전자계속도 = 동기속도(N_s) = 회전자속도(N)).

(2) 동기전동기 기동법 : 동기전동기는 동기속도에서만 토크를 발생하므로 기동 시 $N = 0$에서 기동토크가 발생하지 않으므로 기동을 시켜 주어야 한다.

(3) 기동법

① 자기동법 : 제동권선을 이용한다.
② 타기동법(기동전동기법) : 2극 적은 유도전동기를 이용하여 토크를 발생한다.

13. 난 조

부하의 급변, 조속기가 너무 예민하거나, 송전계통 이상현상, 계자에 고조파가 유기될 때 발전기 회전자가 동기속도를 찾지 못하고 심하게 진동하게 되어 차후 탈조가 일어나는 현상을 말하며, 이 난조 방지법으로는 자극면(제동권선)을 설치하는 방법이 주로 사용된다.

(1) 난조 발생의 원인

① 원동기의 조속기 감도가 지나치게 예민한 경우
② 원동기의 토크에 고조파 토크가 포함된 경우
③ 전기자 회로의 저항이 상당히 큰 경우
④ 부하가 맥동(급변)할 경우
⑤ 관성모멘트가 작은 경우

(2) 대 책

① 제동권선을 설치한다.
② 조속기를 너무 예민하지 않게 한다.
③ 플라이휠을 부착한다.
④ 회로저항을 줄이거나 리액턴스를 삽입한다.
※ 제동권선의 효과
• 난조 방지
• 불평형 부하 시 전압, 전류 파형 개선
• 송전선의 불평형 부하 시 이상전압 방지
• 기동토크 발생

핵 / 심 / 예 / 제

01 60[Hz], 600[rpm]의 동기전동기에 직렬된 기동용 유도전동기의 극수는? [2021년 3회 기사]

① 6   ② 8

③ 10   ④ 12

> **해설** 기동전동기법은 동기속도 극수에서 2극 적은 전동기 사용
>
> 동기전동극수$(p) = \dfrac{120f}{N_s} = \dfrac{120 \times 60}{600} = 12$[극]
>
> ∴ 유도전동기극수$(p') = 12 - 2 = 10$[극]

02 동기전동기가 무부하 운전 중에 부하가 걸리면 동기전동기의 속도는? [2019년 2회 기사]

① 정지한다.

② 동기속도와 같다.

③ 동기속도보다 빨라진다.

④ 동기속도 이하로 떨어진다.

> **해설** 동기전동기는 회전계자와 동기속도가 같다.

03 3상 동기기에서 제동권선의 주목적은? [2018년 2회 산업기사]

① 출력 개선   ② 효율 개선

③ 역률 개선   ④ 난조 방지

> **해설** **제동권선의 효과**
> * 난조 방지
> * 기동토크 발생
> * 불평형 부하 시의 전류 및 전압 파형 개선
> * 송전선의 불평형 단락 시의 이상전압 방지

정답   01 ③   02 ②   03 ④

제2장 동기기 / 133

04 동기발전기에 설치된 제동권선의 효과로 틀린 것은? [2020년 3회 기사]

① 난조 방지
② 과부하 내량의 증대
③ 송전선의 불평형 단락 시 이상전압 방지
④ 불평형 부하 시의 전류, 전압 파형의 개선

해설 제동권선의 효과
  • 난조 방지
  • 기동토크 발생
  • 불평형 부하 시의 전류 및 전압 파형 개선
  • 송전선의 불평형 단락 시의 이상전압 방지

05 동기전동기의 제동권선은 다음 어떤 것과 같은가? [2017년 2회 산업기사]

① 직류기의 전기자
② 유도기의 농형 회전자
③ 동기기의 원통형 회전자
④ 동기기의 유도자형 회전자

해설 제동권선은 회전 자극 표면에 설치한 유도전동기의 농형 권선과 같은 권선이다.

06 동기전동기의 기동법 중 자기동법(Self-Starting Method)에서 계자권선을 저항을 통해서 단락시키는 이유는? [2016년 1회 산업기사 / 2016년 3회 기사]

① 기동이 쉽다.
② 기동권선으로 이용한다.
③ 고전압의 유도를 방지한다.
④ 전기자 반작용을 방지한다.

해설 자기동법은 제동권선을 사용하는데, 기동 시에는 계자권선 중에 고전압이 유도되어 절연을 보호하기 위해 방전저항을 접속하여 단락상태로 기동한다.

07 동기발전기의 제동권선의 주요 작용은? [2016년 1회 기사]

① 제동작용
② 난조 방지작용
③ 시동권선작용
④ 자려작용(自勵作用)

해설 **제동권선의 효과**
• 난조 방지
• 기동토크 발생
• 불평형 부하 시의 전류 및 전압 파형 개선
• 송전선의 불평형 단락 시의 이상전압 방지

08 다음 중 일반적인 동기전동기 난조 방지에 가장 유효한 방법은? [2017년 1회 산업기사]

① 자극수를 적게 한다.
② 회전자의 관성을 크게 한다.
③ 자극면에 제동권선을 설치한다.
④ 동기리액턴스 x_x를 작게 하고 동기화력을 크게 한다.

해설 회전자의 관성을 크게 하면 난조의 발생방지에는 유효하나 난조가 일어난 후에는 오히려 그 정지를 저해할 우려가 있다. 동기화력도 이와 같이 자극수의 감소도 효과가 있으나 이것은 원동기의 조건으로 정해지는 것으로서 이 목적에는 맞지 않는다.

09 3상 동기기의 제동권선을 사용하는 주목적은?

[2014년 1회 산업기사 / 2014년 3회 산업기사 / 2020년 1, 2회 산업기사]

① 출력이 증가한다.　　　　　② 효율이 증가한다.

③ 역률을 개선한다.　　　　　④ 난조를 방지한다.

해설　**제동권선의 효과**
- 난조 방지
- 기동토크 발생
- 불평형 부하 시의 전류 및 전압 파형 개선
- 송전선의 불평형 단락 시의 이상전압 방지

10 부하 급변 시 부하각과 부하속도가 진동하는 난조현상을 일으키는 원인이 아닌 것은?

[2013년 3회 기사 / 2018년 1회 기사]

① 원동기의 조속기 감도가 너무 예민한 경우

② 자속의 분포가 기울어져 자속의 크기가 감소한 경우

③ 전기가 회로의 저항이 너무 큰 경우

④ 원동기의 토크에 고조파가 포함된 경우

해설　**난조** : 부하가 급변하는 경우 회전속도가 동기속도를 중심으로 진동하는 현상
- 대책 : 계자의 자극면에 제동권선 설치
- 제동권선의 역할
  - 난조 방지
  - 기동토크 발생
  - 파형 개선과 이상전압 방지
  - 유도기의 농형권선과 같은 역할
- 난조의 발생원인과 대책

발생원인	대 책
원동기의 조속기 감도가 너무 예민할 때	조속기를 적당히 조정
전기자 회로의 저항이 너무 클 때	회로 저항이 감소하거나 리액턴스 삽입
부하가 급변하거나 맥동이 생길 때	회전부 플라이휠 설치
원동기의 토크에 고조파가 포함될 때	단절권, 분포권 설치

14. 자기여자현상

(1) 자기여자현상 원인

동기발전기에 콘덴서와 같은 진상전류가 전기자권선에 흐르게 되면, 전기자전류에 의한 전기자 반작용은 자화작용이 된다. 이에 앞선 전류에 의해 전압이 점차 상승되는 현상을 동기발전기의 자기여자작용(Self Excitation)이라 한다.

(2) 방지법

① 발전기 2대 또는 3대를 병렬로 모선에 접속
② 수전단에 동기조상기를 접속하고 이것을 부족여자로 하여 지상전류로 사용
③ 송전선로의 수전단에 변압기를 사용
④ 수전단에 리액턴스를 병렬로 접속
⑤ 발전기의 단락비를 크게 한다.

15. 위상 특성곡선(V곡선)

동기전동기의 공급전압과 부하를 일정하게 유지하면서 계자전류를 변화시키면 전기자전류의 크기가 변화할 뿐 아니라 단자전압과 전기자전류의 위상, 즉 역률($\cos\theta$)이 변화하는데 이 변화되는 정도를 표현한 것이 V위상 특성곡선이다.

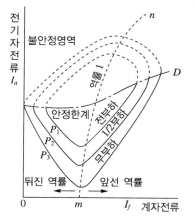

부족여자	성 질	과여자
L	작 용	C
뒤진(지상) 전류	작 용	앞선(진상) 전류
감 소	I_f	증 가
증 가	I_a	증 가
지상(뒤짐)	역 률	진상(앞섬)

※ 조상설비란 동기전동기의 V곡선을 이용하여 송전계통의 전압 조정 및 역률 개선에 사용되는 무부하 동기전동기를 말한다.

16. 동기전동기 특성

(1) 장 점

① 속도가 일정하다.

② 언제나 역률 1로 운전할 수 있다.

③ 효율이 좋다.

④ 공극이 크고 기계적으로 튼튼하다.

(2) 단 점

① 기동 시 토크를 얻기가 어렵다.

② 속도제어가 어렵다.

③ 구조가 복잡하다.

④ 난조가 일어나기 쉽다.

⑤ 가격이 고가이다.

⑥ 직류 전원 설비가 필요하다(직류 여자 방식).

핵 / 심 / 예 / 제

01 동기전동기의 V특성곡선(위상 특성곡선)에서 무부하곡선은?

[2014년 1회 기사]

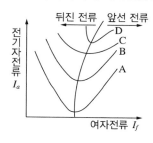

① A

② B

③ C

④ D

해설 위상 특성곡선(V곡선 $I_a - I_f$ 곡선, P 일정) : 계자전류의 변화에 대한 전기자전류의 변화를 나타낸 곡선(동기조상기로 조정)

가로축 I_f	최저점 $\cos\theta = 1$	세로축 I_a
감 소	계자전류 I_f	증 가
증 가	전기자전류 I_a	증 가
뒤진 역률(지상)	역 률	앞선 역률(진상)
L	작 용	C
부족여자	여 자	과여자
$\cos\theta = 1$에서 전력 비교 $P \propto I_a$, 위 곡선의 전력이 크다.		

02 화학공장에서 선로의 역률은 앞선 역률 0.7이었다. 이 선로에 동기조상기를 병렬로 결선해서 과여자로 하면 선로의 역률은 어떻게 되는가?

[2016년 2회 산업기사]

① 뒤진 역률이며 역률은 더욱 나빠진다.

② 뒤진 역률이며 역률은 더욱 좋아진다.

③ 앞선 역률이며 역률은 더욱 좋아진다.

④ 앞선 역률이며 역률은 더욱 나빠진다.

해설 1번 해설 참조

과여자 시 앞선 전류가 더욱 증가하여 앞선 역률이 증가하므로 역률은 더욱 나빠진다.

03 어떤 공장에 뒤진 역률 0.8인 부하가 있다. 이 선로에 동기조상기를 병렬로 결선해서 선로의
역률을 0.95로 개선하였다. 개선 후 전력의 변화에 대한 설명으로 틀린 것은?

[2020년 1, 2회 산업기사]

① 피상전력과 유효전력은 감소한다.
② 피상전력과 무효전력은 감소한다.
③ 피상전력은 감소하고 유효전력은 변화가 없다.
④ 무효전력은 감소하고 유효전력은 변화가 없다.

해설 역률 개선은 무효전력(P_r)을 감소키는 것이며 $P_a = \sqrt{P^2 + P_r^2}$ 에서 P_r을 감소시키면 P_a(피상분)이
감소하므로 유효전력(P)은 관계가 없다.

04 동기전동기의 위상 특성곡선을 나타낸 것은?(단, P를 출력, I_f를 계자전류, I_a를 전기자전류,
$\cos\phi$를 역률로 한다)

[2014년 2회 기사]

① $I_f - I_a$ 곡선, P는 일정   ② $P - I_a$ 곡선, I_f는 일정
③ $P - I_f$ 곡선, I_a는 일정   ④ $I_f - I_a$ 곡선, $\cos\phi$는 일정

해설 **위상 특성곡선(V곡선 $I_a - I_f$ 곡선, P 일정)** : 계자전류의 변화에 대한 전기자전류의 변화를 나타낸
곡선(동기조상기로 조정)

가로축 I_f	최저점 $\cos\theta = 1$	세로축 I_a
감 소	계자전류 I_f	증 가
증 가	전기자전류 I_a	증 가
뒤진 역률(지상)	역 률	앞선 역률(진상)
L	작 용	C
부족여자	여 자	과여자
$\cos\theta = 1$에서 전력 비교 $P \propto I_a$, 위 곡선의 전력이 크다.		

05 동기전동기에 일정한 부하를 걸고 계자전류를 0[A]에서부터 계속 증가시킬 때 관련 설명으로 옳은 것은?(단, I_a는 전기자전류이다)

[2020년 3회 기사]

① I_a는 증가하다가 감소한다.

② I_a가 최소일 때 역률이 1이다.

③ I_a가 감소상태일 때 앞선 역률이다.

④ I_a가 증가상태일 때 뒤진 역률이다.

해설

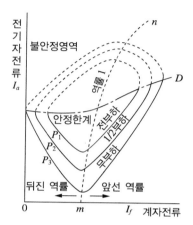

위상 특성곡선(V곡선, $I_a - I_f$곡선, P 일정) : 계자전류의 변화에 대한 전기자전류의 변화를 나타낸 곡선(동기조상기로 조정)

가로축 I_f	최저점 $\cos\theta = 1$	세로축 I_a
감 소	계자전류 I_f	증 가
증 가	전기자전류 I_a	증 가
뒤진 역률(지상)	역 률	앞선 역률(진상)
L	작 용	C
부족여자	여 자	과여자
$\cos\theta = 1$에서 전력 비교 $P \propto I_a$, 위 곡선의 전력이 크다.		

06 동기전동기의 V곡선(위상특성)에 대한 설명으로 틀린 것은? [2016년 3회 산업기사]

① 횡축에 여자전류를 나타낸다.
② 종축에 전기자전류를 나타낸다.
③ V곡선의 최저점에는 역률이 0[%]이다.
④ 동일 출력에 대해서 여자가 약한 경우가 뒤진 역률이다.

> **해설** V곡선의 최저점은 역률이 100[%]일 때이다.

07 동기조상기의 구조상 특이점이 아닌 것은? [2016년 2회 기사 / 2021년 3회 기사]

① 고정자는 수차발전기와 같다.
② 계자코일이나 자극이 대단히 크다.
③ 안정운전용 제동권선이 설치된다.
④ 전동기축은 동력을 전달하는 관계로 비교적 굵다.

> **해설** 동기조상기의 구조는 거의 수차발전기와 같으나 일반적으로 고속기이기 때문에 비교적 가늘고 긴 것이 많다.
> • 고정자는 수차발전기와 같다.
> • 회전자에는 안정된 운전을 시키기 위하여 강력한 제동권선을 설치하고, 축은 기계적인 동력을 전달할 필요가 없기 때문에 비교적 가늘게 되어 있다.
> • 진상용량을 크게 취하기 때문에 강대한 여자가 필요하며 계자코일이나 자극이 대단히 크다.
> • 대형기계에서는 옥외용으로 쓰는 일이 많다.

08 송전선로에 접속된 동기조상기의 설명으로 옳은 것은? [2015년 3회 산업기사]

① 과여자로 해서 운전하면 앞선 전류가 흐르므로 리액터 역할을 한다.
② 과여자로 해서 운전하면 뒤진 전류가 흐르므로 콘덴서 역할을 한다.
③ 부족여자로 해서 운전하면 앞선 전류가 흐르므로 리액터 역할을 한다.
④ 부족여자로 해서 운전하면 송전선로의 자기여자작용에 의한 전압상승을 방지한다.

> **해설** • 과여자 운전 : 콘덴서 작용 – 역률 개선
> • 부족여자 운전 : 리액터 작용 – 이상전압의 상승 억제

09 동기조상기의 여자전류를 줄이면?

[2018년 1회 기사]

① 콘덴서로 작용 ② 리액터로 작용

③ 진상전류로 됨 ④ 저항손의 보상

해설 • 과여자 운전 : 콘덴서 작용 − 역률 개선
• 부족여자 운전 : 리액터 작용 − 이상전압의 상승 억제

10 일정한 부하에서 역률 1로 동기전동기를 운전하는 중 여자를 약하게 하면 전기자전류는?

[2016년 2회 산업기사]

① 진상전류가 되고 증가한다.
② 진상전류가 되고 감소한다.
③ 지상전류가 되고 증가한다.
④ 지상전류가 되고 감소한다.

해설 **위상 특성곡선(V곡선 $I_a - I_f$ 곡선, P 일정)** : 계자전류의 변화에 대한 전기자전류의 변화를 나타낸 곡선(동기조상기로 조정)
• 과여자(진역률) : 콘덴서 C로 작용
• 부족여자(지역률) : 인덕턴스 L로 작용

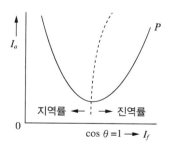

가로축 I_f	최저점 $\cos\theta = 1$	세로축 I_a
감 소	계자전류 I_f	증 가
증 가	전기자전류 I_a	증 가
뒤진 역률(지상)	역 률	앞선 역률(진상)
L	작 용	C
부족여자	여 자	과여자
$\cos\theta = 1$에서 전력 비교 $P \propto I_a$, 위 곡선의 전력이 크다.		

11 동기전동기의 공급전압과 부하를 일정하게 유지하면서 역률을 1로 운전하고 있는 상태에서 여
자전류를 증가시키면 전기자전류는? [2020년 1, 2회 기사]

① 앞선 무효전류가 증가
② 앞선 무효전류가 감소
③ 뒤진 무효전류가 증가
④ 뒤진 무효전류가 감소

해설 **위상 특성곡선(V곡선 $I_a - I_f$ 곡선, P 일정)** : 계자전류의 변화에 대한
전기자전류의 변화를 나타낸 곡선(동기조상기로 조정)
• 과여자(진역률) : 콘덴서 C 로 작용
• 부족여자(지역률) : 인덕턴스 L로 작용

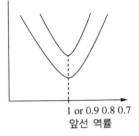

1 or 0.9 0.8 0.7
앞선 역률

가로축 I_f	최저점 $\cos\theta = 1$	세로축 I_a
감 소	계자전류 I_f	증 가
증 가	전기자전류 I_a	증 가
뒤진 역률(지상)	역 률	앞선 역률(진상)
L	작 용	C
부족여자	여 자	과여자
$\cos\theta = 1$에서 전력 비교 $P \propto I_a$, 위 곡선의 전력이 크다.		

12 공급전압이 일정하고 역률 1로 운전하고 있는 동기전동기의 여자전류를 증가시키면 어떻게 되
는가? [2018년 3회 산업기사]

① 역률은 뒤지고 전기자전류는 감소한다.
② 역률은 뒤지고 전기자전류는 증가한다.
③ 역률은 앞서고 전기자전류는 감소한다.
④ 역률은 앞서고 전기자전류는 증가한다.

해설 11번 해설 참조

13 전압이 일정한 모선에 접속되어 역률 100[%]로 운전하고 있는 동기전동기의 여자전류를 증가시키면 역률과 전기자전류는 어떻게 되는가?

[2015년 2회 기사 / 2021년 1회 기사]

① 뒤진 역률이 되고 전기자전류는 증가한다.
② 뒤진 역률이 되고 전기자전류는 감소한다.
③ 앞선 역률이 되고 전기자전류는 증가한다.
④ 앞선 역률이 되고 전기자전류는 감소한다.

해설

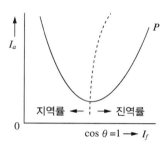

- 여자전류(I_f)를 증가시키면 역률은 앞서고 전기자전류(I_a)는 증가한다.
- 여자전류(I_f)를 감소시키면 역률은 뒤지고 전기자전류(I_a)는 증가한다.

14 동기전동기에서 출력이 100[%]일 때 역률이 1이 되도록 계자전류를 조정한 다음에 공급전압 V 및 계자전류 I_f를 일정하게 하고, 전부하 이하에서 운전하면 동기전동기의 역률은?

[2018년 2회 기사]

① 뒤진 역률이 되고, 부하가 감소할수록 역률은 낮아진다.
② 뒤진 역률이 되고, 부하가 감소할수록 역률은 좋아진다.
③ 앞선 역률이 되고, 부하가 감소할수록 역률은 낮아진다.
④ 앞선 역률이 되고, 부하가 감소할수록 역률은 좋아진다.

해설 전부하 이하라 하면 L이 줄어들며 이에 C가 증가
따라서, 앞선 역률로 되며 부하가 감소 시 V위상으로 동일하게 앞선 역률로 역률값은 낮아진다.

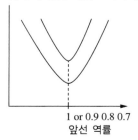

15 출력과 속도가 일정하게 유지되는 동기전동기에서 여자를 증가시키면 어떻게 되는가?

[2017년 1회 산업기사]

① 토크가 증가한다.
② 난조가 발생하기 쉽다.
③ 유기기전력이 감소한다.
④ 전기자전류의 위상이 앞선다.

해설 발전기의 경우 전기자전류의 위상이 뒤지며, 전동기의 경우 전기자전류의 위상이 앞선다.

16 3상 전원의 수전단에서 전압 3,300[V], 전류 1,000[A], 뒤진 역률 0.8의 전력을 받고 있을 때 동기조상기로 역률을 개선하여 1로 하고자 한다. 필요한 동기조상기의 용량은 약 몇 [kVA] 인가?

[2017년 3회 산업기사]

① 1,525
② 1,950
③ 3,150
④ 3,429

해설 $Q_c = P(\tan\theta_1 - \tan\theta_2) = \sqrt{3} \times 3,300 \times 1,000 \times 0.8 \times 10^{-3} \times \left(\frac{0.6}{0.8} - 0\right) ≒ 3,429$

17 다음 전동기 중 역률이 가장 좋은 전동기는?   [2013년 1회 기사 / 2015년 1회 기사]

① 동기전동기   ② 반발 기동전동기

③ 농형 유도전동기   ④ 교류 정류자전동기

해설 **동기전동기의 특징**

장 점	단 점
• 속도가 N_s로 일정	• 보통 기동토크가 작음
• 역률을 항상 1로 운전 가능	• 속도제어가 어려움
• 효율이 좋음	• 직류 여자가 필요함
• 공극이 크고 기계적으로 튼튼함	• 난조가 일어나기 쉬움

18 동기전동기에 대한 설명으로 옳은 것은?   [2017년 3회 기사]

① 기동토크가 크다.

② 역률조정을 할 수 있다.

③ 가변속전동기로서 다양하게 응용된다.

④ 공극이 매우 작아 설치 및 보수가 어렵다.

해설 17번 해설 참조

정답 17 ① 18 ②

19 동기전동기의 특징으로 틀린 것은?   [2017년 2회 산업기사]

① 속도가 일정하다.   ② 역률을 조정할 수 없다.

③ 직류전원을 필요로 한다.   ④ 난조를 일으킬 염려가 있다.

해설 **동기전동기의 특징**

장 점	단 점
• 속도가 N_s로 일정	• 보통 기동토크가 작음
• 역률을 항상 1로 운전 가능	• 속도제어가 어려움
• 효율이 좋음	• 직류 여자가 필요함
• 공극이 크고 기계적으로 튼튼함	• 난조가 일어나기 쉬움

20 발전기 회전자에 유도자를 주로 사용하는 발전기는?   [2021년 1회 기사]

① 수차발전기   ② 엔진발전기

③ 터빈발전기   ④ 고주파발전기

해설 • 동기발전기 회전자에 의한 분류
  – 회전계자형 : 전기자를 고정자로 하고 계자극을 회전자로 한 것
  – 회전전기자형 : 계자극을 고정자로 한 것으로 특수용도 및 극히 소용량에 적용
  – 유도자형 : 계자극과 전기자를 함께 고정시키고 그 중앙에 유도자라고 하는 권선이 없는 회전자
    를 갖춘 것
 • 유도자형 발전기는 수백~수만[Hz] 정도의 주파수를 발생시키는 고주파발전기에는 계자극과 전기
   자를 함께 고정시키고 그 중앙에 유도자라고 하는 권선이 없는 회전자를 갖고 있다.

21 동기발전기에서 전기자권선과 계자권선이 모두 고정되고 유도자가 회전하는 것은?

                  [2015년 3회 기사]

① 수차발전기   ② 고주파발전기

③ 터빈발전기   ④ 엔진발전기

해설 유도자형 발전기는 수백~수만[Hz] 정도의 주파수를 발생시키는 고주파발전기에는 계자극과 전기
    자를 함께 고정시키고 그 중앙에 유도자라고 하는 권선이 없는 회전자를 갖고 있다.

22 유도자형 동기발전기의 설명으로 옳은 것은?　　　　　　[2018년 3회 기사 / 2022년 2회 기사]

① 전기자만 고정되어 있다.

② 계자극만 고정되어 있다.

③ 회전자가 없는 특수 발전기이다.

④ 계자극과 전기자가 고정되어 있다.

> **해설** 동기발전기 회전자에 의한 분류
> • 회전계자형 : 전기자를 고정자로 하고 계자극을 회전자로 한 것
> • 회전전기자형 : 계자극을 고정자로 한 것으로 특수용도 및 극히 소용량에 적용
> • 유도자형 : 계자극과 전기자를 함께 고정시키고 그 중앙에 유도자라고 하는 권선이 없는 회전자를 갖춘 것

23 직류기에서 기계각의 극수가 P 인 경우 전기각과의 관계는 어떻게 되는가? [2018년 2회 기사]

① 전기각 $\times 2P$

② 전기각 $\times 3P$

③ 전기각 $\times \dfrac{2}{P}$

④ 전기각 $\times \dfrac{3}{P}$

> **해설** $\alpha_e = \dfrac{P}{2} \times \alpha$ 에서
>
> $\alpha = \dfrac{2}{P} \times \alpha_e$
>
> 여기서, $\alpha_e = $ 전기각, $\alpha = $ 기계각

24 극수가 24일 때, 전기각 180°에 해당되는 기계각은?　　　　　　[2017년 1회 기사]

① 7.5°

② 15°

③ 22.5°

④ 30°

> **해설** $\alpha_e = \dfrac{P}{2} \times \alpha$
>
> $\therefore \alpha = \dfrac{2\alpha_e}{P} = \dfrac{2 \times 180}{24} = 15°$

25 12극의 3상 동기발전기가 있다. 기계각 15°에 대응하는 전기각은? [2016년 1회 기사]

① 30° ② 45°

③ 60° ④ 90°

해설 전기각 $\alpha_e = \dfrac{P}{2} \times \alpha = \dfrac{12}{2} \times 15 = 90°$

여기서, α_e : 전기각, α : 기계각

26 6극 유도전동기의 고정자 슬롯(Slot) 홈수가 36이라면 인접한 슬롯 사이의 전기각은?

[2019년 2회 산업기사]

① 30° ② 60°

③ 120° ④ 180°

해설 전기각 $\alpha_e = \dfrac{P \times 180}{\text{Slot}} = \dfrac{6 \times 180}{36} = 30°$

27 동기주파수 변환기의 주파수 f_1 및 f_2 계통에 접속되는 양 극을 p_1, p_2라 하면 다음 어떤 관계가 성립되는가? [2015년 2회 산업기사 / 2019년 2회 산업기사]

① $\dfrac{f_1}{f_2} = \dfrac{p_1}{p_2}$ ② $\dfrac{f_1}{f_2} = p_2$

③ $\dfrac{f_1}{f_2} = \dfrac{p_2}{p_1}$ ④ $\dfrac{f_2}{f_1} = p_1 \cdot p_2$

해설 **동기주파수 변환기**
- 주파수가 다른 2개의 송전계통을 서로 연결하는 장치
- 동기발전기와 동기전동기가 직결되어 있다.
- 동기속도 $N_s = \dfrac{120f}{p}[\text{rpm}]$에서 $f[\text{Hz}] \propto p[극]$이므로 $f_1 : f_2 = p_1 : p_2$에서 $\dfrac{f_1}{f_2} = \dfrac{p_1}{p_2}$가 된다.

25 ④ 26 ① 27 ① **정답**

28 3상 동기발전기에서 그림과 같이 1상의 권선을 서로 똑같은 2조로 나누어서 그 1조의 권선전압을 E[V], 각 권선의 전류를 I[A]라 하고 지그재그 Y형(Zigzag Star)으로 결선하는 경우 선간전압, 선전류 및 피상전력은?

[2015년 3회 기사 / 2022년 1회 기사]

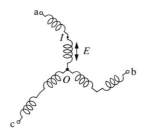

① $3E$, I, $\sqrt{3} \times 3E \times I = 5.2EI$
② $\sqrt{3}E$, $2I$, $\sqrt{3} \times \sqrt{3}E \times 2I = 6EI$
③ E, $2\sqrt{3}I$, $\sqrt{3} \times E \times 2\sqrt{3}I = 6EI$
④ $\sqrt{3}E$, $\sqrt{3}I$, $\sqrt{3} \times \sqrt{3}E \times \sqrt{3}I = 5.2EI$

해설 동기발전기의 상간 접속법

구 분	선간전압	선전류
성 형	$V_l = 2\sqrt{3}E$	$I_l = I$
△형	$V_l = 2E$	$I_l = \sqrt{3}I$
지그재그 성형	$V_l = 3E$	$I_l = I$
지그재그 △형	$V_l = \sqrt{3}E$	$I_l = \sqrt{3}I$
2중 성형	$V_l = \sqrt{3}E$	$I_l = 2I$
2중 △형	$V_l = E$	$I_l = 2\sqrt{3}I$

지그재그 성형의 피상전력

$$P_a = \sqrt{3} \times 3E \times I \fallingdotseq 5.2EI$$

29 450[kVA], 역률 0.85, 효율 0.9인 동기발전기의 운전용 원동기의 입력은 500[kW]이다. 이 원동기의 효율은? [2017년 1회 산업기사]

① 0.75 ② 0.80
③ 0.85 ④ 0.90

해설

$$\eta = \frac{P_0}{P_0 + P'}$$

발전기 입력 $P_{M0} = \dfrac{P_G \times \cos\theta}{\eta} = \dfrac{450 \times 0.85}{0.9} = 425[\text{kW}]$

원동기 효율 $\eta = \dfrac{P_{M0}}{P_M} = \dfrac{425}{500} = 0.85$

30 역률 0.85의 부하 350[kW]에 50[kW]를 소비하는 동기전동기를 병렬로 접속하여 합성부하의 역률을 0.95로 개선하려면 전동기의 진상 무효전력은 약 몇 [kVar]인가? [2017년 2회 기사]

① 68 ② 72
③ 80 ④ 85

해설

M_1의 유효분 $P_1 = 350$

M_2의 유효분 $P_2 = 50$

M_1, M_2 합성유효분 $P = P_1 + P_2 = 350 + 50 = 400$

이때 무효분 $P' = 350 \times \dfrac{\sqrt{1-0.85^2}}{0.85} \fallingdotseq 216.9$

합성역률 $\cos\theta = \dfrac{400}{\sqrt{400^2 + 216.9^2}} \fallingdotseq 0.879$

개선시키기 위한 무효분 $Q_c = 400\left(\dfrac{\sqrt{1-0.879^2}}{0.879} - \dfrac{\sqrt{1-0.95^2}}{0.95} \right) \fallingdotseq 85.51[\text{kVar}]$

31 취급이 간단하고 기동시간이 짧아서 섬과 같이 전력계통에서 고립된 지역, 선박 등에 사용되는 소용량 전원용 발전기는? [2020년 4회 기사]

① 터빈발전기 ② 엔진발전기
③ 수차발전기 ④ 초전도발전기

해설 **엔진발전기** : 디젤엔진 등을 사용하여 발전하는 것으로 고립된 지역, 선박 등에 사용

1. 기본 원리

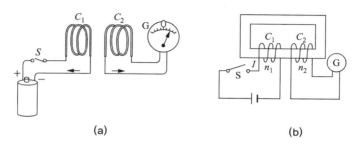

(a)   (b)

그림 (a)와 같이 코일 C_1에 스위치 S와 전지를 접속하고 코일 C_2에는 검류계를 접속한다. S를 닫으면 C_1에 전류가 흐르고 앙페르의 오른손 법칙에 의해서 생긴 자속이 C_2에도 쇄교되므로 렌츠의 법칙에 따라 자속의 변화를 방해하는 방향으로 전류가 흐르도록 기전력이 생긴다. 즉, $e = - W\dfrac{d\phi}{dt}$ 의 기전력이 유도되어 검류계는 움직인다. 그러나 닫은 상태로 그대로 두면 직류에 의한 자속은 시간적으로 변하지 않으므로 검류계는 움직이지 않는다. 다음에 S를 열면 C_1의 자속은 없어지게 되지만 이때 C_2에는 자속을 증가시키는 방향으로 기전력이 유도된다. 즉, 검류계는 S를 닫을 때와는 반대방향으로 움직이는데 이를 통해 기전력이 반대방향으로 유도되는 것을 알 수 있다. 연속적으로 S를 개폐하면 검류계는 진동을 계속한다. 이와 같은 현상을 상호유도작용이라 한다.

그림 (b)와 같이 C_1, C_2 코일의 축에 철심을 넣고 S를 개폐하면 검류계 진동의 폭은 철심이 없을 때에 비해 더욱 커지므로 C_2에 유도되는 기전력이 큰 것을 알 수 있다. 이것은 철을 넣었기 때문에 자기회로의 자기저항이 작아지므로 $\phi = \dfrac{\text{기자력[AT]}}{\text{자기저항}}$ 의 식에서 자속 ϕ가 크게 되고 쇄교자속의 변화가 크기 때문이다. 이러한 자속의 변화를 주기 위해 교류를 사용하게 되는 것이다.

따라서, 실횻값 $E = \dfrac{2\pi f N}{\sqrt{2}} \phi_m = 4.44 f \phi N = 4.44 f B_m S N$ 이 된다.

2. 이상 변압기

변압기는 교류전압 및 전류의 크기를 변성하는 장치이며, 2개 이상의 전기회로와 이들과 쇄교하는 1개로 공통된 자기회로로 구성되고 있다. 자기회로의 한쪽을 교류전원에 접속하고, 다른 쪽을 부하에 접속하면 전력은 자기회로를 거쳐서 부하로 전달된다. 전원에 접속되는 권선을 1차 권선이라 하고, 부하에 접속되는 권선을 2차 권선이라 한다(1차, 2차 저항 및 누설자속이 없다고 가정).

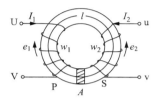

(1) 전압비 : 변압기의 1차 권선 및 2차 권선에 유도되는 기전력의 비는 그 권수의 비와 같다. 이것을 a로 표시하고 권수비라고 한다. 그리고 $E_2 < E_1$로 된 권수비의 변압기를 강압 변압기라고 하며, 반대로 $E_2 > E_1$인 경우의 변압기를 승압 변압기라고 한다.

$$\frac{E_1}{E_2} = \frac{\omega_1}{\omega_2} = a$$

(2) 전류비 : 1차 전류와 2차 전류의 크기에 대한 비를 전류비라고 하며 부하전류가 큰 경우에는 권수비에 반비례한다.

$$\dot{I_1} = \frac{\omega_2}{\omega_1}\dot{I_2}, \quad \frac{I_1}{I_2} = \frac{\omega_2}{\omega_1} = \frac{1}{a}$$

3. 실제 변압기

실제의 변압기 권선에는 저항이 있으므로 동손이 생기고 전압강하를 일으킨다. 따라서, 1차 저항 r_1 및 2차 저항 r_2를 각각 1차 권선 및 2차 권선에 직렬로 접속한 것이라고 생각할 수 있다. 또한 x_1 및 x_2는 각각 1차 및 2차의 누설리액턴스라고 하며, 그림의 x_1, x_2와 같이 각각의 권선에 직렬로 접속한 것으로 취급할 수 있다.

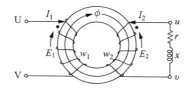

$Z_1 = r_1 + jx_1$은 1차 임피던스, $Z_2 = r_2 + jx_2$는 2차 임피던스라고 한다.

권수비 $a = \dfrac{W_1}{W_2} = \dfrac{E_1}{E_2} = \dfrac{I_2}{I_1} = \sqrt{\dfrac{Z_1}{Z_2}}$

4. 등가회로

변압기에 사용되고 있는 실제의 전기회로는 전자 유도작용에 의해 결합된 2개의 독립 회로가 되고 1차 측에서 2차 측으로 전력이 전달되는 것이나, 이와 같은 모든 전기적인 양들을 수량으로 취급하기 위해서는 단일회로로 취급하는 것이 편리하므로, 간단한 등가회로로 나타낸다.

(1) 2차 회로를 1차로 환산

어느 변압기의 2차 권선수를 a배로 해서 1차 권선수를 $W_1 = aW_2$로 바꾸어 감았다면 유기기전력은 a배가 되므로 부하 및 권선의 임피던스를 a^2배로 한다면 전류는 $\dfrac{1}{a}$배로 되어 b전력에는 변화가 없게 된다. 따라서 정수를 다음과 같이 환산시키면 2차를 1차로 환산한 그림의 등가회로가 된다.

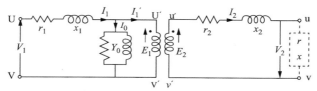

$r'_2 = a^2 r_2$: 1차로 환산한 2차 저항, $x'_2 = a^2 x_2$: 1차로 환산한 2차 리액턴스
$R' = a^2 R$: 1차로 환산한 부하저항, $X'' = a^2 X$: 1차로 환산한 부하리액턴스

여기서, $\dot{I_0}$는 매우 작으므로 임피던스 전압강하 $\dot{I_0}\dot{Z_0}$을 무시하면 등가회로는 (a) 그림과 같게 되어 더욱 간편하게 된다.

일반적으로 변압기 등가회로는 (b) 그림을 쓰는 것이 보통인데 이것을 간이등가회로라 한다.

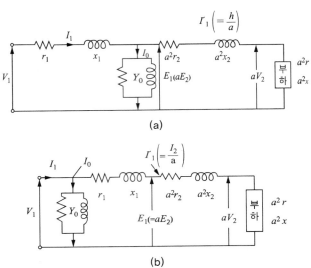

(a)

(b)

핵 / 심 / 예 / 제

01 1차 전압 6,600[V], 2차 전압 220[V], 주파수 60[Hz], 1차 권수 1,000회의 변압기가 있다. 최대자속은 약 몇 [Wb]인가?

[2018년 3회 기사]

① 0.020 ② 0.025

③ 0.030 ④ 0.032

해설 변압기의 기전력 $E_1 = 4.44 f \phi N_1$

자속$(\phi) = \dfrac{E}{4.44 f N_1} = \dfrac{6,600}{4.44 \times 60 \times 1,000} \fallingdotseq 0.025[\text{Wb}]$

02 1차 전압 6,900[V], 1차 권선 3,000회, 권수비 20의 변압기가 60[Hz]에 사용할 때 철심의 최대자속[Wb]은?

[2020년 3회 산업기사]

① 0.76×10^{-4} ② 8.63×10^{-3}

③ 80×10^{-3} ④ 90×10^{-3}

해설 변압기의 기전력 $E_1 = 4.44 f \phi N_1$

자속$(\phi) = \dfrac{E}{4.44 f N_1} = \dfrac{6,900}{4.44 \times 60 \times 3,000} \fallingdotseq 8.63 \times 10^{-3}[\text{Wb}]$

03 1차 전압 6,600[V], 2차 전압 220[V], 주파수 60[Hz], 1차 권선 1,200회인 경우 변압기의 최대자속[Wb]은?

[2019년 1회 기사]

① 0.36 ② 0.63

③ 0.012 ④ 0.021

해설 1차기전력 $E_1 = 4.44 f \phi N_1$

이때 자속 $\phi = \dfrac{E_1}{4.44 f N_1} = \dfrac{6,600}{4.44 \times 60 \times 1,200} \fallingdotseq 0.021[\text{Wb}]$

정답 01 ② 02 ② 03 ④

04 변압기에서 권수가 2배가 되면 유기기전력은 몇 배가 되는가? [2018년 1회 산업기사]

① 1 ② 2
③ 4 ④ 8

해설 유기기전력 $E = 4.44fNBS$에서 권수와 기전력은 비례이므로 2배가 된다.

05 권수비 $a = 6,600/220$, 60[Hz], 변압기의 철심 단면적 0.02[m²], 최대자속밀도 1.2[Wb/m²]
일 때 1차 유기기전력은 약 몇 [V]인가? [2013년 2회 기사 / 2022년 1회 기사]

① 1,407 ② 3,521
③ 42,198 ④ 49,814

해설 **1차 유기기전력**
$$E_1 = 4.44fN_1\phi_m = 4.44 \times 60 \times 6,600 \times 0.024 = 42,197.76[V]$$
여기서, 자속 $\phi_m = B_m S = 1.2 \times 0.02 = 0.024[Wb]$

06 단면적 10[cm²]인 철심에 200회의 권선을 감고, 이 권선에 60[Hz], 60[V]인 교류전압을 인가
하였을 때 철심의 최대자속밀도는 약 몇 [Wb/m²]인가? [2020년 4회 기사]

① 1.126×10^{-3} ② 1.126
③ 2.252×10^{-3} ④ 2.252

해설 $E = 4.44fNBS$
$$\therefore \ B = \frac{E}{4.44fNS} = \frac{60}{4.44 \times 60 \times 200 \times 10 \times 10^{-4}} = 1.126[Wb/m^2]$$

07 단상 변압기에 정현파 유기기전력을 유기하기 위한 여자전류의 파형은? [2016년 1회 기사]

① 정현파 ② 삼각파
③ 왜형파 ④ 구형파

해설 여자전류의 파형은 고주파성분을 포함한 돌입여자이기 때문에 왜형파를 지닌다.

04 ② 05 ③ 06 ② 07 ③ **정답**

08 이상적인 변압기의 무부하에서 위상관계로 옳은 것은? [2018년 2회 기사]

① 자속과 여자전류는 동위상이다.
② 자속은 인가전압보다 90° 앞선다.
③ 인가전압은 1차 유기기전력보다 90° 앞선다.
④ 1차 유기기전력과 2차 유기기전력의 위상은 반대이다.

해설 자속과 여자전류는 동상이다.

09 이상적인 변압기에서 2차를 개방한 벡터도 중 서로 반대위상인 것은? [2019년 3회 산업기사]

① 자속, 여자전류
② 입력 전압, 1차 유도기전력
③ 여자전류, 2차 유도기전력
④ 1차 유도기전력, 2차 유도기전력

해설
$v_1 = -e_1$

$e_1 = -N\dfrac{d\phi}{dt}$

따라서, 입력 전압과 1차 유도기전력은 반대위상이다.

10 1차 측 권수가 1,500인 변압기의 2차 측에 16[Ω]의 저항을 접속하니 1차 측에서는 8[kΩ]으로 환산되었다. 2차 측 권수는? [2014년 1회 기사 / 2017년 1회 산업기사]

① 약 67
② 약 87
③ 약 107
④ 약 207

해설
변압기 저항비 $a^2 = \dfrac{R_1}{R_2}$ 에서 $a = \sqrt{\dfrac{8,000}{16}} \fallingdotseq 22.36$

권수비 $a = \dfrac{N_1}{N_2}$ 에서

$N_2 = \dfrac{N_1}{a} = \dfrac{1,500}{22.36} \fallingdotseq 67.08$[회]

정답 08 ① 09 ② 10 ①

11 그림과 같은 변압기 회로에서 부하 R_2에 공급되는 전력이 최대로 되는 변압기의 권수비 a는?

[2019년 3회 기사]

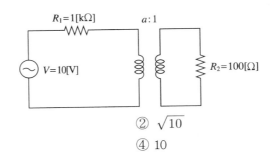

① $\sqrt{5}$　　　　　　　　　② $\sqrt{10}$

③ 5　　　　　　　　　　　④ 10

해설　권수비 $a = \dfrac{N_1}{N_2} = \dfrac{E_1}{E_2} = \dfrac{I_2}{I_1} = \sqrt{\dfrac{r_1}{r_2}} = \sqrt{\dfrac{x_1}{x_2}}$ 에서 $a = \sqrt{\dfrac{r_1}{r_2}} = \sqrt{\dfrac{1,000}{100}} = \sqrt{10}$

12 3,000/200[V] 변압기의 1차 임피던스가 225[Ω]이면 2차 환산임피던스는 약 몇 [Ω]인가?

[2017년 3회 기사]

① 1.0　　　　　　　　　　② 1.5

③ 2.1　　　　　　　　　　④ 2.8

해설　권수비 $a = \dfrac{3,000}{200} = 15$

　　　$\therefore Z_x = \dfrac{Z_1}{a^2} = \dfrac{225}{15^2} = 1$

13 변압기에서 1차 측의 여자어드미턴스를 Y_0라고 한다. 2차 측으로 환산한 여자어드미턴스 $Y_0{'}$을 옳게 표현한 식은?(단, 권수비를 a라고 한다) [2020년 1, 2회 산업기사]

① $Y_0{'} = a^2 Y_0$

② $Y_0{'} = a Y_0$

③ $Y_0{'} = \dfrac{Y_0}{a^2}$

④ $Y_0{'} = \dfrac{Y_0}{a}$

해설

$$권수비(a) = \sqrt{\frac{Z_1}{Z_2}} = \sqrt{\frac{\frac{1}{Y_0}}{\frac{1}{Y_0{'}}}} = \sqrt{\frac{Y_0{'}}{Y_0}}$$

$$a^2 = \frac{Y_0{'}}{Y_0} \Rightarrow Y_0{'} = a^2 Y_0$$

14 탭전환 변압기 1차 측에 몇 개의 탭이 있는 이유는? [2017년 3회 산업기사]

① 예비용 단자

② 부하전류를 조정하기 위하여

③ 수전점의 전압을 조정하기 위하여

④ 변압기의 여자전류를 조정하기 위하여

해설 탭전환방식은 1차 측 탭을 조정하여 수전점 전압을 조정한다.

15 변압비 3,000/100[V]인 단상 변압기 2대의 고압 측을 그림과 같이 직렬로 3,300[V] 전원에 연결하고, 저압 측에 각각 5[Ω], 7[Ω]의 저항을 접속하였을 때, 고압 측의 단자전압 E_1은 약 몇 [V]인가?

[2016년 1회 기사]

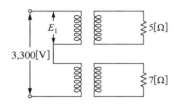

① 471　　　　　　　　　　　　② 660
③ 1,375　　　　　　　　　　　④ 1,925

$$E_1 = \frac{Z_1}{Z_1 + Z_2} \cdot E = \frac{5}{5+7} \times 3,300 = 1,375 \,[\text{V}]$$

$$E_2 = \frac{Z_2}{Z_1 + Z_2} \cdot E = \frac{7}{5+7} \times 3,300 = 1,925 \,[\text{V}]$$

16 1차 전압 6,600[V], 권수비 30인 단상 변압기로 전등부하에 30[A]를 공급할 때의 입력[kW]은?(단, 변압기의 손실은 무시한다)

[2020년 1, 2회 기사]

① 4.4　　　　　　　　　　　　② 5.5
③ 6.6　　　　　　　　　　　　④ 7.7

해설　입력 $P = V_1 I_1 \cos\theta = 6,600 \times \dfrac{30}{30} \times 1 = 6,600 [\text{W}] = 6.6 [\text{kW}]$

여기서, 전등부하역률 $= 1$

17 정격 6,600/220[V]인 변압기의 1차 측에 6,600[V]를 가하고 2차 측에 순저항 부하를 접속하였더니 1차에 2[A]의 전류가 흘렀다. 이때 2차 출력[kVA]은?

[2015년 1회 산업기사]

① 19.8　　　　　　　　　　　② 15.4
③ 13.2　　　　　　　　　　　④ 9.7

해설　**변압기의 2차 출력**
1차 출력=2차 출력 : $V_1 I_1 = V_2 I_2 \,[\text{kVA}]$
$V_1 I_1 = 6,600 \times 2 = 13,200 [\text{VA}] = 13.2 [\text{kVA}]$

18 권수비 30인 단상 변압기의 1차에 6,600[V]를 공급하고, 2차에 40[kW], 뒤진 역률 80[%]의 부하를 걸 때 2차 전류 I_2 및 1차 전류 I_1은 약 몇 [A]인가?(단, 변압기의 손실은 무시한다)

[2019년 1회 산업기사]

① $I_2 = 145.5$, $I_1 = 4.85$ ② $I_2 = 181.8$, $I_1 = 6.06$

③ $I_2 = 227.3$, $I_1 = 7.58$ ④ $I_2 = 321.3$, $I_1 = 10.28$

해설

1차 전류$(I_1) = \dfrac{P}{V_1 \cos\theta} = \dfrac{40,000}{6,600 \times 0.8} \fallingdotseq 7.58[\mathrm{A}]$

2차 전류$(I_2) = aI_1 = 30 \times 7.58 \fallingdotseq 227.3[\mathrm{A}]$

19 단상 변압기에서 전부하의 2차 전압은 100[V]이고, 전압변동률은 4[%]이다. 1차 단자전압[V]은?(단, 1차, 2차 권선비는 20 : 1이다)

[2015년 1회 기사]

① 1,920   ② 2,080

③ 2,160   ④ 2,260

해설

변압기의 전압변동률 $\varepsilon = \dfrac{V_{20} - V_{2n}}{V_{2n}} \times 100$에서

$V_{20} = \left(1 + \dfrac{\varepsilon}{100}\right) \times V_{2n} = 1.04 \times 100 = 104[\mathrm{V}]$

∴ 1차 단자전압 $V_{10} = a \times V_{20} = 20 \times 104 = 2,080[\mathrm{V}]$

20 1차 Y, 2차 △로 결선하고 1차에 선간전압 3,300[V]를 가했을 때의 무부하 2차 선간전압은 몇 [V]인가?(단, 전압비는 30 : 1이다)

[2013년 2회 기사 / 2018년 2회 기사]

① 63.5   ② 83.5

③ 110   ④ 190.5

해설

1차 측 상전압 $E_1 = \dfrac{V_1}{\sqrt{3}} = \dfrac{3,300}{\sqrt{3}} \fallingdotseq 1,905.3[\mathrm{V}]$

전압비 $a = \dfrac{E_1}{E_2}$에서

2차 측 상전압 $E_2 = \dfrac{E_1}{a} = \dfrac{1,905.3}{30} \fallingdotseq 63.5[\mathrm{V}]$

△결선에서 상전압=선간전압 $E_2 = V_2 = 63.5[\mathrm{V}]$

21 변압기의 2차를 단락한 경우에 1차 단락전류 I_{s1}은? (단, V_1 : 1차 단자전압, Z_1 : 1차 권선의 임피던스, Z_2 : 2차 권선의 임피던스, a : 권수비, Z : 부하의 임피던스) [2018년 1회 산업기사]

① $I_{s1} = \dfrac{V_1}{Z_1 + a^2 Z_2}$ 　　　　② $I_{s1} = \dfrac{V_1}{Z_1 + a Z_2}$

③ $I_{s1} = \dfrac{V_1}{Z_1 - a Z_2}$ 　　　　④ $I_{s1} = \dfrac{V_1}{Z_1 + Z_2 + Z}$

해설 　$I_{s1} = \dfrac{V_1}{Z_1 + Z_2'} = \dfrac{V_1}{Z_1 + a^2 Z_2}$

22 단상 변압기의 1차 전압 E_1, 1차 저항 r_1, 2차 저항 r_2, 1차 누설리액턴스 X_1, 2차 누설리액턴스 X_2, 권수비 a라고 하면 2차 권선을 단락했을 때의 1차 단락전류는? [2015년 3회 기사]

① $I_{1s} = E_1 / \sqrt{\left(r_1 + a^2 r_2\right)^2 + \left(x_1 + a^2 x_2\right)^2}$

② $I_{1s} = E_1 / a \sqrt{\left(r_1 + a^2 r_2\right)^2 + \left(x_1 + a^2 x_2\right)^2}$

③ $I_{1s} = E_1 / \sqrt{\left(r_1 + r_2/a^2\right)^2 + \left(x_1/a^2 + x_2\right)^2}$

④ $I_{1s} = a E_1 / \sqrt{\left(r_1/a^2 + r_2\right)^2 + \left(x_1/a^2 + x_2\right)^2}$

해설 　1차 단락전류

$I_{1s} = \dfrac{E_1}{Z_{21}} = \dfrac{E_1}{Z_1 + Z_2'} = \dfrac{E_1}{Z_1 + a^2 Z_2} = \dfrac{E_1}{\sqrt{(r_1 + a^2 r_2)^2 + (x_1 + a^2 x_2)^2}}\,[\text{A}]$

23 전압비 3,300/110[V], 1차 누설임피던스 $Z_1 = 12 + j13[\Omega]$, 2차 누설임피던스 $Z_2 = 0.015 + j0.013[\Omega]$인 변압기가 있다. 1차로 환산된 등가임피던스[Ω]는?

[2013년 3회 산업기사 / 2020년 1, 2회 산업기사]

① $22.7 + j25.5$ 　　　　② $24.7 + j25.5$

③ $25.5 + j22.7$ 　　　　④ $25.5 + j24.7$

해설 　변압기의 권수비 $a = \dfrac{3,300}{110} = 30$

등가임피던스 $Z_{21}[\Omega] = 12 + 30^2 \times 0.015 + j(13 + 30^2 \times 0.013) = 25.5 + j24.7$

5. 변압기 시험

(1) 저항시험 : 직류에 의한 전압강하로 r_1, r_2를 측정

(2) 무부하시험 : 그림과 같이 접속하고 1차 측(고전압 측)을 개방한 상태로 2차 단자에 정격주파수의 정격전압 $V_{2n}[V]$를 가하여 전류 및 전력을 측정한다. 그림에서 ⓦ는 전력계, ⓥ는 전압계, Ⓐ는 전류계, IR은 유도전압조정기, T는 피시험변압기를 표시한다.

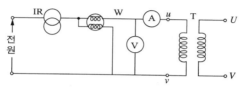

① 측정기구
  ㉠ ⓥ 전압계 : V_n(정격전압 기준)
  ㉡ Ⓐ 전류계 : I_0(무부하전류, 여자전류)
  ㉢ ⓦ 전력계 : P_i(철손)

② 계 산
  ㉠ 여자어드미턴스 $Y_0 = \dfrac{I_0{}'}{V_{1n}}$

  ㉡ 여자컨덕턴스 $g_0 = \dfrac{P_i}{V_{1n}^2}$

  ㉢ 여자서셉턴스 $b_0 = \sqrt{\left(\dfrac{I_0{}'}{V_{1n}}\right)^2 - \left(\dfrac{P_i}{V_{1n}^2}\right)^2}$

  ㉣ 무부하역률 $\cos\theta_0 = \dfrac{P_i}{V_{1n}I_0{}'}$

  ㉤ 철손전류 $I_i = \dfrac{P_i}{V_n}$

  ㉥ 자화전류 $I_\phi = \sqrt{I_0^2 - I_i^2}$

(3) 단락시험

다음 그림과 같이 ⓦ, ⓥ, Ⓐ를 접속하고 2차 측을 단락하여 1차 측에 정격주파수의 전압을 가하며 이것을 천천히 상승시키면서 1차 전류와 입력을 측정한다. 1차 전류가 정격전류 $I_{1n}[A]$에 도달했을 때의 입력 $P_s[W]$가 전부하동손이며 임피던스 와트라고 하고, 이때의 전압 $V_s[V]$는 임피던스 전압이라고 한다.

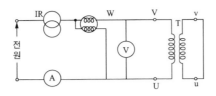

① 측정기구

    ㉠ Ⓥ 전압계 : V_s(임피던스 전압)

    ㉡ Ⓐ 전류계 : I_n(정격전류 기준)

    ㉢ Ⓦ 전력계 : P_c(동손, 임피던스 와트)

② 계 산

    ㉠ 내부저항 $r_{21} = r_1 + r'_2 = \dfrac{P_s}{I_{1n}^2}[\Omega]$

    ㉡ 내부임피던스 $Z_{21} = Z_1 + Z_2' = \dfrac{V_s}{I_{1n}}[\Omega]$

    ㉢ 내부리액턴스 $x_{21} = x_1 + x_2' = \sqrt{\left(\dfrac{V_s}{I_{1n}}\right)^2 - \left(\dfrac{P_s}{I_{1n}^2}\right)^2}\,[\Omega]$

6. 백분율 전압강하

변압기에서 2차 측을 단락하고 1차 측에 낮은 전압을 가하면서 1차 전류가 정격전류 I_{1n}과 같도록 조정했을 때의 1차 전압 V_s를 임피던스 전압이라 하며, 이때의 1차 입력 P_s를 임피던스 와트라고 한다. 이러한 경우의 저항강하와 리액턴스강하 및 임피던스강하를 정격 1차 전압 V_{1n}의 백분율로 표시한 것을 각각 백분율 저항강하, 백분율 리액턴스강하, 백분율 임피던스강하라 한다.

(1) 백분율 저항강하

$$p = \frac{(r_1 + r_2')I_{1n}}{V_{1n}} \times 100 = \frac{(r_1 + r_2')I_{1n}^2}{V_{1n}I_{1n}} \times 100 = \frac{P_s}{V_{1n}I_{1n}} \times 100$$

$$= \frac{\text{전부하동손[W]}}{\text{정격용량[VA]}} \times 100\,[\%]$$

(2) 백분율 리액턴스강하

$$q = \frac{(x_1 + x_2{}')I_{1n}}{V_{1n}} \times 100 [\%]$$

(3) 백분율 임피던스강하

$$z = \sqrt{p^2 + q^2} = \frac{\sqrt{(r_1 + r_2{}')^2 + (x_1 + x_2{}')^2}\, I_{1n}}{V_{1n}} \times 100 = \frac{(z_1 + z_2{}')I_{1n}}{V_{1n}} \times 100$$

$$= \frac{V_s}{V_{1n}} \times 100 [\%]$$

※ 2차를 단락하고 1차 단락에 정격전압을 가할 때의

1차 단락전류 I_{1s} 는

$$I_{1s} = \frac{V_{1n}}{Z_1 + Z_2{}'} = \frac{V_{1n}}{\sqrt{(r_1 + r_2{}')^2 + (x_1 + x_2{}')^2}} \ \text{이며}$$

I_{1s} 와 I_{1n} 의 비는

$$\frac{I_{1s}}{I_{1n}} = \frac{V_{1m}}{I_{1n}\sqrt{(r_1 + r_2{}')^2 + (x_1 + x_2{}')^2}} = \frac{1}{\dfrac{I_{1n}\sqrt{(r_1 + r_2{}')^2 + (x_1 + x_2{}')^2}}{V_{1n}} \times 100} \times 100$$

$$\therefore \ \frac{I_{1s}}{I_{1n}} = \frac{100}{\%Z}$$

7. 전압변동률

(1) 전압변동률은 전부하일 때와 무부하일 때의 2차 단자전압이 서로 다른 정도를 표시하는 것이며, 이러한 배율이 큰 변압기에서는 부하의 증감에 따른 2차 전압의 변동이 크다. 따라서, 전압변동률은 전등의 광도, 수명, 전동기의 출력 등에 영향을 미치는 중요한 성질이다. 변압기의 2차 단자에 정격주파수와 정격전압에 대해 정격역률이 정격전류를 취하려는 부하를 접속하고, 정격 2차 전압 V_{2n} 이 되도록 1차 단자전압 V_1 을 조정하고 V_1 을 일정하게 유지한 대로 부하를 감소시켜서 무부하로 하였을 때의 2차 단자전압을 V_{20} 이라 하면, 전압변동률 ε 은 다음과 같이 표시한다.

$$\varepsilon = \frac{V_{20} - V_{2n}}{V_{2n}} \times 100 [\%]$$

(2) 전압변동률 : 변압기 용량 2차 측 기준

$$\varepsilon = \frac{\text{무부하전압} - \text{정격전압}}{\text{정격전압}} \times 100 = \frac{V_{20} - V_{2n}}{V_{2n}} \times 100$$

$$= \left(\frac{I_{2n} r_{21}}{V_{2n}} \cos\theta + \frac{I_{2n} x_{21}}{V_{2n}} \sin\theta \right) \times 100 = p\cos\theta \pm q\sin\theta [\%] \quad (+ : 지상, \ - : 진상)$$

최대전압변동률 $\varepsilon_{\max} = \sqrt{p^2 + q^2}$

최대전압변동률을 발생하는 역률 $\cos\theta_{\max} = \dfrac{p}{\sqrt{p^2 + q^2}}$

01 변압기의 등가회로를 작성하기 위하여 필요한 시험은? [2018년 1회 산업기사]

① 권선저항측정, 무부하시험, 단락시험
② 상회전시험, 절연내력시험, 권선저항측정
③ 온도상승시험, 절연내력시험, 무부하시험
④ 온도상승시험, 절연내력시험, 권선저항측정

해설 변압기 등가회로 작성에 필요한 시험은 단락시험, 무부하시험, 저항측정시험이 있다.

02 변압기의 등가회로 구성에 필요한 시험이 아닌 것은? [2022년 1회 기사]

① 단락시험 ② 부하시험
③ 무부하시험 ④ 권선저항 측정

해설 1번 해설 참조

03 변압기에서 철손을 구할 수 있는 시험은? [2016년 3회 기사]

① 유도시험 ② 단락시험
③ 부하시험 ④ 무부하시험

해설 **변압기의 시험**

측정항목	특성시험
철손, 기계손	무부하시험
동기임피던스, 동기리액턴스	단락시험
단락비	무부하시험, 단락시험

04 변압기의 무부하시험, 단락시험에서 구할 수 없는 것은? [2017년 2회 기사]

① 철 손　　　　　　　　　　　② 동 손
③ 절연내력　　　　　　　　　　④ 전압변동률

해설 변압기의 시험

무부하(개방)시험	단락시험
• 여자전류 측정 • 철손 측정 • 여자어드미턴스 측정	• 임피던스 전압 측정 • 임피던스 와트(동손) 측정 • 전압변동률 측정

05 변압기 단락시험과 관계없는 것은? [2018년 2회 산업기사]

① 전압변동률　　　　　　　　② 임피던스 와트
③ 임피던스 전압　　　　　　　④ 여자어드미턴스

해설 4번 해설 참조

06 변압기에 임피던스전압을 인가할 때의 입력은? [2022년 1회 기사]

① 철 손　　　　　　　　　　　② 와류손
③ 정격용량　　　　　　　　　　④ 임피던스와트

해설 임피던스 전압의 입력은 임피던스와트

07 변압기의 임피던스 와트와 임피던스 전압을 구하는 시험은?

[2014년 1회 산업기사 / 2020년 1, 2회 산업기사]

① 충격전압시험　　　　　　　　② 부하시험

③ 무부하시험　　　　　　　　　④ 단락시험

해설　**변압기의 시험**

측정항목	특성시험
철손, 기계손	무부하시험
동기임피던스, 동기리액턴스	단락시험
단락비	무부하시험, 단락시험

08 변압기의 임피던스 전압이란?

[2015년 2회 산업기사]

① 정격전류 시 2차 측 단자전압이다.

② 변압기의 1차를 단락, 1차에 1차 정격전류와 같은 전류를 흐르게 하는 데 필요한 1차 전압이다.

③ 변압기 내부 임피던스와 정격전류와의 곱인 내부 전압강하이다.

④ 변압기의 2차를 단락, 2차에 2차 정격전류와 같은 전류를 흐르게 하는 데 필요한 2차 전압이다.

해설　**임피던스 전압($V_{1s} = I_{1n} \cdot Z_{21}$)**

• 정격전류가 흐를 때 변압기 내 임피던스 전압강하

• 변압기 2차 측을 단락한 상태에서 1차 측에 정격전류(I_{1n})가 흐르도록 1차 측에 인가하는 전압

09 변압기 단락시험에서 변압기의 임피던스 전압이란? [2021년 2회 기사]

① 1차 전류가 여자전류에 도달했을 때의 2차 측 단자전압
② 1차 전류가 정격전류에 도달했을 때의 2차 측 단자전압
③ 1차 전류가 정격전류에 도달했을 때의 변압기 내의 전압강하
④ 1차 전류가 2차 단락전류에 도달했을 때의 변압기 내의 전압강하

해설 임피던스 전압($V_{1s} = I_{1n} \cdot Z_{21}$)
- 정격전류가 흐를 때 변압기 내 임피던스 전압강하
- 변압기 2차 측을 단락한 상태에서 1차 측에 정격전류(I_{1n})가 흐르도록 1차 측에 인가하는 전압

10 변압기의 주요시험 항목 중 전압변동률 계산에 필요한 수치를 얻기 위한 필수적인 시험은? [2021년 2회 기사]

① 단락시험 ② 내전압시험
③ 변압비시험 ④ 온도상승시험

해설 전압변동률은 단락시험으로 구한다.

11 변압기에서 부하에 관계없이 자속만을 만드는 전류는?

[2014년 3회 기사 / 2016년 3회 산업기사 / 2017년 2회 기사]

① 철손전류 ② 자화전류
③ 여자전류 ④ 교차전류

해설 변압기에서 자속을 만드는 전류는 자화전류이다.

09 ③ 10 ① 11 ② 정답

12 1차 전압은 3,300[V]이고 1차 측 무부하전류는 0.15[A], 철손은 330[W]인 단상 변압기의 자화전류는 약 몇 [A]인가?

[2021년 1회 기사]

① 0.112

② 0.145

③ 0.181

④ 0.231

해설

$$I_0 = I_i + I_\varnothing = \sqrt{I_i^2 + I_\varnothing^2} \,[\text{A}]$$

$$I_\varnothing = \sqrt{I_0^2 - I_i^2}$$

$$P_i = V_1 I_i \,[\text{W}]$$

$$I_i = \frac{P_i}{V_1} = \frac{330}{3,300} = 0.1 \,[\text{A}]$$

$$I_\varnothing = \sqrt{I_0^2 - I_i^2} = \sqrt{0.15^2 - 0.1^2} \fallingdotseq 0.112 \,[\text{A}]$$

13 변압기의 %Z가 커지면 단락전류는 어떻게 변화하는가?

[2020년 1, 2회 기사]

① 커진다.

② 변동없다.

③ 작아진다.

④ 무한대로 커진다.

해설

단락전류 $I_s = \dfrac{100}{\%Z} I_n$ 이므로 %Z가 커지면 단락전류는 작아진다.

14 정격전압 120[V], 60[Hz]인 변압기의 무부하입력 80[W], 무부하전류 1.4[A]이다. 이 변압기의 여자리액턴스는 약 몇 [Ω]인가?

[2020년 3회 기사]

① 97.6

② 103.7

③ 124.7

④ 180

해설

$$I_0 = \sqrt{I_i^2 + I_\phi^2} \rightarrow I_\phi = \sqrt{I_0^2 - I_i^2} = \sqrt{1.4^2 - 0.67^2} \fallingdotseq 1.23 \,[\text{A}]$$

$$I_\phi = \frac{V_1}{X} \rightarrow X = \frac{V_1}{I_\phi} = \frac{120}{1.23} \fallingdotseq 97.6 \,[\Omega]$$

여기서, $P_i = V_1 I_i \rightarrow I_i = \dfrac{P_i}{V_1} = \dfrac{80}{120} \fallingdotseq 0.67 \,[\text{A}]$

15 임피던스 전압강하 4[%]의 변압기가 운전 중 단락되었을 때, 단락전류는 정격전류의 몇 배가 흐르는가? [2018년 2회 산업기사 / 2018년 3회 산업기사]

① 15　　　　　　　　　　　　　　② 20

③ 25　　　　　　　　　　　　　　④ 30

해설 단락전류 $I_s = \dfrac{100}{\%Z} I_n = \dfrac{100}{4} = 25[\text{배}]$

16 임피던스강하가 5[%]인 변압기가 운전 중 단락되었을 때 그 단락전류는 정격전류의 몇 배인가? [2020년 1, 2회 산업기사]

① 20　　　　　　　　　　　　　　② 25

③ 30　　　　　　　　　　　　　　④ 35

해설 단락전류 $I_s = \dfrac{100}{\%Z} I_n = \dfrac{100}{5} = 20[\text{배}]$

17 고압 단상 변압기의 %임피던스강하 4[%], 2차 정격전류를 300[A]라 하면 정격전압의 2차 단락전류[A]는?(단, 변압기에서 전원 측의 임피던스는 무시한다) [2015년 3회 산업기사]

① 0.75　　　　　　　　　　　　　② 75

③ 1,200　　　　　　　　　　　　④ 7,500

해설 단상 변압기의 단락전류

단락전류 $I_s = \dfrac{100}{\%Z} \times I_n = \dfrac{100}{4} \times 300 = 7,500[\text{A}]$

18 100[kVA], 6,000/200[V], 60[Hz]이고 %임피던스강하 3[%]인 3상 변압기의 저압 측에 3상 단락이 생겼을 경우의 단락전류는 약 몇 [A]인가?

[2016년 2회 산업기사]

① 5,650
② 9,623
③ 17,000
④ 75,000

해설 단락비 공식에 의해 $K_s = \dfrac{I_s}{I_n} = \dfrac{1}{\%Z}$

$\therefore I_s = \dfrac{1}{\%Z} \times I_n = \dfrac{1}{0.03} \times \dfrac{100,000}{\sqrt{3} \times 200} \fallingdotseq 9,622.5[\mathrm{A}]$

19 3[kVA], 3,000/200[V]의 변압기의 단락시험에서 임피던스 전압 120[V], 동손 150[W]라 하면 %저항강하는 몇 [%]인가?

[2020년 3회 기사]

① 1
② 3
③ 5
④ 7

해설 **%저항강하**

$p = \dfrac{I_{2n} r_{21}}{V_{2n}} \times 100 = \dfrac{I_{1n} r_{12}}{V_{1n}} \times 100 = \dfrac{I_{1n}^2 r_{12}}{V_{1n} I_{1n}} \times 100 = \dfrac{P_s}{P_n} \times 100[\%] = \dfrac{150}{3 \times 10^3} \times 100 = 5[\%]$

20 5[kVA], 3,000/200[V]의 변압기의 단락시험에서 임피던스 전압 120[V], 동손 150[W]라 하면 %저항강하는 약 몇 [%]인가?

[2017년 1회 기사]

① 2
② 3
③ 4
④ 5

해설 $p = \dfrac{I_{1n} r}{V_{1n}} \times 100 = \dfrac{I_{1n}^2 r}{V_{1n} I_{1n}} \times 100 = \dfrac{P_c}{P_n} \times 100 = \dfrac{150}{5,000} \times 100 = 3[\%]$

21 6,600/210[V], 10[kVA] 단상 변압기의 퍼센트 저항강하는 1.2[%], 리액턴스강하는 0.9[%]이다. 임피던스 전압[V]은? [2016년 2회 산업기사]

① 99

② 81

③ 65

④ 37

해설 $\%Z = \dfrac{V_s}{V_n}$ 에서 $V_s = \%Z \times V_n = \sqrt{0.012^2 + 0.009^2} \times 6,600 = 99[V]$

22 3,300/200[V], 50[kVA]인 단상 변압기의 %저항, %리액턴스를 각각 2.4[%], 1.6[%]라 하면 이때의 임피던스 전압은 약 몇 [V]인가? [2019년 3회 산업기사]

① 95

② 100

③ 105

④ 110

해설 임피던스 $\%Z = \sqrt{p^2 + q^2} = \sqrt{2.4^2 + 1.6^2} = 2.883$

$\%Z = \dfrac{V_s}{V_{1n}} \times 100[\%]$ 에서

$V_s = \dfrac{\%Z \cdot V_{1n}}{100} = \dfrac{2.883 \times 3,300}{100} \fallingdotseq 95[V]$

23 3,300/200[V], 10[kVA]의 단상 변압기의 2차를 단락하여 1차 측에 300[V]를 가하니 2차에 120[A]가 흘렀다. 이 변압기의 임피던스 전압[V]과 백분율 임피던스강해[%]는? [2014년 3회 산업기사 / 2016년 2회 기사]

① 125, 3.8

② 200, 4

③ 125, 3.5

④ 200, 4.2

해설 $\%Z = \dfrac{V_s}{V_{1n}} \times 100 = \dfrac{125.05}{3,300} \times 100 \fallingdotseq 3.8[\%]$

여기서, 1차 정격전류 $I_{1n} = \dfrac{P}{V_1} = \dfrac{10 \times 10^3}{3,300} \fallingdotseq 3.03[A]$

1차 단락전류 $I_{1s} = \dfrac{1}{a} I_{2s} = \dfrac{200}{3,300} \times 120 \fallingdotseq 7.27[A]$

누설임피던스 $Z_{21} = \dfrac{V_s{'}}{I_{1s}} = \dfrac{300}{7.27} \fallingdotseq 41.27[\Omega]$

임피던스 전압 $V_s = I_{1n} Z_{21} = 3.03 \times 41.27 \fallingdotseq 125.05[V]$

24 10[kVA], 2,000/100[V], 변압기에서 1차에 환산한 등가임피던스가 6.2+j7[Ω]일 때 %리액턴스강하는?

[2013년 2회 기사 / 2015년 1회 기사]

① 2.75
② 1.75
③ 0.75
④ 0.55

해설 리액턴스강하 $\%X = \dfrac{I_{1n}x_{21}}{V_{1n}} \times 100 = \dfrac{5 \times 7}{2,000} \times 100 = 1.75[\%]$

여기서, $I_{1n} = \dfrac{P}{V_{1n}} = \dfrac{10,000}{2,000} = 5[A]$

25 15[kVA], 3,000/200[V] 변압기의 1차 측 환산 등가임피던스가 5.4+j6[Ω]일 때, %저항강하 p와 %리액턴스강하 q는 각각 약 몇 [%]인가?

[2018년 3회 기사]

① $p=0.9$, $q=1$
② $p=0.7$, $q=1.2$
③ $p=1.2$, $q=1$
④ $p=1.3$, $q=0.9$

해설 %저항(p) = $\dfrac{I \times R}{V_1} \times 100 = \dfrac{5 \times 5.4}{3,000} \times 100 = 0.9[\%]$

%리액턴스(q) = $\dfrac{I \times X}{V_1} \times 100 = \dfrac{5 \times 6}{3,000} \times 100 = 1[\%]$

정격전류(I) = $\dfrac{P}{V_1} = \dfrac{15 \times 10^3}{3,000} = 5$

26 3,300/210[V], 5[kVA] 단상 변압기의 퍼센트 저항강하 2.4[%], 퍼센트 리액턴스강하 1.8[%]
이다. 임피던스 와트[W]는? [2015년 1회 산업기사]

① 320

② 240

③ 120

④ 90

해설 **변압기의 임피던스 와트**

$$P_s = \frac{p \times P_n}{100} = \frac{2.4 \times 5 \times 10^3}{100} = 120[\text{W}]$$

여기서, $p = \frac{I_{1n} r_{21}}{V_{1n}} \times 100 = \frac{I_{1n}^2 r_{21}}{I_{1n} V_{1n}} \times 100 = \frac{P_s}{P_n} \times 100$

27 6,300/210[V], 20[kVA] 단상 변압기 1차 저항과 리액턴스가 각각 15.2[Ω]과 21.6[Ω], 2차
저항과 리액턴스가 각각 0.019[Ω]과 0.028[Ω]이다. 백분율 임피던스[%]는? [2012년 1회 산업기사 / 2017년 2회 산업기사]

① 약 1.86

② 약 2.87

③ 약 3.86

④ 약 4.86

해설 **단상 변압기**

정격전류 $I_{1n} = \frac{P}{V_{1n}} = \frac{20 \times 10^3}{6,300} \fallingdotseq 3.17[\text{A}]$

2차를 1차로 환산

$r_{21} = r_1 + a^2 \times r_2 = 15.2 + 30^2 \times 0.019 = 32.3[\Omega]$

$x_{21} = x_1 + a^2 \times x_2 = 21.6 + 30^2 \times 0.028 = 46.8[\Omega]$

$z_{21} = \sqrt{r_{21}^2 + x_{21}^2} = \sqrt{32.3^2 + 46.8^2} \fallingdotseq 56.9[\Omega]$

%임피던스강하

$\% z = \frac{I_{1n} z_{21}}{V_{1n}} \times 100 = \frac{3.17 \times 56.9}{6,300} \times 100 \fallingdotseq 2.863[\%]$

28 변압기의 누설리액턴스를 나타낸 것은?(단, N은 권수이다) [2019년 2회 기사]

① N에 비례
② N^2에 반비례
③ N^2에 비례
④ N에 반비례

해설

$$L\frac{di}{dt} = N\frac{d\phi}{dt} \qquad \therefore L = \frac{N\phi}{I}$$

그런데 자속 $\phi = \frac{\mu ANI}{l}$ $\qquad \therefore L = \frac{N \cdot \frac{\mu ANI}{l}}{I} = \frac{\mu AN^2}{l} \propto N^2$

29 변압기의 권수를 N이라고 할 때 누설리액턴스는? [2018년 3회 기사 / 2021년 2회 기사]

① N에 비례한다.
② N^2에 비례한다.
③ N에 반비례한다.
④ N^2에 반비례한다.

해설 누설리액턴스는 변압기의 권수 N의 제곱에 비례한다.
$\therefore N^2$에 비례한다.

30 변압기 1차 측 공급전압이 일정할 때 1차 코일 권수를 4배로 하면 누설리액턴스와 여자전류 및 최대자속은?(단, 자로는 포화상태가 되지 않는다) [2016년 2회 산업기사]

① 누설리액턴스 = 16, 여자전류 = $\frac{1}{4}$, 최대자속 = $\frac{1}{16}$

② 누설리액턴스 = 16, 여자전류 = $\frac{1}{16}$, 최대자속 = $\frac{1}{4}$

③ 누설리액턴스 = $\frac{1}{16}$, 여자전류 = 4, 최대자속 = 16

④ 누설리액턴스 = 16, 여자전류 = $\frac{1}{16}$, 최대자속 = 4

해설 $X_l \propto N^2$, $I_0 \propto \frac{1}{N^2}$, $\phi \propto \frac{1}{N}$

• 누설리액턴스 · 인덕턴스 $L = \frac{MSN^2}{l}$ $\qquad \therefore L \propto N^2$

• 여자전류는 총자속 $\phi_m = NI$에 의해 $\frac{I_0{}' \times 4N}{I_0 \times N} = \frac{\phi_m{}'}{\phi_m} = \frac{1}{4}$에 의해 $I_0{}' = \left(\frac{1}{N^2}\right)I_0$

• 공급전압이 일정한 경우 $E = 4.44f\phi N$에서 $\phi \propto \frac{1}{N}$이다.

31 60[Hz]의 변압기에 50[Hz]의 동일 전압을 가했을 때의 자속밀도는 60[Hz] 때와 비교하였을 경우 어떻게 되는가? [2019년 1회 기사]

① $\frac{5}{6}$ 로 감소

② $\frac{6}{5}$ 으로 증가

③ $\left(\frac{5}{6}\right)^{1.6}$ 로 감소

④ $\left(\frac{6}{5}\right)^{2}$ 으로 증가

해설 $E = 4.44f\phi N$

$E = 4.44fBAN$

$B = \dfrac{E}{4.44fAN}$ 이므로 $B \propto \dfrac{1}{f}$ 의 관계이다.

즉, $B' = \dfrac{f}{f'}B = \dfrac{60}{50}B = \dfrac{6}{5}B$

32 변압기의 절연내력시험방법이 아닌 것은? [2017년 1회 기사]

① 가압시험

② 유도시험

③ 무부하시험

④ 충격전압시험

해설   **절연내력시험** : 충격전압시험, 유도시험, 가압시험

33 어떤 단상 변압기의 2차 무부하전압이 240[V]이고, 정격부하 시의 2차 단자전압이 230[V]이다. 전압변동률은 약 몇 [%]인가? [2017년 1회 기사 / 2019년 3회 산업기사]

① 4.35

② 5.15

③ 6.65

④ 7.35

해설
$$\varepsilon = \frac{V_{20} - V_{2n}}{V_{2n}} \times 100 = \frac{240 - 230}{230} \times 100 = \frac{10}{230} \times 100 \fallingdotseq 4.35[\%]$$

34 변압기의 전압변동률에 대한 설명으로 틀린 것은? [2021년 3회 기사]

① 일반적으로 부하변동에 대하여 2차 단자전압의 변동이 작을수록 좋다.

② 전부하 시와 무부하 시의 2차 단자전압이 서로 다른 정도를 표시하는 것이다.

③ 인가전압이 일정한 상태에서 무부하 2차 단자전압에 반비례한다.

④ 전압변동률은 전등의 광도, 수명, 전동기의 출력 등에 영향을 미친다.

해설
$$\varepsilon = \frac{V_{20} - V_{2n}}{V_{2n}} \text{에서 } \varepsilon \propto \frac{1}{V_{2n}} \text{이다.}$$

35 전압비가 무부하에서는 33 : 1, 정격부하에서는 33.6 : 1인 변압기의 전압변동률[%]은? [2013년 2회 산업기사]

① 약 1.5

② 약 1.8

③ 약 2.0

④ 약 2.2

해설
조건 : $\frac{V_1}{V_{2n}} = 33.6$에서 $V_{2n} = \frac{V_1}{33.6}$, $\frac{V_1}{V_{20}} = 33$에서 $V_{20} = \frac{V_1}{33}$

$$\varepsilon = \frac{V_{20} - V_{2n}}{V_{2n}} \times 100 = \left(\frac{V_{20}}{V_{2n}} - 1\right) \times 100 = \left(\frac{33.6}{33} - 1\right) \times 100$$

$$\fallingdotseq (1.018 - 1) \times 100 = 1.8[\%]$$

정답 33 ① 34 ③ 35 ②

36 정격출력 10,000[kVA], 정격전압 6,600[V], 정격역률 0.6인 3상 동기발전기가 있다. 동기리액턴스 0.6[p.u]인 경우의 전압변동률[%]은? [2016년 2회 기사]

① 21
② 31
③ 40
④ 52

해설

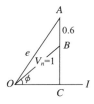

$\overline{OC} = 1 \times \cos\phi = 0.6$
$\overline{BC} = 1 \times \sin\phi = 0.8$
$\overline{AC} = 0.8 + 0.6 = 1.4$
$\overline{OA} = \sqrt{1.4^2 + 0.6^2} \fallingdotseq 1.52$

∴ 전압변동률 $\varepsilon = \dfrac{1.52-1}{1} = 0.52 = 52[\%]$

37 변압기의 백분율 저항강하가 3[%], 백분율 리액턴스강하가 4[%]일 때 뒤진 역률 80[%]인 경우의 전압변동률[%]은? [2019년 3회 기사]

① 2.5
② 3.4
③ 4.8
④ -3.6

해설 **변압기의 전압변동률**
$\varepsilon = p\cos\theta \pm q\sin\theta (+ \ : \ 지상, \ - \ : \ 진상)$
$= 0.8 \times 3 + 0.6 \times 4 = 4.8[\%]$
여기서, p : %저항강하, q : %리액턴스강하

38 어떤 변압기의 백분율 저항강하가 2[%], 백분율 리액턴스강하가 3[%]라 한다. 이 변압기로 역률이 80[%]인 부하에 전력을 공급하고 있다. 이 변압기의 전압변동률은 몇 [%]인가? [2019년 1회 산업기사]

① 2.4
② 3.4
③ 3.8
④ 4.0

해설 **변압기의 전압변동률**
$\varepsilon = p\cos\theta \pm q\sin\theta \ (+ \ : \ 지상, \ - \ : \ 진상)$
$= 0.8 \times 2 + 0.6 \times 3 = 3.4[\%]$
여기서, p : %저항강하, q : %리액턴스강하

39 5[kVA], 2,000/200[V]의 단상 변압기가 있다. 2차로 환산한 등가저항과 등가리액턴스는 각각 0.14[Ω], 0.16[Ω]이다. 이 변압기에 역률 0.8(뒤짐)의 정격부하를 걸었을 때의 전압변동률[%]은?

[2015년 3회 산업기사]

① 0.026

② 0.26

③ 2.6

④ 26

> **해설** 변압기의 전압변동률
> $$\varepsilon = p\cos\theta \pm q\sin\theta (+ : 지상, - : 진상)$$
> $$= 1.75 \times 0.8 + 2 \times 0.6 = 2.6[\%]$$
> 여기서, $I_2 = \dfrac{P}{V_2} = \dfrac{5,000}{200} = 25[\mathrm{A}]$
> $$p = \frac{I_2 r_2}{V_2} \times 100 = \frac{25 \times 0.14}{200} \times 100 = 1.75[\%]$$
> $$q = \frac{I_2 x_2}{V_2} \times 100 = \frac{25 \times 0.16}{200} \times 100 = 2[\%]$$

40 역률 100[%]일 때의 전압변동률 ε은 어떻게 표시되는가?

[2018년 3회 기사]

① %저항강하

② %리액턴스강하

③ %서셉턴스강하

④ %임피던스강하

> **해설** $\varepsilon = p\cos\theta + q\sin\theta = p \times 1 + q \times 0$이므로 $\varepsilon = p$이다.

정답 39 ③ 40 ①

41 단상 변압기에 있어서 부하역률 80[%]의 지상역률에서 전압변동률 4[%]이고, 부하역률 100[%]에서 전압변동률 3[%]라고 한다. 이 변압기의 %리액턴스는 약 몇 [%]인가?　[2013년 1회 기사]

① 2.7　　　　　　　　　　　② 3.0
③ 3.3　　　　　　　　　　　④ 3.6

해설　변압기의 전압변동률 $\varepsilon = p\cos\theta + q\sin\theta$(+ : 지상, − : 진상)
- 역률 100[%]일 때 $\varepsilon = p\cos\theta$, $\varepsilon = p = 3[\%]$
- 역률 80[%]일 때 $4 = 3 \times 0.8 + q \times \sqrt{1 - 0.8^2} = 2.4 + q \times 0.6$
  $\therefore q ≒ 2.7[\%]$(여기서, p : % 저항강하, q : % 리액턴스강하)

42 부하의 역률이 0.6일 때 전압변동률이 최대로 되는 변압기가 있다. 역률 1.0일 때의 전압변동률이 3[%]라고 하면 역률 0.8에서의 전압변동률은 몇 [%]인가?　[2014년 2회 기사 / 2019년 2회 산업기사]

① 4.4　　　　　　　　　　　② 4.6
③ 4.8　　　　　　　　　　　④ 5.0

해설
- 변압기의 역률 $\varepsilon = p\cos\theta + q\sin\theta$
- 부하역률이 100[%] : $\varepsilon = p = 3$
- 최대역률 $\cos\theta_{max} = 0.6 = \dfrac{p}{\sqrt{p^2 + q^2}} = \dfrac{3}{\sqrt{3^2 + q^2}}$, $\therefore q = 4[\%]$
- $\cos\theta = 0.8$일 때 전압변동률
  $\varepsilon = p\cos\theta + q\sin\theta = 3 \times 0.8 + 4 \times \sqrt{1 - 0.8^2} = 4.8$

43 정격부하에서 역률 0.8(뒤짐)로 운전될 때, 전압변동률이 12[%]인 변압기가 있다. 이 변압기에 역률 100[%]의 정격 부하를 걸고 운전할 때의 전압변동률은 약 몇 [%]인가?(단, %저항강하는 %리액턴스강하의 1/12이라고 한다)　[2018년 1회 기사]

① 0.909　　　　　　　　　　② 1.5
③ 6.85　　　　　　　　　　　④ 16.18

해설　$\varepsilon = p\cos\theta \pm q\sin\theta$ 지상이라서 +

$0.12 = 0.8p + 0.6q$　　$p = \dfrac{q}{12} \Rightarrow q = 12p$

q에 대입하면
$0.12 = 0.8p + 0.6 \times 12p$
$0.12 = 8p$
$p = \dfrac{0.12}{8} = 0.015 \times 100 = 1.5[\%]$

8. 변압기의 결선

3상 교류전압을 변압하는 데는 3상 변압기를 사용하든가 단상 변압기 3개 또는 2개를 적절히 결선해서 사용한다. 부하의 종류에 따라서는 교류의 상수를 바꿀 필요가 있으며, 또 부하의 증대에 따르기 위하여 여러 개의 변압기를 병렬로 연결해서 운전해야 할 때가 있다. 이러한 경우에는 극성, 즉 전압의 위상관계나 접속 등에 주의하여 접속하여야 한다.

(1) 변압기의 극성

2개 이상의 변압기를 결선하는 경우 또는 1개의 변압기라도 많은 권선이 있을 때 이것을 결선하는 경우에는 유도기전력의 방향을 알고 있어야 한다. 변압기의 극성(Polarity)이란 어떤 순간에 1차 단자와 2차 단자에 나타나는 유도기전력의 상대적 방향을 표시하는 말이다. 이와 같이 3상 결선을 하거나 병렬운전을 하는 경우에는 극성을 명확히 하여야 한다.

(2) 극성의 결정방법

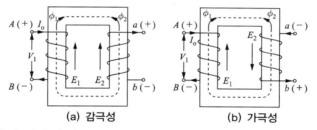

(a) 감극성   (b) 가극성

그림 (a)와 같이 외함의 같은 쪽에 있는 고저압단자 B와 b를 접속하고, 다른 단자 A와 a 사이에 전압계 V_3를 접속한다. 그리고 고압 측 A, B 사이에 적당한 전압 V_1를 가한 경우의 저압 측 a, b 사이의 전압을 V_2, 전압계 V_3의 값을 V_3로 한다. 이 경우에 $V_3 = V_1 - V_2$이면 A와 a를 따라서 B와 b는 동일한 극성이며 이 경우 변압기의 1차 권선과 2차 권선은 그림 (a)와 같은 관계가 있다. 이와 같이 같은 쪽에 있는 고저압단자가 동일한 극성이 되는 변압기를 감극성의 변압기라고 한다. 그런데 2차 권선을 감는 방법을 그림 (b)와 같이 그림 (a)와 반대로 하면, $V_3 = V_1 + V_2$가 되어서 A와 a, B와 b는 다른 극성이 된다. 이와 같은 변압기를 가극성의 변압기라고 한다. 대개 감극성을 표준으로 정하고 있다.

(3) 단자기호

표준단자기호는 1차 권선을 U, V, 2차 권선을 u, v로 하고 그림과 같이 각각 외함의 같은 쪽에 붙인다. 또, U단자를 1차 단자 측에서 보아 오른쪽으로 놓는다. 따라서 U와 u가 외함의 동일한 쪽에 있는 것이 감극성이며, U와 u가 대각선상에 있는 것이 가극성이다. 이 기호는 유도기전력의 방향의 UV에서 $U \rightarrow V$의 방향이면 uv에서도 동일하게 $u \rightarrow v$의 방향이라는 뜻이다.

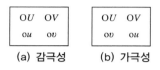

(a) 감극성　　(b) 가극성

핵 / 심 / 예 / 제

01 210/105[V]의 변압기를 그림과 같이 결선하고 고압 측에 200[V]의 전압을 가하면 전압계의 지시는 몇 [V]인가?(단, 변압기는 가극성이다)　　　　　[2020년 4회 기사]

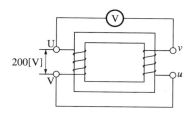

① 100　　　　　　　　　　② 200

③ 300　　　　　　　　　　④ 400

해설
$$V_2 = V_1 \times \frac{1}{a} = 200 \times \frac{1}{2} = 100[V]$$
$$V_3 = V_1 + V_2 = 200 + 100 = 300[V]$$

02 다음 그림과 같이 단상 변압기를 단권변압기로 사용한다면 출력단자의 전압[V]은?(단, V_{1n} [V]를 1차 정격전압이라 하고, V_{2n}[V]를 2차 정격전압이라 한다)　　　[2015년 1회 기사]

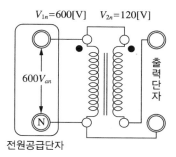

① 600　　　　　　　　　　② 120

③ 480　　　　　　　　　　④ 720

해설　조건 : 감극성
- 가극성　$V = V_h + V_l = 600 + 120 = 720[V]$
- 감극성　$V = V_h - V_l = 600 - 120 = 480[V]$

03 3,150/210[V]의 단상 변압기 고압 측에 100[V]의 전압을 가하면 가극성 및 감극성일 때에 전
압계 지시는 각각 몇 [V]인가?
[2013년 1회 기사]

① 가극성 : 106.7, 감극성 : 93.3

② 가극성 : 93.3, 감극성 : 106.7

③ 가극성 : 126.7, 감극성 : 96.3

④ 가극성 : 96.3, 감극성 : 126.7

해설   가극성 $V = V_h + V_l = 100 + 6.7 = 106.7$

감극성 $V = V_h - V_l = 100 - 6.7 = 93.3$

여기서, $a = \dfrac{3,150}{210} = 15$

$15 = \dfrac{V_h}{V_l} = \dfrac{100}{V_l} \rightarrow V_l = \dfrac{100}{15} ≒ 6.7$

        03 ① **정답**

9. 3상 결선의 비교

(1) △-△ 결선

① 단상 변압기 3대 중 한 대가 고장일 때에는 이것을 제거하고 나머지 2대를 V결선으로 하여 송전을 계속 시킬 수 있다.

② 제3고조파 전압은 각 상이 동상으로 되기 때문에 권선 안에는 순환전류가 흐르지만 외부에는 흐르지 않으므로 통신장해의 염려가 없다.

③ 중성점을 접지할 수 없다. 따라서 33[kV] 이하의 배전변압기에 주로 사용되며 110[kV] 이상의 계통에는 전혀 사용하지 않는다.

④ 동일한 선간전압에 대하여 Y결선보다도 1상에 가해지는 전압이 높으므로 권수가 많아지고 대부분의 경우에는 절연 때문에 권선의 점적률이 낮아진다.

(2) Y-Y결선

① 중성점을 접지시킬 수 있다.

② 권선전압이 선간전압의 $\dfrac{1}{\sqrt{3}}$이 되기 때문에 절연이 쉽게 되는 등의 이점이 있으나 기전력에 고조파를 포함하고, 중성점이 접지되어 있을 때에는 선로에 제3고조파를 주로하는 충전전류가 흐르고 통신장해를 주는 일이 있다. 따라서 이 결선은 거의 사용하지 않으나, 3차 권선을 설치하여 Y-Y-△의 3권선변압기로 한 것은 송전용에 널리 사용된다.

(3) Y-△ 결선, △-Y결선

① △-Y결선은 발전소용 변압기와 같이 낮은 전압을 높은 전압으로 올리는 경우에 주로 사용되고, Y-△결선은 수전단 변전소용 변압기와 같이 높은 전압을 낮은 전압으로 내리는 경우에 주로 사용된다.

② 이 결선에서는 1, 2차 측 어느 한쪽에 △결선이 있고 여자전류의 제3고조파 통로가 있기 때문에 제3고조파에 의한 장해가 적다.

③ Y결선의 중성점을 접지할 수 있다.

④ 1차 선간전압과 2차 선간전압 사이에 $\dfrac{\pi}{6}$의 위상차가 생긴다.

(4) V결선

① 주상변압기에서는 장치방법이 간단하며 소용량에서는 가격도 싸기 때문에 3상 부하에 널리 사용된다.

② 부하가 증가하는 경우 △-△결선으로 할 것을 예정하여 처음에 2개로 V결선해서 사용하는 일이 있다.

③ V결선과 △결선의 용량비는 다음과 같다.

$$\frac{P_v}{P_3} = \frac{\sqrt{3}\,V_{2n}I_{2n}}{3\,V_{2n}I_{2n}} = \frac{1}{\sqrt{3}} = 0.58$$

④ 동시에 V결선한 변압기 1개당의 이용률은 다음과 같다.

$$\frac{\sqrt{3}\,V_{2n}I_{2n}}{2\,V_{2n}I_{2n}} = \frac{\sqrt{3}}{2} = 0.866$$

01 전력용 변압기에서 1차에 정현파 전압을 인가하였을 때, 2차에 정현파 전압이 유기되기 위해서는 1차에 흘러들어가는 여자전류는 기본파 전류 외에 주로 몇 고조파 전류가 포함되는가?

[2019년 2회 기사]

① 제2고조파

② 제3고조파

③ 제4고조파

④ 제5고조파

> **해설** 일반적으로 자기포화 및 히스테리시스 현상이 있으므로 제3고조파가 가장 많이 포함된다.

02 단상 변압기 3대를 이용하여 △-△ 결선하는 경우에 대한 설명으로 틀린 것은?

[2019년 2회 산업기사]

① 중성점을 접지할 수 없다.

② Y-Y 결선에 비해 상전압이 선간전압의 $\frac{1}{\sqrt{3}}$ 배이므로 절연이 용이하다.

③ 3대 중 1대에서 고장이 발생하여도 나머지 2대로 V결선하여 운전을 계속할 수 있다.

④ 결선 내에 순환전류가 흐르나 외부에는 나타나지 않으므로 통신장애에 대한 염려가 없다.

> **해설** △-△ 결선의 특징
> - $I_l = \sqrt{3} I_p$, $V_l = V_p$(고전압)이라 절연 문제가 발생한다.
> - 변압기 외부에 제3고조파에 의한 순환전류가 발생하지 않는다(통신장애 발생이 없다).
> - 비접지 방식(이상전압 및 지락사고 시 보호 곤란)이다.
> - 지속운전 및 증설이 쉽다.
> - 1대 고장이면 V결선으로 급전 가능하다.

03 전압비 a인 단상 변압기 3대를 1차 △ 결선, 2차 Y결선으로 하고 1차에 선간전압 V[V]를 가했을 때 무부하 2차 선간전압[V]은?

[2020년 3회 산업기사]

① $\dfrac{V}{a}$ ② $\dfrac{a}{V}$

③ $\sqrt{3} \cdot \dfrac{V}{a}$ ④ $\sqrt{3} \cdot \dfrac{a}{V}$

해설 1차 측 상전압 $V_l = V_p = V$

전압비 $a = \dfrac{V_1}{V_2}$ 에서 2차 측 상전압 $V_2 = \dfrac{V_1}{a} = \dfrac{V}{a}$

Y결선에서 $V_l = \sqrt{3}\, V_p$

∴ 2차 측 선간전압 $= \sqrt{3} \cdot \dfrac{V}{a}$

04 3대의 단상 변압기를 △－Y로 결선하고 1차 단자전압 V_1, 1차 전류 I_1이라 하면 2차 단자전압 V_2와 2차 전류 I_2의 값은?(단, 권수비는 a이고, 저항, 리액턴스, 여자전류는 무시한다)

[2015년 2회 기사]

① $V_2 = \sqrt{3}\,\dfrac{V_1}{a}$, $I_2 = \sqrt{3}\,aI_1$ ② $V_2 = V_1$, $I_2 = \dfrac{a}{\sqrt{3}}I_1$

③ $V_2 = \sqrt{3}\,\dfrac{V_1}{a}$, $I_2 = \dfrac{a}{\sqrt{3}}I_1$ ④ $V_2 = \dfrac{V_1}{a}$, $I_2 = I_1$

해설 변압기 결선에서 에너지 전달은 상전압과 상전류의 형태로 이루어진다.

구 분	상	선 간	상	선 간
△-Y 결선	V_1	V_1	$\dfrac{V_2}{\sqrt{3}}$	V_2
	$\dfrac{I_1}{\sqrt{3}}$	I_1	I_2	I_2
Y-△ 결선	$\dfrac{V_1}{\sqrt{3}}$	V_1	V_2	V_2
	I_1	I_1	$\dfrac{I_2}{\sqrt{3}}$	I_2

$a = \dfrac{V_1}{V_2} = \dfrac{I_2}{I_1}$ 에서 $V_2 = \dfrac{\sqrt{3}\,V_1}{a}$, $I_2 = \dfrac{V_1}{V_2}I_1 = \dfrac{V_1}{\dfrac{\sqrt{3}}{a}V_1}I_1 = \dfrac{a}{\sqrt{3}}I_1$

05 권수비가 a인 단상 변압기 3대가 있다. 이것을 1차에 △, 2차에 Y로 결선하여 3상 교류 평형 회로에 접속할 때 2차 측의 단자전압을 V[V], 전류를 I[A]라고 하면 1차 측의 단자전압 및 선전류는 얼마인가?(단, 변압기의 저항, 누설리액턴스, 여자전류는 무시한다) [2022년 2회 기사]

① $\dfrac{aV}{\sqrt{3}}$[V], $\dfrac{\sqrt{3}\,I}{a}$[A]
② $\sqrt{3}\,aV$[V], $\dfrac{I}{\sqrt{3}\,a}$[A]
③ $\dfrac{\sqrt{3}\,V}{a}$[V], $\dfrac{aI}{\sqrt{3}}$[A]
④ $\dfrac{V}{\sqrt{3}\,a}$[V], $\sqrt{3}\,aI$[A]

해설 $a = \dfrac{V_1}{V_2} = \dfrac{I_2}{I_1}$ 에서

$$V_1 = \frac{aV}{\sqrt{3}}\text{[V]}$$

$$I_1 = \frac{V_2}{V_1}I_2$$

$$= \frac{\frac{\sqrt{3}}{a}V_1}{V_1}I_2 = \frac{\sqrt{3}\,I}{a}\text{[A]}$$

06 3,300/220[V]의 단상 변압기 3대를 △-Y결선하고 2차 측 선간에 15[kW]의 단상 전열기를 접속하여 사용하고 있다. 결선을 △-△로 변경하는 경우 이 전열기의 소비전력은 몇 [kW]로 되는가?

[2021년 1회 기사]

① 5
② 12
③ 15
④ 21

해설
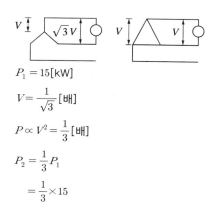

$P_1 = 15\text{[kW]}$

$V = \dfrac{1}{\sqrt{3}}$[배]

$P \propto V^2 = \dfrac{1}{3}$[배]

$P_2 = \dfrac{1}{3}P_1$

$= \dfrac{1}{3} \times 15$

$= 5\text{[kW]}$

07 3상 변압기 2차 측의 E_W 상만을 반대로 하고 Y–Y결선을 한 경우, 2차 상전압이 $E_U = 70[\text{V}]$, $E_V = 70[\text{V}]$, $E_W = 70[\text{V}]$ 라면 2차 선간전압은 약 몇 [V]인가? [2020년 3회 기사]

① $V_{U-V} = 121.2[\text{V}]$, $V_{V-W} = 70[\text{V}]$, $V_{W-U} = 70[\text{V}]$

② $V_{U-V} = 121.2[\text{V}]$, $V_{V-W} = 210[\text{V}]$, $V_{W-U} = 70[\text{V}]$

③ $V_{U-V} = 121.2[\text{V}]$, $V_{V-W} = 121.2[\text{V}]$, $V_{W-U} = 70[\text{V}]$

④ $V_{U-V} = 121.2[\text{V}]$, $V_{V-W} = 121.2[\text{V}]$, $V_{W-U} = 121.2[\text{V}]$

해설
$$V_{U-V} = V_U - V_V = \sqrt{V_U^2 + V_V^2 + 2V_U V_V \cos\theta} = \sqrt{3V_U^2} = \sqrt{3}\,V_U \fallingdotseq 121.2[\text{V}]\,(\theta = 60°)$$
$$V_{V-W} = V_V + V_W = \sqrt{V_V^2 + V_W^2 + 2V_V V_W \cos\theta} = V_V = 70[\text{V}]\,(\theta = 120°)$$
$$V_{W-U} = V_W + V_U = \sqrt{V_W^2 + V_U^2 + 2V_W V_U \cos\theta} = V_W = 70[\text{V}]\,(\theta = 120°)$$

08 역률 80[%](뒤짐)로 전부하 운전 중인 3상 100[kVA], 3,000/200[V] 변압기의 저압 측 선전류의 무효분은 몇 [A]인가? [2016년 1회 산업기사]

① 100

② $80\sqrt{3}$

③ $100\sqrt{3}$

④ $500\sqrt{3}$

해설
- 출력 $P = \sqrt{3}\,V_2 I_2$ 식에서 $I_2 = \dfrac{P}{\sqrt{3}\,V_2} = \dfrac{100 \times 10^3}{\sqrt{3} \times 200} = \dfrac{1,000}{2\sqrt{3}}[\text{A}]$

- 무효전류 $I_c = I_2 \sin\theta$ 식에서 $I_c = I_2 \sin\theta = \dfrac{1,000}{2\sqrt{3}} \times \sqrt{1 - 0.8^2} = 100\sqrt{3}[\text{A}]$

09 변압기의 1차 측을 Y결선, 2차 측을 △ 결선으로 한 경우 1차와 2차 간의 전압의 위상변위는? [2013년 3회 기사 / 2018년 2회 기사]

① 0°

② 30°

③ 45°

④ 60°

해설
- Y결선 : $V_l = \sqrt{3}\,V_P \angle 30°$
- △ 결선 : $V_l = V_P \angle 0°$
- ∴ 1차와 2차 간 전압의 위상 변위는 30°이다.

07 ① 08 ③ 09 ② **정답**

10 60[Hz], 1,328/230[V]의 단상 변압기가 있다. 무부하전류 $I = 3\sin\omega t + 1.1\sin(3\omega t + \alpha_3)$ [A]이다. 지금 위와 똑같은 변압기 3대로 Y-△ 결선하여 1차에 2,300[V]의 평형전압을 걸고 2차를 무부하로 하면 △ 회로를 순환하는 전류(실효치)는 약 몇 [A]인가? [2017년 3회 기사]

① 0.77 ② 1.10
③ 4.48 ④ 6.35

해설 1차 측 선간전압 2,300[V], 상전압 1,328[V]를 가하여 여자전류 $i = 3\sin\omega t + 1.1\sin(3\omega t + \alpha_3)$가 흐르지 않으면 안 되나, Y-△결선이므로 제3고조파 전류는 회로에 흐를 수가 없고 2차 △회로에 순환전류로 흐르게 된다. 그 크기는 권수비를 곱하여 2차로 환산한 값이 된다.

실횻값으로 표시하면 $1.1 \times \dfrac{1,328}{230} \times \dfrac{1}{\sqrt{2}} \fallingdotseq 4.48[\text{A}]$

11 단상 변압기 3대를 이용하여 3상 △-Y 결선을 했을 때 1차와 2차 전압의 각 변위(위상차)는? [2018년 1회 기사]

① 0° ② 60°
③ 150° ④ 180°

해설 △-Y의 위상차는 30°이지만 보기에서 30°가 없기 때문에 위상차는 180-30 = 150°라고 볼 것

12 단상 변압기 3대를 이용하여 3상 △-△ 결선을 했을 때 1차와 2차 전압의 각 변위(위상차)는? [2015년 2회 산업기사]

① 30° ② 60°
③ 120° ④ 180°

해설 변위라 함은 1차 유기전압을 기준으로 하고 이에 대한 2차 유기전압의 뒤진 각을 말하며 △-△ 시 180°의 위상차를 가진다.

13 2대의 변압기로 V결선하여 3상 변압하는 경우 변압기 이용률은 약 몇 [%]인가?

[2019년 1회 기사 / 2019년 3회 산업기사]

① 57.8

② 66.6

③ 86.6

④ 100

> **해설** 변압기 V결선
>
> - 출력비 $= \dfrac{P_V}{P_\triangle} = \dfrac{\sqrt{3}\, V_2 I_2}{3\, V_2 I_2} \fallingdotseq 0.577 = 57.7[\%]$
>
> - 이용률 $= \dfrac{\sqrt{3}\, V_2 I_2}{2\, V_2 I_2} = \dfrac{\sqrt{3}}{2} \fallingdotseq 0.866 = 86.6[\%]$

14 △ 결선 변압기의 한 대가 고장으로 제거되어 V결선으로 전력을 공급할 때, 고장 전 전력에 대하여 몇 [%]의 전력을 공급할 수 있는가?

[2012년 3회 산업기사 / 2013년 3회 산업기사 / 2018년 1회 산업기사]

① 81.6

② 75.0

③ 66.7

④ 57.7

> **해설** 변압기 V결선
>
> - 출력비 $= \dfrac{P_V}{P_\triangle} = \dfrac{\sqrt{3}\, V_2 I_2}{3\, V_2 I_2} \fallingdotseq 0.577 = 57.7[\%]$
>
> - 이용률 $= \dfrac{\sqrt{3}\, V_2 I_2}{2\, V_2 I_2} = \dfrac{\sqrt{3}}{2} \fallingdotseq 0.866 = 86.6[\%]$

15 정격용량 100[kVA]인 단상 변압기 3대를 △-△ 결선하여 300[kVA]의 3상 출력을 얻고 있다. 한 상에 고장이 발생하여 결선을 V결선으로 하는 경우 (a) 뱅크용량[kVA], (b) 각 변압기의 출력[kVA]은? [2016년 2회 기사]

① (a) 253, (b) 126.5

② (a) 200, (b) 100

③ (a) 173, (b) 86.6

④ (a) 152, (b) 75.6

해설 (a) $P_V = \sqrt{3}\,P = \sqrt{3} \times 100 ≒ 173.2[\text{kVA}]$

(b) 1대의 출력 $P_0 = \dfrac{P_V}{2} = \dfrac{173.2}{2} = 86.6[\text{kVA}]$

16 30[kW]의 3상 유도전동기에 전력을 공급할 때 2대의 단상 변압기를 사용하는 경우 변압기의 용량[kVA]은?(단, 전동기의 역률과 효율은 각각 84[%], 86[%]이고 전동기 손실은 무시한다) [2015년 2회 산업기사 / 2020년 3회 산업기사]

① 17

② 24

③ 51

④ 72

해설 단상 변압기 2대의 결선은 V결선이 되고 변압기 용량은 $\dfrac{P}{\sqrt{3}\cos\theta \times \eta}[\text{VA}]$가 된다.

$$P_a = \frac{P}{\sqrt{3}\cos\theta \times \eta} = \frac{30[\text{kW}]}{\sqrt{3} \times 0.84 \times 0.86} ≒ 24[\text{kVA}]$$

10. 병렬운전

(1) 변압기의 부하가 증대하여 새로운 변압기를 증설할 경우 또는 경제적 운전을 하는 점 등으로 보아 2개 이상의 변압기 1차 측과 2차 측을 각각 병렬로 연결하여 운전할 필요가 있게 된다. 이것을 병렬운전이라고 한다. 병렬운전을 이상적으로 하면 다음과 같이 된다.

① 각 변압기가 그 용량에 비례하여 전류를 분담한다.
② 각 변압기에 대한 전류의 대수합이 항상 전체의 부하전류와 같다.
③ 병렬로 되어 있는 각 변압기에서 이루어진 폐회로에 순환전류가 흐르지 않는다.
※ 실용상 상관없는 정도라면 이들의 요건은 반드시 만족되지 않아도 좋다.

(2) **단상 변압기의 병렬운전 조건**

① 각 변압기의 극성이 일치할 것
② 각 변압기의 권수비가 같고, 1차 및 2차의 정격전압이 같을 것
③ 각 변압기의 백분율 임피던스강하가 같을 것
④ 각 변압기의 $\dfrac{r}{x}$ 비가 같을 것

(3) **조건 확인**

① 병렬운전하는 경우에 가장 주의해야 할 것은 변압기의 극성을 맞추어야 한다. 즉, 1차 측에는 U와 U, V와 V를 접속하고 2차 측에는 u와 u, v와 v를 접속한다. 만약, 극성이 틀려서 반대로 u와 v를 접속한 때에는 양쪽의 2차 전압이 동상이 되어서 서로 가해지고, 이것이 2차 권선으로 된 폐회로에 작용하여 권선의 임피던스가 적기 때문에 대단히 큰 순환전류가 흘러서 권선을 소손한다.

② 권수비가 틀리면 2차 전압의 차가 생겨 2차 권선 사이에 소용없는 순환전류(횡류라고도 한다)가 흘러서 권선이 과열하는 원인이 된다.

③ 백분율 임피던스강하가 같지 않으면 부하의 분담이 부적당하게 된다. $P_{an}\,[\mathrm{VA}]$ 및 $P_{bn}\,[\mathrm{VA}]$는 각 변압기의 정격용량이다. 변압기 T_a의 정격용량을 변압기 T_b 용량의 m 배로 하면 $P_{an} = mP_{bn}$, $\dfrac{I_a}{I_b} = m\dfrac{\%Z_b}{\%Z_a}$ 이다. 따라서 어떠한 부하에 대해서도 각 변압기가 분담하는 전류가 정격용량에 비례하고 $\dfrac{I_a}{I_b} = m$ 로 되기 위해서는, 두 변압기의 $\%Z_a = \%Z_b$가 같아야 한다는 것을 알 수 있다.

④ $\dfrac{r}{x}$ 비가 같지 않으면 각 변압기의 전류 사이에 위상차가 있기 때문에 변압기의 동손이 증가하게 된다.

11. 3상 변압기

(1) 가능한 결선

① △-△와 △-△

② Y-Y와 Y-Y

③ △-△와 Y-Y

④ △-Y와 △-Y

⑤ Y-△와 Y-△

⑥ △-Y와 Y-△

(2) 불가능한 결선

① △-△와 △-Y

② △-Y와 Y-Y

③ △-Y와 △-△

(3) 3상 변압기의 병렬운전

① 병렬운전 조건

필요 조건	병렬운전이 불가능한 경우
기전력의 극성(위상)이 일치할 것	• △-△와 △-Y
권수비 및 1, 2차 정격전압이 같을 것	• Y-Y와 △-Y
각 변압기의 %Z가 같을 것	• Y-Y와 Y-△
각 변압기의 저항과 리액턴스비가 같을 것	• Y나 △의 총합이 홀수인 경우
상회전 방향 및 각 변위가 같을 것(3상)	

② 부하분담전류 : 누설임피던스에 반비례, 임피던스 전압에 반비례, 자기 정격용량에 비례한다.

01 3상 변압기를 병렬운전하는 경우 불가능한 조합은? [2017년 2회 기사]

① △-Y와 Y-△ ② △-△와 Y-Y

③ △-Y와 △-Y ④ △-Y와 △-△

해설 3상 변압기의 병렬운전의 결선조합

병렬운전 가능		병렬운전 불가능	
• △-△와 △-△	• Y-Y 와 Y-Y	• △-△와△-Y	• △-Y와 Y-Y
• Y-△와 Y-△	• △-Y와 △-Y	• Y-Y 와 Y-△	
• △-△와 Y-Y	• △-Y와 Y-△		

※ 이유 : 3개의 △, 3개의 Y는 2차 간에 정격전압이 다르며 30°의 변위가 생겨 순환전류가 흐른다.

02 3상 변압기를 병렬운전하는 조건으로 틀린 것은? [2021년 3회 기사]

① 각 변압기의 극성이 같을 것
② 각 변압기의 %임피던스강하가 같을 것
③ 각 변압기의 1차와 2차 정격전압과 변압비가 같을 것
④ 각 변압기의 1차와 2차 선간전압의 위상 변위가 다를 것

해설

필요 조건	병렬운전이 불가능한 경우
기전력의 극성(위상)이 일치할 것	• △-△와 △-Y
권수비 및 1, 2차 정격전압이 같을 것	• Y-Y와 △-Y
각 변압기의 %Z가 같을 것	• Y-Y와 Y-△
각 변압기의 저항과 리액턴스비가 같을 것	• Y나 △의 총합이 홀수인 경우
상회전 방향 및 각 변위가 같을 것(3상)	

01 ④ 02 ④ 정답

03 단상 변압기 2대를 병렬운전할 경우, 각 변압기의 부하전류를 I_a, I_b, 1차 측으로 환산한 임피던스를 Z_a, Z_b, 백분율 임피던스강하를 z_a, z_b, 정격용량을 P_{an}, P_{bn}이라 한다. 이때 부하분담에 대한 관계로 옳은 것은?

[2021년 1회 기사]

① $\dfrac{I_a}{I_b} = \dfrac{Z_a}{Z_b}$ ② $\dfrac{I_a}{I_b} = \dfrac{P_{bn}}{P_{an}}$

③ $\dfrac{I_a}{I_b} = \dfrac{z_b}{z_a} \times \dfrac{P_{an}}{P_{bn}}$ ④ $\dfrac{I_a}{I_b} = \dfrac{Z_a}{Z_b} \times \dfrac{P_{an}}{P_{bn}}$

해설
$$\frac{I_a}{I_b} = \frac{z_b}{z_a} \times \frac{P_{an}}{P_{bn}}$$
용량에 비례하고 누설임피던스에 반비례한다.

04 1차 및 2차 정격전압이 같은 2대의 변압기가 있다. 그 용량 및 임피던스강하가 A변압기는 5[kVA], 3[%], B변압기는 20[kVA], 2[%]일 때 이것을 병렬운전하는 경우 부하를 분담하는 비(A : B)는?

[2013년 2회 기사]

① 1 : 4 ② 1 : 6
③ 2 : 3 ④ 3 : 2

해설
분담비 $\dfrac{I_a}{I_b} = \dfrac{P_{an}}{P_{bn}} \times \dfrac{\%Z_b}{\%Z_a} = \dfrac{5}{20} \times \dfrac{2}{3} = \dfrac{1}{6}$ 이므로 1 : 6분담이다.

05 3,300/220[V] 변압기 A, B의 정격용량이 각각 400[kVA], 300[kVA]이고, %임피던스강하가 각각 2.4[%]와 3.6[%]일 때 그 2대의 변압기에 걸 수 있는 합성부하용량은 몇 [kVA]인가?

[2020년 3회 기사]

① 550 ② 600
③ 650 ④ 700

해설
$$\frac{P_b}{P_a} = \frac{\%Z_a}{\%Z_b} \times \frac{P_B}{P_A} = \frac{2.4}{3.6} \times \frac{300}{400} = \frac{1}{2}$$
$$P_a = 400[\text{kVA}]$$
$$P_b = \frac{1}{2}P_a = \frac{1}{2} \times 400 = 200[\text{kVA}]$$
$$\therefore \text{합성부하용량} = P_a + P_b = 400 + 200 = 600[\text{kVA}]$$

정답 03 ③ 04 ② 05 ②

06 변압기의 병렬운전 조건에 해당하지 않는 것은?　　　　　　　　　[2017년 1회 산업기사]

① 각 변압기의 극성이 같을 것

② 각 변압기의 정격출력이 같을 것

③ 각 변압기의 백분율 임피던스강하가 같을 것

④ 각 변압기의 권수비가 같고 1차 및 2차의 정격전압이 같을 것

해설　**변압기 병렬운전 조건**
- 각 변압기의 극성이 같을 것
- 각 변압기의 권수비가 같고, 1차 및 2차의 정격전압이 같을 것
- 각 변압기의 백분율 임피던스강하가 같을 것
- 각 변압기의 $\dfrac{r}{x}$ 비가 같을 것

07 3상 변압기의 병렬운전 조건으로 틀린 것은?　　　　　　　　　　[2020년 4회 기사]

① 각 군의 임피던스가 용량에 비례할 것

② 각 변압기의 백분율 임피던스강하가 같을 것

③ 각 변압기의 권수비가 같고 1차와 2차의 정격전압이 같을 것

④ 각 변압기의 상회전 방향 및 1차와 2차 선간전압의 위상 변위가 같을 것

해설　**3상 변압기 병렬운전 조건**
- 기전력의 극성(위상)이 일치할 것
- 권수비 및 1, 2차 정격전압이 같을 것
- 각 변압기의 %Z가 같을 것
- 각 변압기의 저항과 리액턴스비가 같을 것
- 상회전 방향 및 각 변위가 같을 것(3상)
- 부하분담은 용량에 비례하고 임피던스는 반비례

08 단상 변압기의 병렬운전 시 요구사항으로 틀린 것은?　　　　　　　　　　[2019년 2회 기사]

① 극성이 같을 것
② 정격출력이 같을 것
③ 정격전압과 권수비가 같을 것
④ 저항과 리액턴스의 비가 같을 것

해설　**변압기 병렬운전 조건**
• 각 변압기의 극성이 같을 것
• 각 변압기의 권수비가 같고, 1차 및 2차의 정격전압이 같을 것
• 각 변압기의 백분율 임피던스강하가 같을 것
• 각 변압기의 $\dfrac{r}{x}$ 비가 같을 것

09 단상 변압기를 병렬운전하는 경우 부하전류의 분담에 관한 설명 중 옳은 것은?

[2018년 2회 산업기사]

① 누설리액턴스에 비례한다.
② 누설임피던스에 비례한다.
③ 누설임피던스에 반비례한다.
④ 누설리액턴스의 제곱에 반비례한다.

해설　$P_{an} = mP_{bn}$

$$\frac{I_a}{I_b} = m\frac{\%Z_b}{\%Z_a} = \frac{P_{an}}{P_{bn}} \times \frac{\%Z_b}{\%Z_a}$$

∴ 용량에 비례하고 누설임피던스에 반비례한다.

10 단상 변압기를 병렬운전할 경우 부하전류의 분담은?　　　　[2016년 3회 기사 / 2022년 2회 기사]

① 용량에 비례하고 누설임피던스에 비례
② 용량에 비례하고 누설임피던스에 반비례
③ 용량에 반비례하고 누설리액턴스에 비례
④ 용량에 반비례하고 누설리액턴스의 제곱에 비례

해설　9번 해설 참조

11 단상 변압기를 병렬운전하는 경우 각 변압기의 부하분담이 변압기의 용량에 비례하려면 각각의 변압기의 %임피던스는 어느 것에 해당되는가? [2019년 3회 기사]

① 어떠한 값이라도 좋다.
② 변압기 용량에 비례하여야 한다.
③ 변압기 용량에 반비례하여야 한다.
④ 변압기 용량에 관계없이 같아야 한다.

해설 **변압기 병렬운전 조건**
• 각 변압기의 극성이 같을 것
• 각 변압기의 권수비가 같고, 1차 및 2차의 정격전압이 같을 것
• 각 변압기의 백분율 임피던스강하가 같을 것
• 각 변압기의 $\dfrac{r}{x}$ 비가 같을 것

12 2차로 환산한 임피던스가 각각 $0.03 + j0.02[\Omega]$, $0.02 + j0.03[\Omega]$인 단상 변압기 2대를 병렬로 운전시킬 때 분담전류는? [2015년 2회 기사]

① 크기는 같으나 위상이 다르다.
② 크기와 위상이 같다.
③ 크기는 다르나 위상이 같다.
④ 크기와 위상이 다르다.

해설 **단상 변압기의 병렬운전**
• 2차 환산 임피던스

$$Z_a = 0.03 + j0.02 = \sqrt{0.03^2 + 0.02^2} \angle \tan^{-1}\frac{0.02}{0.03} \fallingdotseq 0.036 \angle 33.69°$$

• 2차 환산 임피던스

$$Z_b = 0.02 + j0.03 = \sqrt{0.02^2 + 0.03^2} \angle \tan^{-1}\frac{0.03}{0.02} \fallingdotseq 0.036 \angle 56.31°$$

• 결 론
  – 두 임피던스는 같으므로 분담전류는 같다.
  – 두 임피던스의 위상각은 다르므로 위상은 다르다.

13 변압기의 정격을 정의한 것 중 옳은 것은?

[2016년 3회 산업기사]

① 전부하의 경우 1차 단자전압을 정격 1차 전압이라 한다.

② 정격 2차 전압은 명판에 기재되어 있는 2차 권선의 단자전압이다.

③ 정격 2차 전압을 2차 권선의 저항으로 나눈 것이 정격 2차 전류이다.

④ 2차 단자 간에서 얻을 수 있는 유효전력을 [kW]로 표시한 것이 정격출력이다.

해설 정격 2차 전압은 명판에 기재되어 있는 2차 권선의 단자전압이다.

12. 변압기의 구조

(1) 변압기의 분류

① 내철형(Core Type) : 그림 (a)와 같이 철심이 안쪽에 있고 권선이 양쪽 철심각에 감겨져 있는 변압기이다.

② 외철형(Shell Type) : 그림 (b)와 같이 권선이 안쪽에 감겨져 있고 권선을 둘러싸고 있는 변압기이다.

③ 권철심형 : 그림 (c)와 같이 냉간압연의 규소강대를 맴돌이모양으로 감아서 만든 것이다.

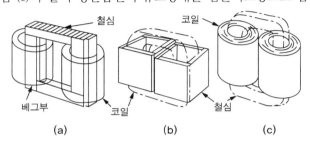

(a)   (b)   (c)

(2) 변압기의 철심

① 규소 강판 : 변압기 철심에는 철손을 적게 하기 위하여 4[%]의 규소를 포함한 연강판을 포개서 성층철심으로 한다.

    ㉠ 보통의 전력용 변압기 : 0.35[mm]의 것이 표준

    ㉡ 주파수 60[Hz], 자속밀도 1[Wb/m^2] : 철손 0.2[W/kg]

    ㉢ 주파수 50[Hz], 자속밀도 1[Wb/m^2] : 철손 1.3[W/kg]

② 도체 : 변압기의 권선에 쓰이는 도체는 둥근 동선(나선)과 평각 동선이다.

(3) 변압기의 기름

① 변압기 기름의 구비 조건

    ㉠ 절연내력이 커야 한다.

    ㉡ 점도가 작고 비열이 커서 냉각효과가 커야 한다.

    ㉢ 인화점이 높아야 한다(130[℃] 이상).

    ㉣ 응고점이 낮아야 한다(-30[℃] 이하).

    ㉤ 절연재료와 금속에 접촉하여도 화학작용을 일으키지 않아야 한다.

    ㉥ 높은 온도에서 석출물이 생기거나 산화하지 않아야 한다.

    ㉦ 열전도율이 커야 한다.

    ㉧ 열팽창계수는 작아야 한다.

② 변압기의 호흡작용

변압기의 외함은 밀폐되어 있으나, 외기의 온도가 변하거나 부하가 변하면 외함 내부의 기름의 온도가 변화하여 기름의 부피가 변화하므로 외함 내부의 기름과 대기압 사이에 차가 생겨 공기가 출입하는 작용을 변압기 호흡작용이라 한다.

㉠ 변압기 내부에 습기가 들어가므로 기름의 절연내력이 떨어진다.

㉡ 가열된 기름이 공기와 접촉하여 산화되고 기름이 열화하여 불용성 침전물이 생긴다.

③ 변압기 기름의 열화

㉠ 열화 원인 : 변압기의 호흡작용에 의해 고온의 절연유가 외부 공기와의 접촉에 의한 열화 발생

㉡ 열화 영향 : 절연내력의 저하, 냉각효과 감소, 침식작용

㉢ 열화 방지 설비 : 브리더, 질소 봉입, 콘서베이터 설치

(4) 냉각방식

① 건식자랭식(공랭식) : 공기의 대류를 이용하여 특별한 냉각방법이 필요 없다. 계기용 변압기, 저압용 변압기에 사용한다.

② 건식풍랭식 : 건식변압기에 송풍기를 붙여 냉각효과를 높이는 것이다.

③ 유입자랭식 : 기름의 대류를 이용하여 변압기 내부에 생기는 열을 외부로 발산시킨다.

④ 유입풍랭식 : 유입변압기의 방열기를 송풍기에 의해서 강제 냉각시키는 것이다.

⑤ 유입수랭식 : 외함이 위쪽에 있는 기름 속에 냉각관을 넣고, 이것에 냉각수를 순환시켜 냉각하는 방법이다.

⑥ 유입송유식 : 외함 위쪽에 있는 가열된 기름을 펌프로 외부에 있는 냉각기를 통하여 나오도록 한 다음, 냉각된 기름을 외함의 밑으로 순환하는 방법이다.

핵 / 심 / 예 / 제

01 변압기 철심으로 갖추어야 할 성질로 맞지 않은 것은? [2012년 1회 산업기사 / 2017년 1회 산업기사]

① 투자율이 클 것
② 전기저항이 작을 것
③ 히스테리시스계수가 작을 것
④ 성층철심으로 할 것

해설 **변압기 철심의 조건**
- 자기저항이 작을 것 : $R[\text{Wb/AT}] = \dfrac{1}{\mu s}$
- 투자율이 클 것
- 히스테리시스계수가 작을 것 : 히스테리시스손 감소
- 성층철심으로 할 것 : 와류손 감소

02 변압기의 습기를 제거하여 절연을 향상시키는 건조법이 아닌 것은? [2022년 2회 기사]

① 열풍법　　　　　　　　② 단락법
③ 진공법　　　　　　　　④ 건식법

해설 ④는 관계가 없다.

03 변압기에서 사용되는 변압기유의 구비 조건으로 틀린 것은? [2019년 2회 기사]

① 점도가 높을 것
② 응고점이 낮을 것
③ 인화점이 높을 것
④ 절연내력이 클 것

해설 **변압기 절연유의 구비 조건**
- 절연내력이 클 것
- 점도가 작고 비열이 커서 냉각효과(열방사)가 클 것
- 인화점은 높고, 응고점은 낮을 것
- 고온에서 산화하지 않고, 침전물이 생기지 않을 것

01 ②　02 ④　03 ① 　**정답**

04 변압기유에 요구되는 특성으로 틀린 것은?

[2021년 3회 기사]

① 점도가 클 것
② 응고점이 낮을 것
③ 인화점이 높을 것
④ 절연내력이 클 것

> **해설** **변압기 절연유의 구비 조건**
> • 절연내력이 클 것
> • 점도가 작고 비열이 커서 냉각효과(열방산)가 클 것
> • 인화점은 높고, 응고점은 낮을 것
> • 고온에서 산화하지 않고, 침전물이 생기지 않을 것

05 변압기의 절연유로서 갖추어야 할 조건이 아닌 것은?

[2016년 3회 산업기사]

① 비열이 커서 냉각효과가 클 것
② 절연저항 및 절연내력이 작을 것
③ 인화점이 높고 응고점이 낮을 것
④ 고온에서도 석출물이 생기거나 산화하지 않을 것

> **해설** 4번 해설 참조

06 변압기유 열화방지방법 중 틀린 것은?

[2016년 1회 산업기사]

① 밀봉방식
② 흡착제방식
③ 수소봉입방식
④ 개방형 콘서베이터

> **해설** **열화방지 설비** : 브리더, 질소봉입, 콘서베이터 설치
> ※ 수소가스는 권선 사이에서 아크에 의해 발생하는 가스이다.

정답 04 ① 05 ② 06 ③

07 유입식변압기에 콘서베이터(Conservator)를 설치하는 목적으로 옳은 것은?

[2018년 3회 산업기사]

① 충격 방지
② 열화 방지
③ 통풍 장치
④ 코로나 방지

해설 **변압기 기름의 열화**
열화방지 설비 : 브리더, 질소봉입, 콘서베이터

08 변압기의 냉각방식 중 유입자랭식의 표시기호는?

[2017년 3회 산업기사]

① ANAN
② ONAN
③ ONAF
④ OFAF

해설 냉각방식의 분류 및 표시기호

냉각방식	표시기호	권선철심의 냉매체		주변의 냉각매체	
		종 류	순환방식	종 류	순환방식
건식자랭식	AN	Air	Nature(자연)	–	–
건식풍랭식	AF	Air	Forcing(강제)	–	–
건식밀폐자랭식	ANAN	Air	Nature(자연)	Air	Nature(자연)
유입자랭식	ONAN	Oil	Nature(자연)	Air	Nature(자연)
유입풍랭식	ONAF	Oil	Nature(자연)	Air	Forcing(강제)
유입수랭식	ONWF	Oil	Nature(자연)	Water	Forcing(강제)
송유자랭식	OFAN	Oil	Forcing(강제)	Air	Nature(자연)
송유풍랭식	OFAF	Oil	Forcing(강제)	Air	Forcing(강제)
송유수랭식	OFWF	Oil	Forcing(강제)	Water	Forcing(강제)

13. 손 실

변압기에는 회전 부분이 없으므로 기계손은 없고 대부분이 철손 및 동손(저항손)이기 때문에 효율은 회전전기기계에 비하여 좋다. 변압기는 부하가 접속되지 않은 경우라도 1차측이 회로에 접속되어 있으면 무부하전류에 의한 손실이 생기므로 그 손실은 무부하손과 부하손으로 나누어 생각한다.

(1) 무부하손

무부하손은 2차 권선을 개방하고, 1차 단자에 정격전압을 가한 경우에 생기는 손실이며, 철손이나 여자전류에 의한 권선의 저항손 및 절연물 안에서 일어나는 유전체손을 포함하고 있다. 이 중에서 저항손은 여자전류를 $I_0[\mathrm{A}]$, 1차 권선의 저항을 $r_1[\Omega]$이라 하면 $r_1 I_0{}^2[\mathrm{W}]$로 극히 작은 전력이며, 또한 유전체손은 전압이 대단히 높은 때 이외에는 극히 작기 때문에 일반적인 변압기에서는 무시해도 좋다.

(2) 히스테리시스손

$$P_h = \sigma_h f B_m{}^{1.6} \sim \sigma_h f B_m{}^2 [\mathrm{W/kg}]$$

여기서, σ_h는 재료에 의한 상수로 히스테리시스 상수라 하며, f는 주파수[Hz], B_m은 자속밀도의 최댓값[$\mathrm{Wb/m^2}$]이다.

B_m이 $1[\mathrm{Wb/m^2}]$ 이하일 때에 P_h는 대개 $B_m{}^{1.6}$에 비례하고, B_m이 $1[\mathrm{Wb/m^2}]$을 넘을 때에 P_h는 대개 $B_m{}^2$에 비례한다. 철손의 약 $80[\%]$는 히스테리시스손이며 또한, 변압기에서는 기계손이 없고 철손의 대소가 효율에 큰 영향을 주므로 철심으로서는 σ_h가 적은 규소강판이 사용된다 $\left(P_h \propto \dfrac{E^2}{f} \right)$.

(3) 와류손

와전류손은 자속의 변화에 따라 철심 안에 유도되는 와전류에 의한 것이며 많은 실험을 한 결과 다음 식으로 표시된다.

$$P_e = \sigma_e (tfk_f B_m)^2 \,[\text{W/kg}]$$

여기서, σ_e는 재료에 의한 상수, t는 철판의 두께[m], f는 주파수[Hz], k_f는 기전력의 파형률, B_m은 자속밀도의 최댓값[Wb/m^2]이다.

식에서와 같이 와전류손은 철판 두께의 제곱에 비례하기 때문에 가능한 한 얇은 것을 사용하는 것이 바람직하다.

※ 기기에서는 전압이 주어지므로 $P_h = \sigma_h f \left(\dfrac{E}{f}\right)^2$ 이므로 $P_h \propto \dfrac{E^2}{f}$ 이며

$$P_e = \sigma_e f^2 \left(\dfrac{E}{f}\right)^2 \text{이므로 } P_e \propto E^2 \text{이며}$$

$$P_e \text{는 } f \text{와 무관하다.}$$

∴ P_h를 줄이기 위해서는 σ_h를 감소시켜야 하므로 규소를 함유하며(변압기 4[%])

P_e를 줄이기 위해서는 $P_e \propto t^2$이므로 강판성층해야 한다($t = 0.35\,[\text{mm}]$).

14. 손실과 효율

(1) 손 실

무부하손(철손)	히스테리시스손	$P_h = \sigma_h \left(\dfrac{f}{100}\right) B_m^{\,2} \left(P_h \propto \dfrac{E^2}{f}\right)$
	와류손	$P_e = \sigma_e \left(\dfrac{f}{100}\right)^2 B_m^{\,2} \left(P_h \propto E^2\right)$
부하손	1차 저항손	$P_{c1} = I_1^{\,2} r_1$
	2차 저항손	$P_{c2} = I_2^{\,2} r_2$

(2) 효 율

변압기의 효율은 정격 2차 전압 및 정격주파수에 대한 출력[kW] 또는 입력과 전체 손실을 기본으로 하여 다음과 같은 식으로 표시된다.

효율 $\eta = \dfrac{\text{출력}[\text{kW}]}{\text{출력}[\text{kW}] + \text{손실}[\text{kW}]} \times 100\,[\%] = \dfrac{\text{입력}[\text{kW}] - \text{손실}[\text{kW}]}{\text{입력}[\text{kW}]} \times 100\,[\%]$

여기서, 손실이란 각 권선에 대한 부하손의 합 및 무부하손의 합계를 말한다.

정격 2차 전압을 $V_{2n}[\text{V}]$, 정격 2차 전류를 $I_{2n}[\text{A}]$, 부하의 역률을 $\cos\theta$, 철손 $P_i[\text{W}]$, 2차 측으로 환산한 전체 저항을 $r_{12}[\Omega]$이라 하면 효율 η는 다음 식으로 표시된다.

$$\eta = \frac{V_{2n}\,I_{2n}\cos\theta}{V_{2n}\,I_{2n}\cos\theta + P_i + r_{12}\,I_{2n}^{\,2}} \times 100\,[\%]$$

① **최대효율의 조건** : 분모가 최소가 되는 조건을 구하면 된다.

$$y = V_2\cos\phi + \frac{P_0}{I_2} + RI_2$$

$$\frac{dy}{dI_2} = -\frac{P_0}{I_2^{\,2}} + R = 0$$

$$\therefore\ P_0 = RI_2^{\,2} = P_c(\text{즉, 부하손과 무부하손이 같을 때 최대})$$

② $\frac{1}{m}$ 부하에 대한 효율은 다음과 같다.

$$\eta_{\frac{1}{m}} = \frac{\dfrac{1}{m}\,V_{2n}\,I_{2n}\cos\theta}{\dfrac{1}{m}\,V_{2n}\,I_{2n}\cos\theta + P_i + \left(\dfrac{1}{m}\right)^2 r_{12}\,I_{2n}^{\,2}} \times 100\,[\%]$$

※ 최대효율의 조건 : $P_i = \left(\dfrac{1}{m}\right)^2 P_c \left(\text{여기서, 부하 } \dfrac{1}{m} = \sqrt{\dfrac{P_i}{P_c}}\right)$

③ **전일효율**

1일 중 T시간 동안에 $V_2\,I_2\cos\theta$의 부하로 사용되고, 그 외의 시간은 무부하인 경우의 전일효율 η_d는 다음과 같이 된다.

$$\eta_d = \frac{V_2\,I_2\cos\theta \times \sum T}{V_2\,I_2\cos\theta \times \sum T + 24P_i + r_{12}\,I_2^{\,2} \times \sum T} \times 100$$

전일효율을 최대로 하기 위해서는 무부하손의 합과 부하손의 합이 같을 때이며

$$24P_i = r_{12}\,I_2^{\,2} \times \sum T,\ \ P_i = r_{12}I_2^{\,2} \times \frac{T}{24}$$

따라서, 전부하시간이 짧을수록 철손을 동손보다 작게 해야 한다.

※ 주파수에 따른 변화

$$f \propto \frac{1}{B_m} \propto \frac{1}{P_h} \propto \frac{1}{P_i} \propto \frac{1}{I_0} \propto Z \propto \chi_l$$

핵 / 심 / 예 / 제

01 와전류 손실을 패러데이 법칙으로 설명한 과정 중 틀린 것은? [2017년 2회 기사]

① 와전류가 철심으로 흘러 발열
② 유기전압 발생으로 철심에 와전류가 흐름
③ 시변 자속으로 강자성체 철심에 유기전압 발생
④ 와전류 에너지 손실량은 전류 경로 크기에 반비례

해설 와전류 에너지 손실량은 전류 경로 크기에 비례한다.

02 변압기의 부하가 증가할 때의 현상으로서 틀린 것은? [2017년 2회 산업기사]

① 동손이 증가한다.　　　　　② 온도가 상승한다.
③ 철손이 증가한다.　　　　　④ 여자전류는 변함없다.

해설 철손은 무부하손이므로 부하와 관계가 없다.

03 부하전류가 2배로 증가하면 변압기의 2차 측 동손은 어떻게 되는가? [2018년 2회 기사]

① $\frac{1}{4}$ 로 감소한다.　　　　② $\frac{1}{2}$ 로 감소한다.
③ 2배로 증가한다.　　　　　④ 4배로 증가한다.

해설 동손 $P_c = I^2 R$ 이므로 전류가 2배로 증가하면 동손은 4배로 증가한다.

01 ④　02 ③　03 ④　**정답**

04 표면을 절연 피막처리 한 규소강판을 성층하는 이유로 옳은 것은? [2020년 3회 산업기사]

① 절연성을 높이기 위해

② 히스테리시스손을 작게 하기 위해

③ 자속을 보다 잘 통하게 하기 위해

④ 와전류에 의한 손실을 작게 하기 위해

해설 • 와전류손을 감소 : 강판성층
      • 히스테리시스손을 감소 : 규소강판

05 변압기에서 생기는 철손 중 와류손(Eddy Current Loss)은 철심의 규소강판 두께와 어떤 관계에 있는가? [2021년 2회 기사]

① 두께에 비례

② 두께의 2승에 비례

③ 두께의 3승에 비례

④ 두께의 $\frac{1}{2}$ 승에 비례

해설 $P_2 = \eta(fBmt)^2 \propto t^2$

06 전기기기에 있어 와전류손(Eddy Current Loss)을 감소시키기 위한 방법은? [2016년 3회 산업기사]

① 냉각압연

② 보상권선 설치

③ 교류전원을 사용

④ 규소강판을 성층하여 사용

해설 4번 해설 참조

07 와전류 손실을 패러데이 법칙으로 설명한 과정 중 틀린 것은? [2021년 2회 기사]

① 와전류가 철심 내에 흘러 발열 발생
② 유도기전력 발생으로 철심에 와전류가 흐름
③ 와전류 에너지 손실량은 전류밀도에 반비례
④ 시변 자속으로 강자성체 철심에 유도기전력 발생

해설 와전류 에너지 손실량은 전류 경로 크기에 비례한다.

08 히스테리시스손과 관계가 없는 것은? [2015년 2회 기사]

① 최대 자속밀도
② 철심의 재료
③ 회전수
④ 철심용 규소강판의 두께

해설

철손 (P_i)	히스테리시스손(P_h)	$P_h = \eta f B_m^{1.6 \sim 2}[\mathrm{W}]$
	와류손(P_e)	$P_e = \delta f^2 B_m^2 t^2[\mathrm{W}]$

전압이 일정할 때
유기기전력 $E_1 = 4.44 f N_1 \phi_m = 4.44 f N_1 B_m A[\mathrm{V}]$ 에서

$B_m \propto \dfrac{1}{f}$ 이므로 식에 대입하면

$P_h \propto \dfrac{1}{f}$, P_e 는 f와 무관하게 된다.

※ 두께는 와류손과 관련이 있다.

09 일반적인 변압기의 무부하손 중 효율에 가장 큰 영향을 미치는 것은?　　　[2017년 3회 기사]

① 와전류손　　　　　　　　　② 유전체손
③ 히스테리시스손　　　　　　④ 여자전류 저항손

해설　철심의 약 80[%]는 히스테리시스손이며 변압기에서는 기계손이 없고 철손의 대소가 효율에 큰 영향을 주므로 철심으로 히스테리시스 면적이 작은 규소강판이 사용된다.

10 단상 변압기의 무부하 상태에서 $V_1 = 200\sin(\omega t + 30°)[\mathrm{V}]$의 전압이 인가되었을 때 $I_0 = 3\sin(\omega t + 60°) + 0.7\sin(3\omega t + 180°)[\mathrm{A}]$의 전류가 흘렀다. 이때 무부하손은 약 몇 [W]인가?　　　[2022년 2회 기사]

① 150　　　　　　　　　　　② 259.8
③ 415.2　　　　　　　　　　④ 512

해설
$$P_0 = V_1 I_0 \cos\theta [\mathrm{W}]$$
$$= V_1 I_1 \cos\theta_1$$
$$= \frac{200}{\sqrt{2}} \times \frac{3}{\sqrt{2}} \cos 30° = 259.8[\mathrm{W}]$$

11 일반적인 변압기의 손실 중에서 온도상승에 관계가 가장 적은 요소는?　　　[2018년 3회 기사]

① 철 손　　　　　　　　　　② 동 손
③ 와류손　　　　　　　　　　④ 유전체손

해설　유전체손은 주로 케이블에서 발생하기 때문에 변압기의 온도상승에 관계가 가장 적다.

12 와류손이 50[W]인 3,300/110[V], 60[Hz]용 단상 변압기를 50[Hz], 3,000[V]의 전원에 사용
하면 이 변압기의 와류손은 약 몇 [W]로 되는가? [2017년 1회 산업기사]

① 25   ② 31

③ 36   ④ 41

> **해설** 와류손은 주파수와 무관하며 전압의 제곱에 비례
>
> $$P_e{}' = P_e \times \left(\frac{E'}{E}\right)^2 = 50 \times \left(\frac{3,000}{3,300}\right)^2 \fallingdotseq 41[\text{W}]$$

13 정격전압, 정격주파수가 6,600/220[V], 60[Hz], 와류손이 720[W]인 단상 변압기가 있다. 이 변
압기를 3,300[V], 50[Hz]의 전원에 사용하는 경우 와류손은 약 몇 [W]인가? [2017년 3회 기사]

① 120   ② 150

③ 180   ④ 200

> **해설** 와류손은 주파수와 무관, $P_p \propto E^2$
>
> $$\therefore P_e{}' = \left(\frac{E'}{E}\right)^2 P_e = \left(\frac{3,300}{6,600}\right)^2 \times 720 = 180[\text{W}]$$

14 정격주파수 50[Hz]의 변압기를 일정 전압 60[Hz]의 전원에 접속하여 사용했을 때 여자전류, 철손 및 리액턴스 강하는?

[2017년 2회 산업기사]

① 여자전류와 철손은 $\dfrac{5}{6}$ 감소, 리액턴스 강하 $\dfrac{6}{5}$ 증가

② 여자전류와 철손은 $\dfrac{5}{6}$ 감소, 리액턴스 강하 $\dfrac{5}{6}$ 감소

③ 여자전류와 철손은 $\dfrac{6}{5}$ 증가, 리액턴스 강하 $\dfrac{6}{5}$ 증가

④ 여자전류와 철손은 $\dfrac{6}{5}$ 증가, 리액턴스 강하 $\dfrac{5}{6}$ 감소

해설

$P_h \propto \dfrac{1}{f}, \ x \propto f$

15 주파수가 정격보다 3[%] 감소하고 동시에 전압이 정격보다 3[%] 상승된 전원에서 운전되는 변압기가 있다. 철손이 fB_m^2 에 비례한다면 이 변압기 철손은 정격상태에 비하여 어떻게 달라지는가?(단, f : 주파수, B_m : 자속밀도 최대치이다)

[2017년 2회 기사]

① 약 8.7[%] 증가   ② 약 8.7[%] 감소

③ 약 9.4[%] 증가   ④ 약 9.4[%] 감소

해설

정격주파수 f, 정격전압 V라고 하면, 철손 $P_i = kfB_m^2 = kf\left(k'\dfrac{V}{f}\right)^2$ 의 조건에서 상승한 주파수는 $f' = 0.97f$, 감소한 전압은 $V' = 1.03V$, 이때의 철손을 $P_i{}'$ 라고 하면

$P_i{}' = k\dfrac{V'^2}{f'} = k\dfrac{1.03^2 V^2}{0.97f} \fallingdotseq \dfrac{1.06}{0.97}P_i \fallingdotseq 1.0927P_i$

즉, 철손은 약 9.4[%] 증가한다.

16 변압기의 효율이 가장 좋을 때의 조건은?

[2020년 3회 산업기사]

① 철손 = 동손

② 철손 = $\dfrac{1}{2}$ 동손

③ $\dfrac{1}{2}$ 철손 = 동손

④ 철손 = $\dfrac{2}{3}$ 동손

해설 **최대효율의 조건**

$$y = V_2 \cos\phi + \frac{P_0}{I_2} + RI_2$$

$$\frac{dy}{dI_2} = -\frac{P_0}{I_2^2} + R = 0$$

$$\therefore P_0 = RI_2^2 = P_c (\text{즉, 부하손과 무부하손이 같을 때 최대})$$

17 철손 1.6[kW], 전부하동손 2.4[kW]인 변압기에는 약 몇 [%] 부하에서 효율이 최대로 되는가?

[2016년 1회 기사]

① 82

② 95

③ 97

④ 100

해설 $\dfrac{1}{m}$ **부하에서 최대효율 조건**

$$\left(\frac{1}{m}\right)^2 P_c = P_i$$

$$\therefore \frac{1}{m} = \sqrt{\frac{P_i}{P_c}} = \sqrt{\frac{1.6}{2.4}} = \frac{\sqrt{6}}{3} \fallingdotseq 0.816$$

18 변압기의 전부하동손이 270[W], 철손이 120[W]일 때 최고효율로 운전하는 출력은 정격출력의 약 몇 [%]인가?

[2016년 1회 산업기사]

① 66.7

② 44.4

③ 33.3

④ 22.5

해설 $\dfrac{1}{m}$ **부하에서 최대효율 조건**

$$\left(\frac{1}{m}\right)^2 P_c = P_i$$

$$\therefore \frac{1}{m} = \sqrt{\frac{P_i}{P_c}} = \sqrt{\frac{120}{270}} \fallingdotseq 0.667$$

16 ① 17 ① 18 ① **정답**

19 용량이 50[kVA] 변압기의 철손이 1[kW]이고 전부하동손이 2[kW]이다. 이 변압기를 최대효율에서 사용하려면 부하를 약 몇 [kVA] 인가하여야 하는가? [2017년 3회 산업기사]

① 25

② 35

③ 50

④ 71

해설

• 최대효율을 얻기 위한 부하 $\dfrac{1}{m} = \sqrt{\dfrac{P_i}{P_c}} = \sqrt{\dfrac{1}{2}}$

• 최대효율을 얻기 위한 부하용량 $P' = \dfrac{1}{m}P = \sqrt{\dfrac{1}{2}} \times 50 \fallingdotseq 35.36[\text{kVA}]$

20 변압기 운전에 있어 효율이 최대가 되는 부하는 전부하의 75[%]였다고 하면, 전부하에서의 철손과 동손의 비는? [2016년 3회 기사]

① 4 : 3

② 9 : 16

③ 10 : 15

④ 18 : 30

해설

$$\dfrac{1}{m} = \sqrt{\dfrac{P_i}{P_c}} = 0.75$$

$$\therefore \dfrac{P_i}{P_c} = 0.75^2 = \dfrac{9}{16}$$

21 정격 150[kVA], 철손 1[kW], 전부하동손이 4[kW]인 단상 변압기의 최대효율[%]과 최대효율 시의 부하[kVA]는?(단, 부하 역률은 1이다) [2019년 1회 산업기사]

① 96.8[%], 125[kVA]

② 97[%], 50[kVA]

③ 97.2[%], 100[kVA]

④ 97.4[%], 75[kVA]

해설

최대효율 조건 : $\left(\dfrac{1}{m}\right)^2 P_c = P_i$

부하 $\dfrac{1}{m} = \sqrt{\dfrac{P_i}{P_c}} = \sqrt{\dfrac{1}{4}} = 0.5$

동손 $P_c = 4\left(\dfrac{1}{m}\right)^2 = 4\left(\dfrac{1}{2}\right)^2 = 1$

$\therefore$ 최대효율 시 용량 $P \times \dfrac{1}{m} = 150 \times 0.5 = 75[\text{kVA}]$

효율 $\eta = \dfrac{출력}{출력 + 철손 + 동손} = \dfrac{75}{75 + 1 + 1} \times 100 \fallingdotseq 97.4[\%]$

정답 19 ② 20 ② 21 ④

22 150[kVA]의 변압기의 철손이 1[kW], 전부하동손이 2.5[kW]이다. 역률 80[%]에 있어서의 최대효율은 약 몇 [%]인가? [2018년 1회 기사]

① 95

② 96

③ 97.4

④ 98.5

해설

최대효율 $\eta = \dfrac{\frac{1}{m}P}{\frac{1}{m}P + P_i + \left(\frac{1}{m}\right)^2 P_c} \times 100$

- $\dfrac{1}{m} = \sqrt{\dfrac{P_i}{P_c}} = \sqrt{\dfrac{1}{2.5}} \fallingdotseq 0.63$

- $\dfrac{1}{m}P = 150 \times 0.8 \times 0.63 = 75.6[\text{kW}]$

- $\left(\dfrac{1}{m}\right)^2 P_c = 2.5 \times 0.63^2 \fallingdotseq 1[\text{kW}]$

∴ 최대효율 $\eta = \dfrac{75.6}{75.6 + 1 + 1} \times 100 \fallingdotseq 97.4[\%]$

23 3/4 부하에서 효율이 최대인 주상변압기의 전부하 시 철손과 동손의 비는? [2019년 1회 기사]

① 8 : 4

② 4 : 8

③ 9 : 16

④ 16 : 9

해설 $\dfrac{1}{m} = \sqrt{\dfrac{P_i}{P_c}} = \dfrac{3}{4} = 0.75$

∴ $\dfrac{P_i}{P_c} = 0.75^2 = \dfrac{9}{16}$

24 어떤 주상변압기가 4/5부하일 때 최대효율이 된다고 한다. 전부하에 있어서의 철손과 동손의 비 P_c/P_i는 약 얼마인가?

[2017년 2회 산업기사]

① 0.64
② 1.56
③ 1.64
④ 2.56

해설 $\dfrac{P_i}{P_c} = \left(\dfrac{1}{m}\right)^2$ 에서 역수이므로 $\dfrac{P_c}{P_i} = \left(\dfrac{5}{4}\right)^2 \fallingdotseq 1.56$

25 변압기의 전일효율이 최대가 되는 조건은?

[2016년 1회 기사]

① 하루 중의 무부하손의 합 = 하루 중의 부하손의 합
② 하루 중의 무부하손의 합 < 하루 중의 부하손의 합
③ 하루 중의 무부하손의 합 > 하루 중의 부하손의 합
④ 하루 중의 무부하손의 합 = 2 × 하루 중의 부하손의 합

해설 **최대전일효율 조건** : $24P_i = \sum hP_c$
전부하시간이 길수록 철손 P_i를 크게 하고, 짧을수록 철손 P_i를 작게 한다.

26 변압기의 규약효율 산출에 필요한 기본요건이 아닌 것은?

[2017년 1회 기사]

① 파형은 정현파를 기준으로 한다.
② 별도의 지정이 없는 경우 역률은 100[%] 기준이다.
③ 부하손은 40[℃]를 기준으로 보정한 값을 사용한다.
④ 손실은 각 권선에 대한 부하손의 합과 무부하손의 합이다.

해설 별도의 지정이 없을 경우 역률 100[%], 온도는 75[℃] 기준이다.

27 200[kVA]의 단상 변압기가 있다. 철손이 1.6[kW]이고 전부하동손이 2.5[kW]이다. 이 변압기의 역률이 0.8일 때 전부하 시의 효율은 약 몇 [%]인가?   [2016년 1회 산업기사]

① 96.5   ② 97.0

③ 97.5   ④ 98.0

해설   전부하 시 효율

$$\eta = \frac{V_{2n}\,I_{2n}\,\cos\theta}{V_{2n}\,I_{2n}\,\cos\theta + P_i + r_{12}\,I_{2n}^{\,2}} \times 100[\%] = \frac{200 \times 0.8}{200 \times 0.8 + 1.6 + 2.5} \times 100 \fallingdotseq 97.5[\%]$$

28 100[kVA], 2,300/115[V], 철손 1[kW], 전부하동손 1.25[kW]의 변압기가 있다. 이 변압기는 매일 무부하로 10시간, $\frac{1}{2}$ 정격부하 역률 1에서 8시간, 전부하 역률 0.8(지상)에서 6시간 운전하고 있다면 전일효율은 약 몇 [%] 인가?   [2021년 3회 기사]

① 93.3   ② 94.3

③ 95.3   ④ 96.3

해설

$$전일효율(\eta_{day}) = \frac{\left(\Sigma T \times \frac{1}{m} \times P_0\right)}{\left(\Sigma T \times \frac{1}{m} \times P_0\right) + 24P_i + \left(\frac{1}{m}\right)^2 \times \Sigma T \times P_c}$$

$$= \frac{\left(8 \times \frac{1}{2} \times 100 \times 1\right) + (6 \times 1 \times 100 \times 0.8)}{\left(8 \times \frac{1}{2} \times 100 \times 1\right) + (6 \times 1 \times 100 \times 0.8) + (24 \times 1) + (6 \times 1.25) + \left(\left(\frac{1}{2}\right)^2 \times 1.25 \times 8\right)} \times 100$$

$$\fallingdotseq 96.28 \fallingdotseq 96.3[\%]$$

15. 단권변압기

(1) 원리

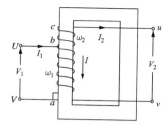

단권변압기는 1차 권선과 2차 권선의 일부가 공통으로 되어 있는 것이다. 공통부분 ab를 분로권선, 공통이 아닌 부분 bc를 직렬권선이라고 한다. a와 b 사이의 권수를 ω_1, b와 c 사이의 권수를 ω_2라고 하면, 일반적인 변압기와 같이 1차 기전력 $E_1[V]$와 2차 기전력 $E_2[V]$ 사이에($E_1 > E_2$의 경우) 다음 식이 성립한다.

$$\frac{V_1}{V_2} = \frac{E_1}{E_1 + E_2} = \frac{\omega_1}{\omega_1 + \omega_2} = a$$

이것은 권선 안의 전압강하를 무시하면, 1차 단자전압 $V_1[V]$와 2차 단자전압 $V_2[V]$의 비와 같다.

(2) 용도

① 고압배전선의 전압을 10[%] 정도 올리는 승압기
② 동기전동기나 유도전동기 등의 기동 보상기
③ 형광등용 승압변압기

(3) 자기용량과 부하용량

이 변압기는 분로권선을 1차 권선, 직렬권선을 2차 권선으로 하는 일반적인 승압변압기로서 동작하기 때문에 변압기, 자신의 용량은 직렬권선의 출력 $(V_2 - V_1)I_2$와 같고, 이것을 단권변압기의 자기용량이라고 한다. 또 이 변압기를 통하여 공급되는 부하 $V_2 I_2$를 부하용량이라고 한다. 자기용량과 부하용량 사이에는 다음과 같은 관계가 있다.

$$자기용량 = I_2(V_2 - V_1) = I_2 V_2\left(\frac{V_2 - V_1}{V_2}\right) = 부하용량 \times \frac{승압전압(강압전압)}{고압 측 전압}[VA]$$

① 단권 변압기의 3상 결선

결선방식	Y 결선	△ 결선	V 결선
$\dfrac{\text{자기용량}}{\text{부하용량}}$	$\dfrac{V_h - V_l}{V_h}$	$\dfrac{V_h^2 - V_l^2}{\sqrt{3}\, V_h V_l}$	$\dfrac{2}{\sqrt{3}}\left(\dfrac{V_h - V_l}{V_h}\right)$

② 특 징

   ㉠ 고압/저압의 비가 10 이하에는 유리하다.

   ㉡ 분로권선은 가늘어도 되어 재료가 절약된다.

   ㉢ 누설자속이 없어 전압변동률이 작다.

   ㉣ 고압 측에 전압이 높아지면 위험하다.

핵 / 심 / 예 / 제

01 단권변압기의 설명으로 틀린 것은?

[2014년 1회 기사 / 2020년 1, 2회 기사]

① 1차 권선과 2차 권선의 일부가 공통으로 사용된다.

② 분로권선과 직렬권선으로 구분된다.

③ 누설자속이 없기 때문에 전압변동률이 작다.

④ 3상에는 사용할 수 없고 단상으로만 사용한다.

해설 단권변압기의 특징
- 1차 권선과 2차 권선 일부를 공통 사용한다.
- 분로권선과 직렬권선으로 구성된다.
- 누설자속이 없기 때문에 전압변동률이 감소한다.
- 단상과 3상 모두 사용 가능하다.

02 단권변압기에서 1차 전압 100[V], 2차 전압 110[V]인 단권변압기의 자기용량과 부하용량의 비는?

[2020년 4회 기사]

① $\dfrac{1}{10}$

② $\dfrac{1}{11}$

③ 10

④ 11

해설
$$\dfrac{\text{자기용량}}{\text{부하용량}} = \dfrac{e_2}{V_h} = \dfrac{\text{승압전압}}{\text{고압 측 전압}} = \dfrac{V_h - V_l}{V_h}$$
$$= \dfrac{110 - 100}{110} = \dfrac{1}{11}$$

03 3,000[V]의 단상 배전선 전압을 3,300[V]로 승압하는 단권변압기의 자기용량은 약 몇 [kVA]인가?(단, 여기서 부하용량은 100[kVA]이다)

[2016년 3회 기사]

① 2.1

② 5.3

③ 7.4

④ 9.1

해설
$$\text{자기용량} = \dfrac{V_h - V_l}{V_h} \times \text{부하용량} = \dfrac{300}{3,300} \times 100 \fallingdotseq 9.09 [\text{kVA}]$$

정답 01 ④ 02 ② 03 ④

04 200[V]의 배전선 전압을 220[V]로 승압하여 30[kVA]의 부하에 전력을 공급하는 단권변압기
가 있다. 이 단권변압기의 자기용량은 약 몇 [kVA]인가? [2019년 2회 산업기사]

① 2.73   ② 3.55

③ 4.26   ④ 5.25

> **해설**
>
> 자기용량 $= \dfrac{V_h - V_l}{V_h} \times$ 부하용량 $= \dfrac{220 - 200}{220} \times 30 \fallingdotseq 2.73 \,[\text{kVA}]$

05 자기용량 3[kVA], 3,000/100[V]의 단권변압기를 승압기로 연결하고 1차 측에 3,000[V]를
가했을 때 그 부하용량[kVA]은? [2018년 3회 산업기사]

① 76   ② 85

③ 93   ④ 94

> **해설**
>
> $\dfrac{\text{자기용량}}{\text{부하용량}} = \dfrac{e_2}{V_h} = \dfrac{\text{승압전압}}{\text{고압 측 전압}} = \dfrac{V_h - V_l}{V_h}$
>
> $\therefore$ 부하용량 $=$ 자기용량 $\times \dfrac{\text{고압 측 전압}}{\text{승압전압}} = 3 \times \dfrac{3,100}{3,100 - 3,000} = 93 \,[\text{kVA}]$

06 용량 1[kVA], 3,000/200[V]의 단상 변압기를 단권변압기로 결선해서 3,000/3,200[V]의 승
압기로 사용할 때 그 부하용량[kVA]은? [2020년 1, 2회 기사]

① $\dfrac{1}{16}$ ② 1

③ 15   ④ 16

> **해설**
>
> $\dfrac{\text{자기용량}}{\text{부하용량}} = \dfrac{V_h - V_l}{V_h}$
>
> $\therefore$ 부하용량 $= \dfrac{V_h}{V_h - V_l} \times$ 자기용량 $= \dfrac{3,200}{3,200 - 3,000} \times 1 = 16\,[\text{kVA}]$

07 1차 전압 V_1, 2차 전압 V_2인 단권변압기를 Y 결선했을 때, 등가용량과 부하용량의 비는? (단, $V_1 > V_2$이다) [2014년 2회 기사 / 2019년 3회 기사]

① $\dfrac{V_1 - V_2}{\sqrt{3}\,V_1}$ 　　　　　② $\dfrac{V_1 - V_2}{V_1}$

③ $\dfrac{\sqrt{3}\,(V_1 - V_2)}{2\,V_1}$ 　　　　④ $\dfrac{V_1^2 - V_2^2}{\sqrt{3}\,V_1 V_2}$

해설 단권변압기의 3상 결선

결선방식	Y 결선	△ 결선	V 결선
자기용량 / 부하용량	$\dfrac{V_h - V_l}{V_h}$	$\dfrac{V_h^2 - V_l^2}{\sqrt{3}\,V_h V_l}$	$\dfrac{2}{\sqrt{3}}\left(\dfrac{V_h - V_l}{V_h}\right)$

08 단권변압기 2대를 V결선하여 선로전압 3,000[V]를 3,300[V]로 승압하여 300[kVA]의 부하에 전력을 공급하려고 한다. 단권변압기 1대의 자기용량은 약 몇 [kVA]인가? [2016년 2회 기사]

① 9.09 　　　　　　　② 15.72

③ 21.72 　　　　　　　④ 31.50

해설 $\dfrac{\text{자기용량}}{\text{부하용량}} = \dfrac{2}{\sqrt{3}}\dfrac{e_2}{V_h} = \dfrac{2}{\sqrt{3}}\dfrac{V_h - V_l}{V_h}$ 에서

자기용량 $= \dfrac{2}{\sqrt{3}}\dfrac{V_h - V_l}{V_h} \times \text{부하용량} = \dfrac{2}{\sqrt{3}}\dfrac{3,300 - 3,000}{3,300} \times 300 ≒ 31.5[\text{kVA}]$

∴ 1대분의 자기용량 $= \dfrac{31.5}{2} = 15.75[\text{kVA}]$

09 단권변압기 두 대를 V결선하여 전압을 2,000[V]에서 2,200[V]로 승압한 후 200[kVA]의 3상 부하에 전력을 공급하려고 한다. 이때 단권변압기 1대의 용량은 약 몇 [kVA]인가?

[2022년 1회 기사]

① 4.2

② 10.5

③ 18.2

④ 21

해설

$$\frac{자기용량}{부하용량} = \frac{2}{\sqrt{3}} \times \frac{V_h - V_L}{V_h}$$

$$자기용량 = \frac{2}{\sqrt{3}} \times \frac{V_h - V_L}{V_h} \times 부하용량$$

$$= \frac{2}{\sqrt{3}} \times \frac{2,200 - 2,000}{2,200} \times 200 = 21[kVA]$$

∴ 1대분의 자기용량 $= \frac{21}{2} = 10.5[kVA]$

16. 3권선 변압기

(1) 1대의 변압기의 철심에 3개의 권선이 감겨진 변압기

(2) 용 도

① 3차 권선에 콘덴서를 접속하여 1차 측 역률을 개선하는 선로조상기로 사용한다.
② 3차 권선으로부터 발전소나 변전소의 구내전력을 공급한다.
③ 두 개의 권선을 1차로 하여 서로 다른 계통의 전력을 받아 나머지 권선을 2차로 하여 전력을 공급한다.

17. 변압기 보호계전기 및 측정

(1) 변압기 내부고장 검출용 보호계전기

① 차동계전기(비율차동계전기) : 단락이나 접지(지락) 사고 시 전류의 변화로 동작
② 부흐홀츠계전기 : 변압기 내부고장 시 동작(설치 위치 : 주탱크와 콘서베이터 중간)
③ 압력계전기
④ 가스검출계전기

(2) 변압기 권선온도 측정 : 열동계전기

(3) 변압기 온도시험

① 실부하법 : 전력손실이 크기 때문에 소용량 이외의 경우에는 적용되지 않는다.
② 반환 부하법 : 동일 정격의 변압기가 2대 이상 있을 경우에 채용되며 전력소비가 작고 철손과 동손을 따로 공급하는 것으로 현재 가장 많이 사용하고 있다.

(4) 변압기의 시험

① 개방회로 시험으로 측정할 수 있는 값 : 여자전류(여자어드미턴스), 무부하전류, 철손 측정
② 단락시험으로 측정할 수 있는 값 : 임피던스 전압, 임피던스 와트(동손), 전압변동률 측정
③ 등가회로 작성 시 필요한 시험법 : 단락시험, 무부하시험, 저항측정시험

18. 계기용 변성기

(1) 변류기

대전류의 교류회로에서 전류를 취급하기 쉬운 크기로 변환하여서 측정하기 위하여 사용되는 변압기를 변류기(CT ; Current Transformer)라 한다.

$$I_2 = \frac{n_1}{n_2} I_1$$

※ 사용 시 주의사항

- 2차 측의 한 단자는 위험방지를 하기 위하여 접지한다.
- 사용 중 2차를 개방(예 전류계 개방)하면 1차 전류는 모두 여자전류로 되어 2차에 고전압이 발생하여 위험하므로 개방 시 2차를 단락하여야 한다.

(2) 계기용 변압기

고전압의 교류회로에서 전압을 반환하여 측정하기 위한 것을 계기용 변압기(PT ; Potential-Transformer)라고 한다.

$$V_1 = \frac{n_1}{n_2} V_2$$

19. 상수의 변환

(1) 3상-2상 간의 상수변환

① 스코트 결선

권수비 : 주좌 변압기 $a_M = \dfrac{n_1}{n_2}$, T좌 변압기 $a_T = \dfrac{\sqrt{3}}{2} a_M$

② 메이어 결선

③ 우드 브리지 결선

(2) 3상-6상 간의 상수변환 : 환상 결선, 2중 3각 결선, 2중 성형 결선, 대각 결선, 포크 결선

01 변압기 보호장치의 주된 목적이 아닌 것은? [2018년 2회 기사]

① 전압불평형 개선
② 절연내력 저하 방지
③ 변압기 자체 사고의 최소화
④ 다른 부분으로의 사고 확산 방지

해설　전압불평형과는 관계가 없다.

02 변압기의 보호에 사용되지 않는 것은? [2014년 3회 기사 / 2019년 3회 기사]

① 비율차동계전기
② 임피던스계전기
③ 과전류계전기
④ 온도계전기

해설　**변압기 내부고장 보호용**
　• 전기적인 보호 : 차동계전기(단상), 비율차동계전기(3상)
　• 기계적인 보호 : 부흐홀츠계전기, 유온계, 유위계, 서든프레서(압력계전기)

03 변압기 내부고장 검출을 위해 사용하는 계전기가 아닌 것은? [2021년 3회 기사]

① 과전압계전기
② 비율차동계전기
③ 부흐홀츠계전기
④ 충격압력계전기

해설　2번 해설 참조

01 ① 　02 ② 　03 ① 　**정답**

04 변압기의 내부고장에 대한 보호용으로 사용되는 계전기는 어느 것이 적당한가?

[2018년 3회 산업기사]

① 방향계전기   ② 온도계전기
③ 접지계전기   ④ 비율차동계전기

해설 **변압기 보호계전기 및 측정**

	발 · 변압기 보호
전기적 이상	• 차동계전기(소용량) • 비율차동계전기(대용량) • 반한시 과전류계전기(외부)

기계적 이상	• 부흐홀츠계전기
	  – 가스 온도 이상 검출
	  – 주탱크와 콘서베이터 사이에 설치
	• 온도계전기
	• 압력계전기(서든프레서)

05 변압기의 보호방식 중 비율차동계전기를 사용하는 경우는?

[2017년 3회 기사]

① 고조파 발생을 억제하기 위하여
② 과여자 전류를 억제하기 위하여
③ 과전압 발생을 억제하기 위하여
④ 변압기 상 간 단락보호를 위하여

해설 **차동계전기(비율차동계전기)** : 단락이나 접지(지락) 사고 시 전류의 변화로 동작

정답   04 ④   05 ④

06 부흐홀츠계전기로 보호되는 기기는? [2020년 3회 산업기사]

① 변압기　　　　　　　　　　　② 발전기
③ 유도전동기　　　　　　　　　④ 회전변류기

해설　부흐홀츠계전기는 변압기 내부의 기계적 고장으로 발생하는 기름의 분해가스 증기를 이용하여 부저를 움직여 계전기의 접점을 닫는 것이므로 변압기의 주탱크와 콘서베이터 사이에 설치하며 이에 오동작의 우려가 존재한다.

07 부흐홀츠계전기에 대한 설명으로 틀린 것은? [2017년 2회 기사]

① 오동작의 가능성이 많다.
② 전기적 신호로 동작한다.
③ 변압기의 보호에 사용된다.
④ 변압기의 주탱크와 콘서베이터를 연결하는 관중에 설치한다.

해설　6번 해설 참조

08 전기설비 운전 중 계기용 변류기(CT)의 고장발생으로 변류기를 개방할 때 2차 측을 단락해야 하는 이유는? [2016년 2회 산업기사]

① 2차 측의 절연 보호
② 1차 측의 과전류 방지
③ 2차 측의 과전류 보호
④ 계기의 측정오차 방지

해설　2차를 개방하면 1차 선전류가 모두 여자전류가 되므로 많은 자속이 생겨 고전압이 유기되며 자속밀도 또한 커져 철손증가로 과열되어 절연파괴가 된다.

09 전류계를 교체하기 위해 우선 변류기 2차 측을 단락시켜야 하는 이유는? [2021년 1회 기사]

① 측정오차 방지

② 2차 측 절연 보호

③ 2차 측 과전류 보호

④ 1차 측 과전류 방지

해설 2차를 개방하면 1차 선전류가 모두 여자전류가 되므로 많은 자속이 생겨 고전압이 유기되며 자속밀도 또한 커져 철손증가로 과열되어 절연파괴가 된다.

10 평형 3상 회로의 전류를 측정하기 위해서 변류비 200:5의 변류기를 그림과 같이 접속하였더니 전류계의 지시가 1.5[A]이었다. 1차 전류는 몇 [A]인가? [2016년 2회 기사]

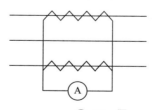

① 60

② $60\sqrt{3}$

③ 30

④ $30\sqrt{3}$

해설 $I_1 = 1.5 \times \dfrac{200}{5} = 60[\mathrm{A}]$

11 평형 3상 전류를 측정하려고 60/5[A]의 변류기 2대를 다음과 같이 접속했더니 전류계에 2.5[A]가 흘렀다. 1차 전류는 몇 [A]인가? [2014년 1회 기사]

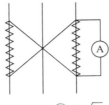

① 5

② $5\sqrt{3}$

③ 10

④ $10\sqrt{3}$

> **해설** 전류계 ④에 변류기 2차 전류 I_a와 I_c의 차이만큼 흐른다.
>
> $I_a - I_c = \sqrt{3}\,I_a$에서 $I_a = \dfrac{2.5}{\sqrt{3}}$[A]
>
> $\therefore\ I_1 = \dfrac{60}{5}\times I_a = \dfrac{60}{5}\times\dfrac{2.5}{\sqrt{3}} = 10\sqrt{3}$[A]

12 3상 전원에서 2상 전원을 얻기 위한 변압기의 결선방법은? [2018년 2회 산업기사]

① △

② T

③ Y

④ V

> **해설** **상수변환법**
> - 3상에서 2상 변환 : Scott 결선(T결선), Meyer 결선, Wood Bridge 결선
> - 3상에서 6상 변환 : Fork 결선, 2중 성형결선, 환상결선, 대각결선, 2중 △결선

13 T결선에 의하여 3,300[V]의 3상으로부터 200[V], 40[kVA]의 전력을 얻는 경우 T좌 변압기의 권수비는 약 얼마인가? [2015년 3회 산업기사 / 2019년 1회 산업기사]

① 16.5

② 14.3

③ 11.7

④ 10.2

> **해설** **스코트 결선에서 T좌 변압기의 권선비**
>
> $a_T = \dfrac{\sqrt{3}}{2}a_M = \dfrac{\sqrt{3}}{2}\cdot\dfrac{V_1}{V_2} = \dfrac{\sqrt{3}}{2}\cdot\dfrac{3,300}{200} \fallingdotseq 14.3$
>
> 여기서, a_M : 주좌 변압기의 권수비, a_T : T좌 변압기의 권수비
>
> T좌 변압기는 1차 권선이 주좌 변압기와 같다면 $\dfrac{\sqrt{3}}{2}$ 지점에서 인출한다.

11 ④ 12 ② 13 ② **정답**

14 단상 변압기 2대를 사용하여 3,150[V]의 평형 3상에서 210[V]의 평형 2상으로 변환하는 경우에 각 변압기의 1차 전압과 2차 전압은 얼마인가?

[2017년 3회 산업기사]

① 주좌 변압기 : 1차 3,150[V], 2차 210[V]

　　T좌 변압기 : 1차 3,150[V], 2차 210[V]

② 주좌 변압기 : 1차 3,150[V], 2차 210[V]

　　T좌 변압기 : 1차 $3,150 \times \dfrac{\sqrt{3}}{2}$[V], 2차 210[V]

③ 주좌 변압기 : 1차 $3,150 \times \dfrac{\sqrt{3}}{2}$[V], 2차 210[V]

　　T좌 변압기 : 1차 $3,150 \times \dfrac{\sqrt{3}}{2}$[V], 2차 210[V]

④ 주좌 변압기 : 1차 $3,150 \times \dfrac{\sqrt{3}}{2}$[V], 2차 210[V]

　　T좌 변압기 : 1차 3,150[V], 2차 210[V]

해설

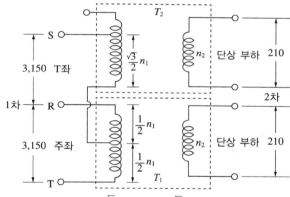

- 탭전압 $V_T = V \times \dfrac{\sqrt{3}}{2} = 3,150 \times \dfrac{\sqrt{3}}{2}$

- $V_2 = V_l = 210$

15 변압기 결선방식 중 3상에서 6상으로 변환할 수 없는 것은? [2012년 2회 기사 / 2018년 1회 기사]

① 환상 결선   ② 2중 3각 결선
③ 포크 결선   ④ 우드 브리지 결선

> 해설
> • 3상–2상 간의 상수변환 결선법 : 스코트 결선(T결선), 메이어 결선, 우드 브리지 결선
> • 3상–6상 간의 상수변환 결선법 : 환상 결선, 2중 3각 결선, 2중 성형 결선, 대각 결선, 포크 결선

16 변압기 온도시험을 하는 데 가장 좋은 방법은? [2013년 1회 산업기사 / 2016년 3회 산업기사]

① 실부하법   ② 반환부하법
③ 단락시험법   ④ 내전압시험법

> 해설
> • 직류기의 토크 측정 시험
> – 소형 : 와전류 제동기법, 프로니 브레이크법
> – 대형 : 전기 동력계법
> • 온도시험 : 반환부하법(카프법, 홉킨스법, 블론델법), 실부하법, 저항법
> • 앰플리다인 : 계자전류를 변화시켜 출력을 조정하는 직류발전기

17 온도 측정장치 중 변압기의 권선온도 측정에 가장 적당한 것은? [2019년 1회 산업기사]

① 탐지코일   ② Dial온도계
③ 권선온도계   ④ 봉상온도계

> 해설
> 변압기 권선온도 측정장치 중 가장 적당한 것은 권선온도계이다.

18 누설변압기에 필요한 특성은 무엇인가?   [2019년 2회 산업기사]

① 수하특성   ② 정전압특성

③ 고저항특성   ④ 고임피던스특성

해설 정전류 특성이 필요하며, 전류가 증가하면 전압이 저하하는 수하특성이 필요하다.

19 용접용으로 사용되는 직류발전기의 특성 중에서 가장 중요한 것은?   [2020년 3회 기사]

① 과부하에 견딜 것

② 전압변동률이 작을 것

③ 경부하일 때 효율이 좋을 것

④ 전류에 대한 전압특성이 수하특성일 것

해설 **용접용 발전기**

• 누설리액턴스가 크다.

• 전압변동률이 크다.

• 수하특성을 갖는다.

CHAPTER 04 유도기

1. 원 리

다음 그림과 같이 동 또는 알루미늄제 원판의 중심을 축으로 회전할 수 있게 하고 이 원판을 강한 자석의 중간에 놓고 자석을 급속히 회전하면 원판은 자석보다 늦지만 같은 방향으로 회전한다. 이것을 아라고 원판이라고 한다. 그 이유는 자석의 극성은 원판의 상측을 N, 하측을 S극이라 할 때 자속은 위에서 아래로 통과한다. 이 자석을 시계방향으로 급속히 회전하면 원판의 일부분이 자속을 쇄교하므로 원판에는 기전력이 발생하고 와전류(Eddy Current)가 생긴다. 시계방향으로 회전하는 자석과 원판과의 관계를 상대적으로 고려하면 자석이 정지하고 원판이 자석의 회전방향과는 반대방향(반시계방향)으로 자속을 끊는다고 생각할 수 있다.

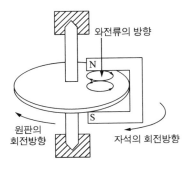

이때 플레밍의 오른손 법칙에 따라 원판의 기전력의 방향을 구하면 원판의 중심으로 향하는 와전류가 흐른다. 다음에 이 와전류의 방향과 자속과의 방향에서 플레밍의 왼손 법칙을 적용하여 원판의 회전방향을 구하면 자석의 회전방향과 같은 것을 알 수 있다. 이와 같은 원판은 자석의 회전방향과 같은 방향으로 약간 늦게 회전하게 된다. 이것이 유도전동기의 원리이다.

01 유도전동기의 동작원리로 옳은 것은?

[2014년 2회 기사]

① 전자유도와 플레밍의 왼손 법칙

② 전자유도와 플레밍의 오른손 법칙

③ 정전유도와 플레밍의 왼손 법칙

④ 정전유도와 플레밍의 오른손 법칙

해설 알루미늄 원판 위에서 자석을 회전시키면 원판은 플레밍의 오른손 법칙에 의하여 기전력이 유도되어 와전류가 흐른다(전자유도 법칙). 이 전류와 자석에 의한 자속으로 플레밍의 왼손 법칙에 의해 원판은 자석의 회전방향으로 힘을 받아 회전한다.

2. 회전자계

회전원리 : 3상 교류 → 회전자계 발생 → 자체기동

① (A+, B-, C-)	② (A+, B+, C-)	③ (A-, B+, C-)

④ (A-, B+, C+)	⑤ (A-, B-, C+)	회전자계

핵 / 심 / 예 / 제

01 대칭 3상 권선에 평형 3상 교류가 흐르는 경우 회전자계의 설명으로 틀린 것은?

[2016년 1회 기사]

① 발생 회전자계는 방향변경 가능
② 발생 회전자계는 전류와 같은 주기
③ 발생 회전자계 속도는 동기속도보다 늦음
④ 발생 회전자계 세기는 각 코일 최대자계의 1.5배

해설 회전자계 속도는 동기속도와 같다.

02 유도전동기에서 공간적으로 본 고정자에 의한 회전자계와 회전자에 의한 회전자계는?

[2019년 2회 산업기사]

① 항상 동상으로 회전한다.
② 슬립만큼의 위상각을 가지고 회전한다.
③ 역률각만큼의 위상각을 가지고 회전한다.
④ 항상 180°만큼의 위상각을 가지고 회전한다.

해설 1번 해설 참조

정답 01 ③ 02 ①

3. 구 조

(1) 고정자

① 고정자 철심은 두께 0.35[mm] 또는 0.5[mm]의 강판을 성층한다.
② 통풍 덕트를 철심의 두께 50~60[mm]마다 설치한다.
③ 슬롯(Slot)은 고압 전동기는 개방 슬롯(Open Slot)으로 하고, 저압 전동기는 반폐 슬롯(Semienclosed Slot)으로 한다.

(2) 고정자권선법

1차 권선은 일반적으로 2층권의 중권으로서 전절권이나 단절권으로 한다. 3상의 경우 상접속 시 고압용은 보통 Y결선법이 사용되고 저압용에서는 Y결선 또는 △결선이 함께 사용된다.

(3) 회전자

① 회전자의 철심에는 보통 고정자의 철심과 같은 규소강판을 성층하며 절연하여 사용한다.
② 회전자에는 농형과 권선형 회전자가 있다.
　㉠ 농형 회전자
　　• 권선형 회전자에 비해서 구조가 간단하고, 튼튼하며, 취급이 쉽고, 효율이 좋다.
　　• 보수가 용이하여 소형, 중형의 전동기에 널리 사용되나 조정이 곤란하고, 대형이 되면 기동이 곤란해서 중형과 대형에는 권선형이 사용된다.
　㉡ 권선형 회전자
　　• 전기적으로 절연한 코일을 슬롯(Slot)에 삽입하여 3상 권선으로 하고 회전자 내부에는 Y 또는 △로 접속하여 그 3단자를 3개의 슬립링(Slip Ring)에 접속하여 슬립링을 3상의 가감 저항기에 접속하면 2차 저항을 광범위하게 가감할 수 있기 때문에 우수한 기동특성을 얻을 수 있다.
　　• 농형보다 고가이지만 다음 특징이 있다.
　　　– 기동전류를 제한해야 하는 경우
　　　– 큰 기동토크가 필요한 경우
　　　– 기동정지가 잦아 회전자가 과열될 우려가 있는 경우
　　　– 속도제어를 용이하게 해야 할 경우

4. 회전수와 슬립

(1) 슬립 : 전동기의 전부하에 있어서 속도감소의 동기속도에 대한 비율을 슬립(Slip)이라 한다.

$$s = \frac{N_s - N}{N_s} \times 100[\%]$$

(2) 회전자계와 회전자 사이의 상대속도 N

$$N_s - N = sN_s$$
$$\therefore N = (1-s)N_s[\text{rpm}]$$

5. 전압, 전류

(1) 1차 유기기전력 : $E = 4.44 K_{\omega 1} f_1 \phi_1 N_1 [\text{V}]$

(2) 정지 시의 2차 유기기전력 : $E_2 = 4.44 K_{\omega 2} f_2 \phi_2 N_s [\text{V}]$

(3) 권수비 : $\dfrac{E_1}{E_2} = \dfrac{k_{\omega 1} N_1}{K_{\omega 2} N_2} = \alpha$ (기동 시 $f_1 = f_2$)

(4) 운전 시의 2차 유기기전력 : $E_{2s} = sE_2$

(5) 회전자 권선의 유기기전력의 주파수 : $f_2{}' = sf_1$ (회전 시)

핵심정리

- 동기속도*** $N_s = \dfrac{120f}{P}$ [rpm]

- 슬립(Slip)*** $s = \dfrac{N_s - N}{N_s}$

- 회전자속도** $N = N_s - sN_s = (1-s)N_s$

- 효율** $\eta = \dfrac{N}{N_s} = (1-s)$

- 회전 시 주파수** $f_2' = sf_1$

- 회전 시 권수비** $a' = \dfrac{K_{\omega 1}N_1}{sK_{\omega 2}N_2} = \dfrac{a}{s}$

정지(기동 시) $N=0$	동기속도 $N=N_s$	전동기	발전기	제동기
$s=1$	$s=0$	$0 < s < 1$	$s < 0$	$s > 1$

01 유도전동기로 동기전동기를 기동하는 경우, 유도전동기의 극수는 동기전동기의 극수보다 2극 적은 것을 사용하는 이유로 옳은 것은?(단, s는 슬립이며 N_s는 동기속도이다)

[2019년 2회 기사]

① 같은 극수의 유도전동기는 동기속도보다 sN_s만큼 늦으므로
② 같은 극수의 유도전동기는 동기속도보다 sN_s만큼 빠르므로
③ 같은 극수의 유도전동기는 동기속도보다 $(1-s)N_s$만큼 늦으므로
④ 같은 극수의 유도전동기는 동기속도보다 $(1-s)N_s$만큼 빠르므로

해설 유도전동기의 회전속도 $N=(1-s)N_s$이고 동기속도 $N_s=\dfrac{120f}{p}=sN_s+(1-s)N_s$이므로, 회전속도는 N_s보다 sN_s만큼 떨어진다.

02 3상 유도전동기로서 작용하기 위한 슬립 s의 범위는? [2016년 1회 산업기사 / 2019년 1회 산업기사]

① $s \geq 1$ ② $0 < s < 1$
③ $-1 \leq s \leq 0$ ④ $s = 0$ 또는 $s = 1$

해설 슬립 $s = \dfrac{N_s - N}{N_s}$

슬립(s)의 범위

정 지	동기속도	전동기	발전기	제동기
$N=0$	$N=N_s$	$0 < s < 1$	$s < 0$	$s > 1$
$s=1$	$s=0$			

03 2전동기설에 의하여 단상 유도전동기의 가상적 2개의 회전자 중 정방향에 회전하는 회전자 슬립이 s이면 역방향에 회전하는 가상적 회전자의 슬립은 어떻게 표시되는가? [2021년 2회 기사]

① $1 + s$ ② $1 - s$
③ $2 - s$ ④ $3 - s$

해설 단상 유도전동기가 슬립 s로 회전하면 회전 주파수는 정상분 전동기에서는 $(1-s)f$이고 역상분 전동기에서는 $f+(1-s)f=(2-s)f$가 된다. 따라서 회전자 권선은 sf와 $(2-s)f$되는 주파수 기전력을 유기한다.

04 단상 유도전동기를 2전동기설로 설명하는 경우 정방향 회전자계의 슬립이 0.2이면, 역방향 회전자계 슬립은 얼마인가? [2020년 3회 기사]

① 0.2

② 0.8

③ 1.8

④ 2.0

해설 역방향 회전자계 슬립 $s' = 2 - s = 2 - 0.2 = 1.8$

05 유도전동기의 슬립 s의 범위는? [2018년 2회 산업기사 / 2019년 1회 산업기사]

① $1 < s < 0$

② $0 < s < 1$

③ $-1 < s < 1$

④ $-1 < s < 0$

해설 슬립 $s = \dfrac{N_s - N}{N_s}$

슬립(s)의 범위

정 지	동기속도	전동기	발전기	제동기
$N = 0$ $s = 1$	$N = N_s$ $s = 0$	$0 < s < 1$	$s < 0$	$s > 1$

06 유도전동기의 회전속도를 N[rpm], 동기속도를 N_s[rpm]이라 하고 순방향 회전자계의 슬립을 s라고 하면, 역방향 회전자계에 대한 회전자 슬립은? [2019년 3회 기사]

① $s - 1$

② $1 - s$

③ $s - 2$

④ $2 - s$

해설 단상 유도전동기가 슬립 s로 회전하면 회전 주파수는 정상분전동기에서는 $(1-s)f$이고 역상분전동기에서는 $f + (1-s)f = (2-s)f$가 된다. 따라서 회전자 권선은 sf와 $(2-s)f$되는 주파수 기전력을 유기한다.

07 3상 유도전동기의 동기속도는 주파수와 어떤 관계가 있는가? [2016년 1회 산업기사]

① 비례한다.　　　　　　　　② 반비례한다.

③ 자승에 비례한다.　　　　　④ 자승에 반비례한다.

해설 동기속도 $N_s = \dfrac{120f}{p}$[rpm]에서 주파수에 비례한다.

08 주파수 60[Hz], 슬립 0.2인 경우 회전자속도가 720[rpm]일 때 유도전동기의 극수는?

[2016년 3회 기사]

① 4　　　　　　　　　　② 6

③ 8　　　　　　　　　　④ 12

해설 유도전동기의 극수

$$P = \frac{120f}{N_s} = \frac{120 \times 60}{900} = 8[극]$$

여기서, 동기속도 $N_s = \dfrac{N}{1-s} = \dfrac{720}{1-0.2} = 900$[rpm]

09 유도전동기의 주파수가 60[Hz]이고 전부하에서 회전수가 매분 1,164회이면 극수는?(단, 슬립은 3[%]이다)

[2020년 1, 2회 산업기사]

① 4

② 6

③ 8

④ 10

해설 동기속도 $N_s = \dfrac{N}{(1-s)} = \dfrac{1,164}{(1-0.03)} = 1,200[\mathrm{rpm}]$

$N_s = \dfrac{120f}{P}$ 의 식에서 $P = \dfrac{120f}{N_s} = \dfrac{120 \times 60}{1,200} = 6[\mathrm{극}]$

10 60[Hz], 4극 유도전동기의 슬립이 4[%]인 때의 회전수[rpm]는?

[2016년 1회 산업기사]

① 1,728

② 1,738

③ 1,748

④ 1,758

해설 회전수 $N = (1-s)N_s[\mathrm{rpm}] = (1-0.04) \times \dfrac{120 \times 60}{4} = 1,728[\mathrm{rpm}]$

11 3상 유도전동기에서 회전자가 슬립 s로 회전하고 있을 때 2차 유기전압 E_{2s} 및 2차 주파수 f_{2s}와 s와의 관계는?(단, E_2는 회전자가 정지하고 있을 때 2차 유기기전력이며 f_1은 1차 주파수이다)

[2014년 2회 기사 / 2021년 1회 기사]

① $E_{2s} = sE_2, \ f_{2s} = sf_1$ ② $E_{2s} = sE_2, \ f_{2s} = \dfrac{f_1}{s}$

③ $E_{2s} = \dfrac{E_2}{s}, \ f_{2s} = \dfrac{f_1}{s}$ ④ $E_{2s} = (1-s)E_2, \ f_{2s} = (1-s)f_1$

해설 유도전동기 유도기전력과 주파수

정 지		s속도 운전	
주파수	유도기전력	주파수	유도기전력
$f_2 = f_1$	$E_2 = E_1$	$f_2{}' = sf_2$	$E_2{}' = sE_2$

12 회전자가 슬립 s로 회전하고 있을 때 고정자와 회전자의 실효 권수비를 α라 하면 고정자 기전력 E_1과 회전자 기전력 E_{2s}의 비는?

[2022년 1회 기사]

① $s\alpha$ ② $(1-s)\alpha$

③ $\dfrac{\alpha}{s}$ ④ $\dfrac{\alpha}{1-s}$

해설 권수비$(\alpha') = \dfrac{E_1}{E_{2s}} = \dfrac{E_1}{sE_2} = \dfrac{\alpha}{s}$

13 권선형 유도전동기의 전부하 운전 시 슬립이 4[%]이고 2차 정격전압이 150[V]이면 2차 유도기전력은 몇 [V]인가?

[2012년 3회 기사 / 2018년 1회 기사]

① 9 ② 8
③ 7 ④ 6

해설 회전할 때 2차 유도기전력 $E = sE_2 = 0.04 \times 150 = 6$[V]

정답 11 ① 12 ③ 13 ④

14 1상의 유도기전력이 6,000[V]인 동기발전기에서 1분간 회전수를 900[rpm]에서 1,800[rpm]으로 하면 유도기전력은 약 몇 [V]인가?　　　　　　　　　　　　　　　　[2021년 3회 기사]

① 6,000

② 12,000

③ 24,000

④ 36,000

> **해설**　$s = \dfrac{N_s - N}{N_s}$ 에서 N_s 가 2배 증가하므로 $s' = 2s$
>
> $\therefore\ E_2' = s' E_2 = 2 \times 6,000 = 12,000[\mathrm{V}]$

15 10극 50[Hz] 3상 유도전동기가 있다. 회전자도 3상이고 회전자가 정지할 때 2차 1상 간의 전압이 150[V]이다. 이것을 회전자계와 같은 방향으로 400[rpm]으로 회전시킬 때 2차 전압은 몇 [V]인가?　　　　　　　　　　　　　　　　[2018년 3회 기사]

① 50

② 75

③ 100

④ 150

> **해설**　$N_s = \dfrac{120f}{P} = \dfrac{120 \times 50}{10} = 600[\mathrm{rpm}]$
>
> $s = \dfrac{N_s - N}{N_s} = \dfrac{E_{2s}}{E_2}$ 에서
>
> $s = \dfrac{600 - 400}{600} = 0.33$
>
> $\therefore\ E_{2s} = s \cdot E_2 = 0.33 \times 150 = 50[\mathrm{V}]$

16 4극, 60[Hz]인 3상 유도전동기가 있다. 1,725[rpm]으로 회전하고 있을 때, 2차 기전력의 주파수[Hz]는?

① 2.5   ② 5

③ 7.5   ④ 10

> **해설**
> 동기속도$(N_s) = \dfrac{120f}{p} = \dfrac{120 \times 60}{4} = 1,800[\text{rpm}]$
>
> 슬립$(s) = \dfrac{N_s - N}{N_s} = \dfrac{1,800 - 1,725}{1,800} \fallingdotseq 0.042$
>
> $\therefore \ f_2' = sf_1 = 0.042 \times 60 \fallingdotseq 2.5[\text{Hz}]$

17 4극, 60[Hz]의 정류자 주파수 변환기가 회전자계 방향과 반대방향으로 1,440[rpm]으로 회전할 때의 주파수는 몇 [Hz]인가?

① 8   ② 10

③ 12   ④ 15

> **해설** **운전할 때 회전자의 주파수**
> $f_{2s} = sf_2 = 0.2 \times 60 = 12[\text{Hz}]$
>
> 여기서, 동기속도 $N_s = \dfrac{120f}{p} = \dfrac{120 \times 60}{4} = 1,800[\text{rpm}]$
>
> 슬립 $s = \dfrac{N_s - N}{N_s} = \dfrac{1,800 - 1,440}{1,800} = 0.2$

정답 16 ① 17 ③

제4장 유도기 / 255

18 권선형 유도전동기가 기동하면서 동기속도 이하까지 회전속도가 증가하면 회전자의 전압은?

[2017년 2회 산업기사]

① 증가한다.
② 감소한다.
③ 변함없다.
④ 0이 된다.

해설

$s=\dfrac{N_s-N}{N_s}$에서 N이 증가하면 s는 감소, $E_2'=sE_2$이므로 회전자 전압은 감소한다.

19 3상 유도전동기의 슬립이 s일 때 2차 효율[%]은? [2018년 1회 기사]

① $(1-s)\times 100$
② $(2-s)\times 100$
③ $(3-s)\times 100$
④ $(4-s)\times 100$

해설

유도전동기 2차 효율은 $\eta_2=\dfrac{P_0}{P_2}=1-s=\dfrac{N}{N_s}=\dfrac{\omega}{\omega_0}$에서 $(1-s)\times 100$

20 3상 유도전동기의 전원주파수와 전압의 비가 일정하고 정격속도 이하로 속도를 제어하는 경우 전동기의 출력 P와 주파수 f와의 관계는? [2017년 1회 산업기사 / 2020년 1, 2회 산업기사]

① $P\propto f$
② $P\propto \dfrac{1}{f}$
③ $P\propto f^2$
④ P는 f에 무관

해설

$n=(1-s)n_s=(1-s)\dfrac{120f}{p}$에서 $n\propto f$

$\therefore\ P\propto n\propto f$

18 ② 19 ① 20 ① 정답

6. 등가회로

유도전동기는 여러 가지 점에서 변압기와 같다. 정지 상태에서는 변압기 그대로이며 회전자가 회전할 때에는 1차, 2차의 주파수가 다를 뿐 계자 속에 대한 전류, 전압의 작용은 변압기와 같다.

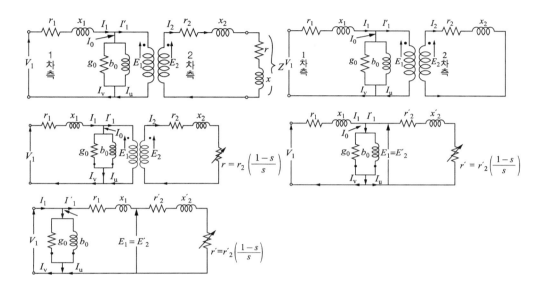

(1) 2차 전류 : $I_2 = \dfrac{s\,E_2}{\sqrt{R_2^2 + s^2 x_2^2}} = \dfrac{E_2}{\sqrt{\left(\dfrac{R_2}{s}\right)^2 + X_2^2}}$

(2) 회전 시 부하저항 : $\dfrac{R_2}{s} = R_2 + R$ 라 하면 $R = R_2\left(\dfrac{1}{s} - 1\right) = R_2\dfrac{1-s}{s}$

(3) 2차 역률 : $\cos\theta_2 = \dfrac{R_2}{\sqrt{R_2^2 + s^2 X_2^2}}$

(4) 2차 입력 : $P_2 = I_2^{\,2} \cdot \dfrac{R_2}{s} = \dfrac{2\text{차 동손}}{s} = \dfrac{P_{c2}}{s}$

(5) 2차 동손 : $P_{2c} = sP_2$

(6) 기계적 동력 : $P = P_2 - P_{2c} = P_2 - sP_2 = (1-s)P_2$

(7) 동기와트 : $T = \dfrac{P}{\omega} = \dfrac{P}{2\pi n} = \dfrac{(1-s)P_2}{2\pi(1-s)n_s} = \dfrac{P_2}{\omega_s}$

$$\therefore T = \frac{60}{2\pi}\frac{P_2}{N_s}[\text{N} \cdot \text{m}] = P_2[\text{동기와트}]$$

전동기가 Slip "s"로 운전할 때 발생하는 회전력은 동기속도로 회전하였다고 가정하였을 때 발생하는 기계동력이다.

$$\Rightarrow T = \frac{I_2{}^2 R_2}{s}(\text{동기와트 or syn.watt}) = P_2$$

(8) 2차 입력 : 2차 저항손 : 기계적 출력

$$P_2 : P_{2c} : P = P_2 : sP_2 : (1-s)P_2 = 1 : s : (1-s)$$

01 4극 3상 유도전동기가 있다. 전원전압 200[V]로 전부하를 걸었을 때 전류는 21.5[A]이다. 이 전동기의 출력은 약 몇 [W]인가?(단, 전부하역률 86[%], 효율 85[%]이다) [2016년 1회 기사]

① 5,029
② 5,444
③ 5,820
④ 6,103

해설 출력 $P_0 = \sqrt{3}\ VI\cos\theta\eta = \sqrt{3}\times200\times21.5\times0.86\times0.85 \fallingdotseq 5,444[\mathrm{W}]$

02 10[kW], 3상 380[V] 유도전동기의 전부하전류는 약 몇 [A]인가?(단, 전동기의 효율은 85[%], 역률은 85[%]이다) [2021년 2회 기사]

① 15
② 21
③ 26
④ 36

해설 전부하전류$(I) = \dfrac{10,000}{\sqrt{3}\times380\times0.85\times0.85} \fallingdotseq 21.03[\mathrm{A}]$

03 유도전동기의 출력과 같은 것은? [2018년 1회 산업기사]

① 출력 = 입력전압 − 철손
② 출력 = 기계출력 − 기계손
③ 출력 = 2차 입력 − 2차 저항손
④ 출력 = 입력전압 − 1차 저항손

해설 공단에서 ②번과 ③번이 정답처리 됨

정답 01 ② 02 ② 03 ②, ③

04 유도전동기의 2차 동손을 P_c, 2차 입력을 P_2, 슬립을 s 라 할 때 이들 사이의 관계는?

[2012년 2회 산업기사 / 2015년 2회 산업기사]

① $s = \dfrac{P_c}{P_2}$ ② $s = \dfrac{P_2}{P_c}$

③ $s = P_2 \cdot P_c$ ④ $s = P_2 + P_c$

해설   2차 입력 $P_2 = I_2{}^2 \cdot \dfrac{r_2}{s} = \dfrac{P_c}{s}$ 에서 2차 동손 $P_c = sP_2$

05 3상 유도기에서 출력의 변환식으로 옳은 것은?   [2017년 3회 기사 / 2022년 1회 기사]

① $P_0 = P_2 + P_{2c} = \dfrac{N}{N_s} P_2 = (2-s)P_2$

② $(1-s)P_2 = \dfrac{N}{N_s} P_2 = P_0 - P_{2c} = P_0 - sP_2$

③ $P_0 = P_2 - P_{2c} = P_2 - sP_2 = \dfrac{N}{N_s} P_2 = (1-s)P_2$

④ $P_0 = P_2 + P_{2c} = P_2 + sP_2 = \dfrac{N}{N_s} P_2 = (1+s)P_2$

해설 $P_{2c} = sP_2$

$P_0 = P_2 - P_{2c} = P_2 - sP_2 = P_2(1-s)$

$\quad = P_2\left[1 - \left(\dfrac{N_s - N}{N_s}\right)\right] = P_2 \cdot \dfrac{N}{N_s}$

06 정격출력이 7.5[kW]의 3상 유도전동기가 전부하운전에서 2차 저항손이 300[W]이다. 슬립은 약 몇 [%]인가?

[2016년 3회 기사]

① 3.85

② 4.61

③ 7.51

④ 9.42

해설

슬립 $s = \dfrac{P_{c2}}{P_2} \times 100 = \dfrac{300}{7,800} \times 100 \fallingdotseq 3.85 [\%]$

여기서, 2차 입력 $P_2 = 2$차 출력 + 2차 동손 $= 7,500 + 300 = 7,800 [\mathrm{W}]$

2차 동손 $P_{c2} = sP_2$

07 220[V], 60[Hz], 8[극], 15[kW]의 3상 유도전동기에서 전부하 회전수가 864[rpm]이면 이 전동기의 2차 동손은 몇 [W]인가?

[2018년 1회 산업기사]

① 435

② 537

③ 625

④ 723

해설

2차 동손 $P_{c2} = sP_2 = s \times \dfrac{P_{20}}{1-s} = 0.04 \times \dfrac{15 \times 10^3}{1 - 0.04} = 625 [\mathrm{W}]$

여기서, 동기속도 $N_s = \dfrac{120f}{P} = \dfrac{120 \times 60}{8} = 900 [\mathrm{rpm}]$

슬립 $s = \dfrac{N_s - N}{N_s} = \dfrac{900 - 864}{900} = 0.04$

08 3상 유도전동기의 출력이 10[kW], 전부하 때의 슬립이 5[%]라 하면 2차 동손은 약 몇 [kW]인가?

[2018년 3회 산업기사]

① 0.426 　　　　　　　② 0.526

③ 0.626 　　　　　　　④ 0.726

해설 유도전동기에서 전력 변환

$P_2 : P_0 : P_{c2} = 1 : (1-s) : s$

2차 동손 $P_{c2} = \dfrac{s}{1-s} P_0 = \dfrac{0.05}{1-0.05} \times 10,000 \fallingdotseq 526[\mathrm{W}]$

$\therefore P_{c2} = 0.526[\mathrm{kW}]$

09 50[Hz], 12극의 3상 유도전동기가 10[HP]의 정격출력을 내고 있을 때, 회전수는 약 몇 [rpm]인가?(단, 회전자 동손은 350[W]이고, 회전자 입력은 회전자 동손과 정격출력의 합이다)

[2021년 2회 기사]

① 468 　　　　　　　② 478

③ 488 　　　　　　　④ 500

해설 $N_s = \dfrac{120f}{p} = \dfrac{120 \times 50}{12} = 500[\mathrm{rpm}]$

$P_{c2} = sP_2$

$s = \dfrac{P_{c2}}{P_2} = \dfrac{P_{c2}}{P_{c2} + P} = \dfrac{350}{350 + 10 \times 746} \fallingdotseq 0.0448$　(1[HP]=746[W])

$\therefore N = N_s(1-s) = 500(1-0.0448) \fallingdotseq 478[\mathrm{rpm}]$

10 4극 7.5[kW], 200[V], 60[Hz]인 3상 유도전동기가 있다. 전부하에서의 2차 입력이 7,950[W]이다. 이 경우의 2차 효율은 약 몇 [%]인가?(단, 기계손은 130[W]이다) [2016년 2회 산업기사]

① 92

② 94

③ 96

④ 98

해설 2차 효율 $= \dfrac{P_0}{P_2} = \dfrac{P_{m0} + P_m}{P_2} = \dfrac{7,500 + 130}{7,950} = 0.9597$

11 그림은 전원전압 및 주파수가 일정할 때의 다상 유도전동기의 특성을 표시하는 곡선이다. 1차 전류를 나타내는 곡선은 몇 번 곡선인가? [2019년 2회 기사]

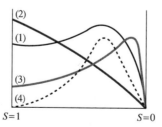

① (1)

② (2)

③ (3)

④ (4)

해설 $I_1' = \dfrac{V_1}{\sqrt{(r_1 + r'_2 + r')^2 + (x_1 + x'_2)^2}} = \dfrac{V_1}{\sqrt{\left(r_1 + \dfrac{r'_2}{s}\right)^2 + (x_1 + x_2')^2}}$

슬립이 증가하면 1차 전류도 증가하기 때문에 (2)번이 1차 전류를 나타낸다.

12 정격출력 50[kW], 4극 220[V], 60[Hz]인 3상 유도전동기가 전부하 슬립 0.04, 효율 90[%]로
운전되고 있을 때 다음 중 틀린 것은?   [2018년 2회 기사]

① 2차 효율 = 96[%]

② 1차 입력 = 55.56[kW]

③ 회전자입력 = 47.9[kW]

④ 회전자동손 = 2.08[kW]

해설   1차 입력 $P_1 = \dfrac{P_0}{\eta} = \dfrac{50}{0.9} ≒ 55.56[\text{kW}]$

2차 효율 $\eta_2 = (1-s) = 1 - 0.04 = 0.96 = 96[\%]$

회전자입력 $P_2 = \dfrac{1}{1-s}P_0 = \dfrac{1}{1-0.04} \times 50 ≒ 52.08[\text{kW}]$

회전자동손 $P_{c2} = sP_2 = \dfrac{s}{1-s}P_0 = \dfrac{0.04}{1-0.04} \times 50 ≒ 2.08[\text{kW}]$

또는 $P_{c2} = sP_2 = 0.04 \times 52.08 ≒ 2.08[\text{kW}]$

13 정격출력 50[kW], 4극 220[V], 60[Hz]인 3상 유도전동기가 전부하슬립 0.04, 효율 90[%]로
운전되고 있을 때 다음 중 틀린 것은?   [2020년 3회 기사]

① 2차 효율 = 92[%]

② 1차 입력 = 55.56[kW]

③ 회전자동손 = 2.08[kW]

④ 회전자입력 = 52.08[kW]

해설   12번 해설 참조

     12 ③   13 ①   정답

7. 동기와트, 슬립과 토크

일반적으로 각속도와 토크의 곱은 기계적인 출력이다. 따라서, $P_0 = \omega\tau = 2\pi n\tau [\mathrm{W}]$

$$\tau = \frac{P_0}{2\pi n}[\mathrm{N \cdot m}] = \frac{60}{2\pi} \cdot \frac{P_0}{N}[\mathrm{N \cdot m}] = \frac{60}{2\pi} \cdot \frac{P_0}{N} \times \frac{1}{9.8}[\mathrm{kg \cdot m}]$$

$$\therefore \tau = 0.975\frac{P_0}{N}[\mathrm{kg \cdot m}] = 0.975 \times \frac{(1-s)P_2}{(1-s)N_s} = 0.975\frac{P_2}{N_s}[\mathrm{kg \cdot m}]$$

또한 $T = \frac{1}{9.8} \cdot \frac{60}{2\pi}\frac{P_0}{N}$ 에서 $P_0 = 9.8\frac{2\pi}{60}N \cdot \tau \times 10^{-3} = 1.026N \cdot \tau \times 10^{-3}[\mathrm{kW}]$ 이다.

그런데 $\tau = \frac{(1-s)P_2}{2\pi(1-s)n_s} = \frac{P_2}{2\pi n_s} = \frac{P_2}{W_s} = \frac{P_2}{\frac{4\pi f_1}{P}}[\mathrm{N \cdot m}]$ 에서 2차 입력 P_2는 전동기가

이 토크 $\tau[\mathrm{N \cdot m}]$를 동기속도 N_s에서 발생하고 있는 것으로 가정한 경우의 출력과 같다. 따라서 2차 입력 P_2는 유도전동기의 토크 대소를 표시하는 척도로서 동기와트로 표시한 토크라고 한다.

ⓐ 슬립과 토크의 관계식에서

$$\tau' = P_2 = m_1(I_1')^2\frac{r_2'}{s} = \frac{m_1 V_1^2 \frac{r_2'}{s}}{\left(r_1 + \frac{r_2'}{s}\right)^2 + (x_1 + x_2')^2}$$

기동 시 $s=1$이고, 이때의 기동토크는 $\tau_s = \frac{m_1 V_1^2 r_2'}{(r_1 + r_2')^2 + (x_1 + x_2')^2}$ 이다.

ⓑ 최대토크를 얻기 위한 슬립은

$$s = s_m = \pm\frac{r_2'}{\sqrt{r_1^2 + (x_1 + x_2')^2}} \fallingdotseq \pm\frac{r_2'}{x_1 + x_2'} \fallingdotseq \pm\frac{r_2}{x_2}$$ 일 때 분모는 최소로 되고 토크는

최대가 된다.

이때 최대토크가 생기는 슬립(s_m)은 보통의 전동기에서는 30[%]이다.

또 이때의 최대토크 $\tau_m' = P_{2\max}$(동기와트)는 s_m의 값을 첫 식에 대입하여(ⓑ를 ⓐ에)

계산하면 결과적으로 $\tau_m' = P_{2\max} = \frac{m_1 V_1^2}{2(r_1 \pm \sqrt{r_1^2 + (x_1 + x_2')^2})} \fallingdotseq K_0\frac{V_1^2}{2x_2} = K\frac{E_2^2}{2x_2}$ 이

된다.

※ (+) : 전동기, (−) : 발전기

위 식에서 최대토크는 2차 저항 r_2과 슬립에 관계없이 일정하다. 또 최대토크가 생기는
슬립 s_m은 2차 저항이 커질수록 커진다(비례추이).

※ 토크와 관계 : $T \propto \dfrac{1}{n} \propto P$, $T \propto V^2$, $s \propto \dfrac{1}{V^2}$

핵 / 심 / 예 / 제

01 유도전동기의 특성에서 토크와 2차 입력 및 동기속도의 관계는? [2018년 1회 산업기사]

① 토크는 2차 입력과 동기속도의 곱에 비례한다.
② 토크는 2차 입력에 반비례하고, 동기속도에 비례한다.
③ 토크는 2차 입력에 비례하고, 동기속도에 반비례한다.
④ 토크는 2차 입력의 자승에 비례하고, 동기속도의 자승에 반비례한다.

해설
 토크 $T = \dfrac{60P_2}{2\pi N_s}[\text{N} \cdot \text{m}]$ 이므로 2차 입력에 비례하고 동기속도에 반비례한다.

02 유도전동기의 동기와트에 대한 설명으로 옳은 것은? [2018년 2회 산업기사]

① 동기속도에서 1차 입력
② 동기속도에서 2차 입력
③ 동기속도에서 2차 출력
④ 동기속도에서 2차 동손

해설
 동기와트 $T = \dfrac{P}{\omega} = \dfrac{P}{2\pi n} = \dfrac{(1-s)P_2}{2\pi(1-s)n_s} = \dfrac{P_2}{\omega_s}$

 $\therefore \ T = \dfrac{60}{2\pi}\dfrac{P_2}{N_s}[\text{N} \cdot \text{m}] = P_2[\text{동기와트}]$

03 유도전동기 1극의 자속을 ϕ, 2차 유효전류 $I_2 \cos\theta_2$, 토크 τ의 관계로 옳은 것은?

 [2022년 1회 기사]

① $\tau \propto \phi \times I_2 \cos\theta_2$ ② $\tau \propto \phi \times (I_2 \cos\theta_2)^2$

③ $\tau \propto \dfrac{1}{\phi \times I_2 \cos\theta_2}$ ④ $\tau \propto \dfrac{1}{\phi \times (I_2 \cos\theta_2)^2}$

해설
 토크$(T) = \dfrac{60P}{2\pi N} = \dfrac{60P_2}{2\pi N_s} = \dfrac{60P_{c2}}{2\pi s N_s}$

 $T \propto \dfrac{1}{N_s} \propto \dfrac{1}{s} \propto P_2 = E_2 I_2 \cos\theta_2 \propto \phi I_2 \cos\theta_2$

 여기서, E_2 : $4.44f\phi\omega k\omega[\text{V}]$

정답 01 ③ 02 ② 03 ①   제4장 유도기 /267

04 3상 유도전동기의 특성에 관한 설명으로 옳은 것은? [2018년 3회 산업기사]

① 최대토크는 슬립과 반비례한다.

② 기동토크는 전압의 2승에 비례한다.

③ 최대토크는 2차 저항과 반비례한다.

④ 기동토크는 전압의 2승에 반비례한다.

> **해설** 유도전동기 토크와 전압과의 관계
>
> $$T = k_0 \frac{sE_2^2 r_2}{r_2^2 + (sx_2)^2} = k_0 \frac{r_2}{\frac{r_2^2}{s} + sx_2^2} \times E_2^2, \ E \propto V$$
>
> $T \propto V^2$, 토크(회전력)는 단자전압의 2승에 비례한다.

05 주파수가 일정한 3상 유도전동기의 전원전압이 80[%]로 감소하였다면, 토크는?(단, 회전수는
일정하다고 가정한다) [2015년 2회 기사 / 2015년 3회 산업기사]

① 64[%]로 감소 ② 80[%]로 감소

③ 89[%]로 감소 ④ 변화없음

> **해설** 유도전동기 토크와 전압과의 관계
>
> $T \propto V^2$에서 $T' \propto \left(\frac{V'}{V}\right)^2 T \propto (0.8)^2 T, \ T' \propto 0.64 T$
>
> ∴ 64[%]로 감소

06 3상 농형 유도전동기의 전전압 기동토크는 전부하토크의 1.8배이다. 이 전동기에 기동보상기
를 사용하여 기동전압을 전전압의 2/3로 낮추어 기동하면, 기동토크는 전부하토크 T와 어떤
관계인가? [2021년 2회 기사]

① $3.0\,T$ ② $0.8\,T$

③ $0.6\,T$ ④ $0.3\,T$

> **해설** 기동토크 $T \propto V^2$이므로
>
> $$1.8\,T : T' = V^2 : \left(\frac{2}{3}V\right)^2$$
>
> $\frac{2}{3}V$일 때 기동토크 $T' = \frac{4}{9} \times 1.8\,T = 0.8\,T[V]$

07

3상 농형 유도전동기를 전전압 기동할 때의 토크는 전부하 시의 $\dfrac{1}{\sqrt{2}}$ 배이다. 기동 보상기로 전전압의 $\dfrac{1}{\sqrt{3}}$ 로 기동하면 토크는 전부하토크의 몇 배가 되는가?(단, 주파수는 일정) [2015년 1회 기사]

① $\dfrac{\sqrt{3}}{2}$ 배

② $\dfrac{1}{\sqrt{3}}$ 배

③ $\dfrac{2}{\sqrt{3}}$ 배

④ $\dfrac{1}{3\sqrt{2}}$ 배

해설 유도전동기 토크와 전압과의 관계

$$T = k_0 \frac{sE_2^2 r_2}{r_2^2 + (sx_2)^2} = k_0 \frac{r_2 E_2^2}{\dfrac{r_2^2}{s} + sx_2^2} , \quad E \propto V$$

$T \propto V^2$, 토크(회전력)는 전압의 2승에 비례한다.

$$\therefore \quad V^2 : \frac{1}{\sqrt{2}} T = \left(\frac{1}{\sqrt{3}} V\right)^2 : T' \text{에서}$$

$$\text{토크} \quad T' = \frac{1}{3\sqrt{2}} T$$

08

380[V], 60[Hz], 4극, 10[kW]인 3상 유도전동기의 전부하 슬립이 4[%]이다. 전원 전압을 10[%] 낮추는 경우 전부하 슬립은 약 몇 [%]인가? [2022년 2회 기사]

① 3.3

② 3.6

③ 4.4

④ 4.9

해설 $T \propto V^2$, $s \propto \dfrac{1}{V^2}$ 에서

$$s : \frac{1}{V^2} = s' : \frac{1}{V'^2}$$

$$s' = \left(\frac{V}{V'}\right)^2 s = \left(\frac{V}{0.9V}\right)^2 s = \left(\frac{1}{0.9}\right)^2 \times 4 = 4.9[\%]$$

09 3상 유도전동기의 기계적 출력 P[kW], 회전수 N[rpm]인 전동기의 토크[kg·m]는?

[2013년 3회 기사 / 2020년 4회 기사]

① $0.46\dfrac{P}{N}$　　　　　　　　② $0.855\dfrac{P}{N}$

③ $975\dfrac{P}{N}$　　　　　　　　④ $1,050\dfrac{P}{N}$

해설　토크 $T=\dfrac{P}{\omega}=9.55\dfrac{P}{N}[\text{N}\cdot\text{m}]=0.975\dfrac{P}{N}[\text{kg}\cdot\text{m}]$

∴ P[kW]일 때 토크 $T=975\dfrac{P}{N}[\text{kg}\cdot\text{m}]$

10 4극, 60[Hz]의 유도전동기가 슬립 5[%]로 전부하운전하고 있을 때 2차 권선의 손실이 94.25[W]라고 하면 토크는 약 몇 [N·m]인가?

[2016년 1회 기사]

① 1.02　　　　　　　　② 2.04
③ 10.0　　　　　　　　④ 20.0

해설

$$T=\dfrac{P_2}{2\pi\dfrac{N_s}{60}}=\dfrac{60\times\dfrac{P_{c2}}{s}}{2\pi\left(\dfrac{120f}{P}\right)}=\dfrac{60\times\dfrac{94.25}{0.05}}{2\pi\left(\dfrac{120\times60}{4}\right)}\fallingdotseq10.00[\text{N}\cdot\text{m}]$$

11 3상 Y결선, 30[kW], 460[V], 60[Hz] 정격인 유도전동기의 시험결과가 다음과 같다. 이 전동기의 무부하 시 1상당 동손은 약 몇 [W]인가?(단, 소수점 이하는 무시한다) [2018년 3회 산업기사]

> 무부하 시험 : 인가전압 460[V], 전류 32[A]
> 소비전력 : 4,600[W]
> 직류시험 : 인가전압 12[V], 전류 60[A]

① 102　　　　　　　　② 104
③ 106　　　　　　　　④ 108

해설　Y결선 시 1상당 동손$(P_c)=I^2R=32^2\times0.1\fallingdotseq102[\text{W}]$

1상당 저항$(R)=\dfrac{2상\ 저항}{2}=\dfrac{0.2}{2}=0.1[\Omega]$

직류시험에 의해 2상당 저항$(R)=\dfrac{V_{DC}}{I_{DC}}=\dfrac{12}{60}=0.2[\Omega]$

8. 비례추이

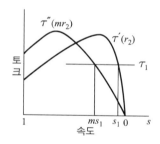

(1) 토크의 비례추이

$\tau' = P_2 = m_1 (I_1')^2 \dfrac{r_2'}{s}$ 에서 토크 τ는 $\dfrac{r_2'}{s}$가 일정하면 r_2'를 m배함과 동시에 s도 m배하면 토크는 변하지 않는다. 그림에서처럼 2차 회로의 저항이 2차 권선의 저항만인 경우의 속도-토크 곡선을 τ'라 하고 τ_1의 토크가 슬립 s_1에서 생기는 것이라고 하면 2차 회로의 저항을 m배한 경우에는 같은 토크 τ_1은 슬립 ms_1에서 생기는 것을 $\dfrac{r_2'}{s_1} = \dfrac{mr_2'}{ms_1}$의 관계가 된다.

(2) 토크의 비례추이 응용

농형 유도전동기는 2차 회로의 저항을 바꿀 수 없는 것에는 응용할 수 없으나 권선형 전동기는 2차 회로의 저항을 가감시켜서 비례추이에 따라 기동토크를 크게 하거나 속도를 제어할 수 있다.

$\dfrac{r_2'}{s_1} = \dfrac{mr_2'}{ms_1} = \dfrac{r_2' + R'}{s_2}$ 에서 $\dfrac{r_2}{s_1} = \dfrac{r_2 + R}{s_2}$

기동 시($s = 1$일 때) 최대토크를 얻기 위하여 회전자권선에 접속한 외부기동저항 R_s는 $R_s' = \sqrt{r_1^2 + (x_1 + x_2')^2} - r_2'$로 나타난다.

따라서 기동 시에 최대토크를 발생하려면 1차로 환산한 기동저항 R_s'를 회전자에 접속하면 된다.

(3) 비례추이하는 제량 : 1차 전류, 역률, 1차 입력, 2차 전류, 토크

비례추이하지 않은 제량 : 2차 동손, 출력, 효율, 동기속도

9. 기동

(1) 기동전류와 기동토크

정지상태에 있는 농형 유도전동기에 전원을 접속하면 정격전류의 약 3~5배 정도의 기동전류가 흐른다. 이를 전전압기동(또는 직입기동)이라 한다.

(2) 농형 전동기의 기동

기동전류가 크면 전원에 부담을 주게 되므로 이를 제한하도록 하여야 한다.

① 전전압 기동

소용량(3.7[kW] 이하의 보통농형, 11[kW] 미만의 특수농형) 전동기에 적용한다.

② Y-△ 기동

1차 권선을 Y접속으로 해서 기동하고 거의 정격속도로 가속되었을 때에 △접속으로 변환하여서 운전한다. 기동전류는 처음부터 △접속으로 하는 경우보다 $\frac{1}{3}$로 줄고 기동토크도 $\frac{1}{3}$로 감소된다. 정격출력 5~15[kW]의 전동기에 흔히 쓰인다.

③ 기동 보상기법

단권변압기에 의하여 전동기의 단자전압을 전원전압보다 낮게 하여 기동하고 운전 시에는 전전압을 공급한다.

④ 리액터 기동

3상 전원과 전동기 사이에 리액터를 직렬로 접속하여 기동하고 가속 후에는 이를 단락하는 방식펌프나 송풍기에 적합하다.

(3) 권선형 전동기의 기동 - 2차 저항 기동

① 2차 측에 슬립링을 거쳐 접속된 저항기를 가속됨에 따라서 그 저항치를 감소하고 최후에는 이를 단락한다. 비례추이현상을 이용한 것이므로 기동전류를 제한함과 동시에 큰 기동토크를 얻는다.

② 농형보다 기동특성이 우수하고 중부하에서도 원활한 기동이 가능하다.

10. 속도제어

전동기의 회전속도가 N[rpm]이고 슬립 s이면 $N_s = \dfrac{120f}{P}$, $N = (1-s)N_s$
속도 N을 변화시키려면 동기속도의 변화 또는 슬립의 변화에 의하여 이루어진다.

속도제어법	동기속도의 변환	전원주파수를 변환하는 방법
		극수의 변환에 의한 방법
	슬립을 바꾸는 방법	전원전압을 변화하는 방법
		2차 회로의 저항을 변환하는 방법

(1) 극수변환법

① $N_s = \dfrac{120f}{p}$ 에서 극수 p를 변환시켜 속도를 변환시키는 방법이다.

② 비교적 효율이 좋다.

③ 연속적인 속도제어가 아니라 계단적인 속도제어방법이다.

(2) 주파수변환법

① 인버터를 사용하여 $N_s = \dfrac{120f}{p}$ 에서 주파수 f를 변환시켜 속도를 제어하는 방법이다.

② 자속을 일정하게 유지하기 위하여 $\dfrac{V_1}{f}$ 을 일정하게 한다.

③ 선박추진기, 포트모터(인견공업용 전동기) 등에 사용된다.

(3) 전원전압제어법

유도전동기의 토크가 전압의 자승에 비례하는 성질을 이용하여 부하 시에 운전하는 슬립을 변화시키는 방법이다.

(4) 저항제어법

권선형 유도전동기에서 사용하는 방법으로 2차 회로의 저항을 이용하여 속도 변화 특성의 비례추이를 응용한 것이다.

(5) 2차 여자법

유도전동기의 회전자 권선에 2차 기전력 sE_2와 동일 주파수의 전압을 가해 그 크기를 조절하여 속도를 제어하는 방법이다.

(6) 종속접속법

① 직렬 종속법 : $N = \dfrac{120f}{p_1 + p_2}$ [rpm]

② 차동 종속법 : $N = \dfrac{120f}{p_1 - p_2}$ [rpm]

③ 병렬 종속법 : $N = \dfrac{2 \times 120f}{p_1 + p_2}$ [rpm]

11. 제 동

(1) 발전제동

전동기의 회전을 정지시키고자 할 때 1차 권선을 교류전원에서 분리한 다음 직류로 여자하면 전동기는 발전기로 바뀌고 회전자에서 기전력이 생기며 이로 인한 전류로 제동작용을 한다.

(2) 역전제동

전동기를 급정지시키고자 할 때 1차를 역접속하여 반대방향의 토크를 발생시키는 방법으로 1차 측 3선 중에서 임의의 2선에 대한 접속을 바꾼다.

(3) 회생제동

유도전동기가 동기속도 이상의 빠른 속도로 회전하게 되면 2차에서 1차로 전력이 희생되며, 이때 제동작용을 하게 된다. 예 크레인

(4) 단상제동

1차 측을 단상 접속으로 변환하고 2차 저항을 충분한 크기로 하면 제동토크가 발생한다.

핵 / 심 / 예 / 제

01 권선형 유도전동기의 설명으로 틀린 것은?

[2018년 2회 산업기사]

① 회전자의 3개의 단자는 슬립링과 연결되어 있다.

② 기동할 때에 회전자는 슬립링을 통하여 외부에 가감저항기를 접속한다.

③ 기동할 때에 회전자에 적당한 저항을 갖게 하여 필요한 기동토크를 갖게 한다.

④ 전동기 속도가 상승함에 따라 외부저항을 점점 감소시키고 최후에는 슬립링을 개방한다.

해설 비례추이에서 $\dfrac{r_2}{s} = \dfrac{r_2 + R}{s'}$ 외부저항 R 감소 시 s'도 감소

$N = (1 - s')N_s$ 에서 s' 감소 시 N은 증가

그러나 슬립링을 개방 시 회로 구성이 안 되므로 2차 회로에 전류가 흐르지 못함

02 비례추이와 관계가 있는 전동기는?

[2016년 1회 산업기사]

① 동기 전동기

② 정류자 전동기

③ 3상 농형 유도전동기

④ 3상 권선형 유도전동기

해설 비례추이는 2차 저항을 조절할 수 있는 권선형에만 해당된다.

03 다음 중 비례추이를 하는 전동기는?

[2022년 1회 기사]

① 동기 전동기 ② 정류자 전동기

③ 단상 유도전동기 ④ 권선형 유도전동기

해설 **비례추이의 원리(권선형 유도전동기)**

$$\frac{r_2}{s_m} = \frac{r_2 + R_s}{s_t}$$

- 최대토크가 발생하는 슬립점이 2차 회로의 저항에 비례해서 이동한다.

- 슬립은 변화하지만 최대토크 $\left(T_{\max} = K\dfrac{E_2^{\,2}}{2r_2} \right)$는 불변한다.

- 2차 저항을 크게 하면 기동전류는 감소하고 기동토크는 증가한다.

정답 01 ④ 02 ④ 03 ④

04 비례추이와 관계있는 전동기로 옳은 것은? [2019년 1회 기사]

① 동기 전동기 ② 농형 유도전동기

③ 단상 정류자전동기 ④ 권선형 유도전동기

> **해설** 비례추이의 원리(권선형 유도전동기)
>
> $$\frac{r_2}{s_m} = \frac{r_2 + R_s}{s_t}$$
>
> • 최대토크가 발생하는 슬립점이 2차 회로의 저항에 비례해서 이동한다.
>
> • 슬립은 변화하지만 최대토크 $\left(T_{\max} = K\dfrac{E_2{}^2}{2r_2}\right)$ 는 불변한다.
>
> • 2차 저항을 크게 하면 기동전류는 감소하고 기동토크는 증가한다.

05 유도전동기의 2차 측 저항을 2배로 하면 최대토크는 몇 배로 되는가?

[2012년 2회 기사 / 2012년 3회 기사 / 2013년 1회 기사]

① 3배로 된다. ② 2배로 된다.

③ 변하지 않는다. ④ $\dfrac{1}{2}$ 로 된다.

> **해설** 4번 해설 참조

06 3상 권선형 유도전동기의 기동 시 2차 측 저항을 2배로 하면 최대 토크값은 어떻게 되는가?

[2022년 2회 기사]

① 3배로 된다. ② 2배로 된다.

③ 1/2로 된다. ④ 변하지 않는다.

> **해설** 4번 해설 참조

04 ④ 05 ③ 06 ④ **정답**

07 3상 유도전동기에서 2차 측 저항을 2배로 하면 그 최대토크는 어떻게 변하는가?

[2020년 3회 기사]

① 2배로 커진다.

② 3배로 커진다.

③ 변하지 않는다.

④ $\sqrt{2}$ 배로 커진다.

해설　비례추이의 원리(권선형 유도전동기)

$$\frac{r_2}{s_m} = \frac{r_2 + R_s}{s_t}$$

• 최대토크가 발생하는 슬립점이 2차 회로의 저항에 비례해서 이동한다.

• 슬립은 변화하지만 최대토크$\left(T_{\max} = K\dfrac{E_2{}^2}{2r_2}\right)$는 불변한다.

• 2차 저항을 크게 하면 기동전류는 감소하고 기동토크는 증가한다.

08 권선형 유도전동기에서 2차 저항을 변화시켜서 속도제어를 하는 경우 최대토크는?

[2016년 1회 산업기사]

① 항상 일정하다.

② 2차 저항에만 비례한다.

③ 최대토크가 생기는 점의 슬립에 비례한다.

④ 최대토크가 생기는 점의 슬립에 반비례한다.

해설　비례추이의 기본원리인 2차 저항을 변화시켜도 최대토크는 불변이다.

09 3상 권선형 유도전동기에서 2차 측 저항을 2배로 하면 그 최대토크는 어떻게 되는가?

[2017년 3회 기사]

① 불변이다.

② 2배 증가한다.

③ $\dfrac{1}{2}$로 감소한다.

④ $\sqrt{2}$ 배 증가한다.

해설　7번 해설 참조

10 3상 유도전동기의 슬립과 토크의 관계에서 최대토크를 T_m, 최대토크를 발생하는 슬립을 S_t, 2차 저항이 R_2일 때의 관계는? [2013년 1회 산업기사]

① $T_m \propto R_2$, $S_t =$ 일정

② $T_m \propto R_2$, $S_t \propto R_2$

③ $T_m =$ 일정, $S_t \propto R_2$

④ $T_m \propto \dfrac{1}{R_2}$, $S_t \propto R_2$

> 해설
> - 3상 유도전동기는 2차 저항의 크기를 변화시키면 최대토크 T_m는 항상 일정하나, 슬립점이 2차 회로의 저항에 비례하여 이동한다.
> - 단상 유도전동기는 2차 저항의 크기를 변화시키면, 최대토크를 발생하는 슬립점뿐만 아니라 최대 토크의 크기도 변한다.

11 유도전동기를 정격상태로 사용 중, 전압이 10[%] 상승할 때 특성변화로 틀린 것은?(단, 부하는 일정 토크라고 가정한다) [2020년 1, 2회 기사]

① 슬립이 작아진다.
② 역률이 떨어진다.
③ 속도가 감소한다.
④ 히스테리시스손과 와류손이 증가한다.

> 해설
> $s \propto \dfrac{1}{V^2}$ 이므로
> - $\eta = (1-s)$이므로 Slip이 감소하면 효율은 증가한다.
> - $N = (1-s)N_s$이므로 Slip 감소 시 N은 증가한다.

12 권선형 유도전동기에서 비례추이에 대한 설명으로 틀린 것은?(단, S_m은 최대토크 시 슬립이다) [2018년 1회 기사]

① r_2를 크게 하면 S_m은 커진다.
② r_2를 삽입하면 최대토크가 변한다.
③ r_2를 크게 하면 기동토크도 커진다.
④ r_2를 크게 하면 기동전류는 감소한다.

> 해설
> 최대토크는 2차 저항과 무관

13 권선형 유도전동기 기동 시 2차 측에 저항을 넣는 이유는? [2016년 3회 기사]

① 회전수 감소

② 기동전류 증대

③ 기동토크 감소

④ 기동전류 감소와 기동토크 증대

해설 비례추이에 의해 기동전류는 줄이고 토크는 증가시킨다.

14 권선형 유도전동기에서 비례추이를 할 수 없는 것은? [2014년 2회 산업기사 / 2019년 2회 산업기사]

① 회전력

② 1차 전류

③ 2차 전류

④ 출 력

해설 **비례추이(권선형 유도전동기)**
- 비례추이할 수 있는 특성 : 1차 전류, 2차 전류, 역률, 동기와트 등
- 비례추이할 수 없는 특성 : 출력, 2차 동손, 효율 등

15 3상 권선형 유도전동기의 토크속도 곡선이 비례추이한다는 것은 그 곡선이 무엇에 비례해서 이동하는 것을 말하는가? [2016년 2회 기사 / 2019년 3회 산업기사]

① 슬 립

② 회전수

③ 2차 저항

④ 공급전압의 크기

해설 권선형 유도전동기에서 2차 저항이 증가하면 토크 곡선 등이 슬립이 증가하는 방향으로 2차 저항에 비례하며 이동한다. 즉, 같은 토크에서 2차 저항과 슬립은 비례하는데, 이를 비례추이라 한다.

16 유도전동기의 최대토크를 발생하는 슬립을 s_t, 최대출력을 발생하는 슬립을 s_p라 하면 대소관계는?

[2016년 2회 기사]

① $s_p = s_t$

② $s_p > s_t$

③ $s_p < s_t$

④ 일정치 않다.

해설

$$s_t = \frac{r_2{}'}{\sqrt{r_1{}^2 + (x_1 + x_2{}')^2}} ≒ \frac{r_2{}'}{x_2} = \frac{r_2}{x_2}$$

$$s_p = \frac{r_2{}'}{r_2{}' + \sqrt{(r_1 + r_2{}')^2 + (x_1 + x_2{}')^2}} ≒ \frac{r_2{}'}{r_2{}' + z}$$

$$\frac{r_2{}'}{x_2{}'} > \frac{r_2{}'}{r_2{}' + z}$$

$$\therefore s_t > s_p$$

최대토크를 발생하는 슬립 s_t는 최대출력을 발생하는 슬립을 s_p보다 조금 큰 쪽에서 이루어진다.

17 3상 유도전동기의 토크와 출력에 대한 설명으로 옳은 것은?

[2019년 1회 산업기사]

① 속도에 관계가 없다.

② 동일 속도에서 발생한다.

③ 최대출력은 최대토크보다 고속도에서 발생한다.

④ 최대토크가 최대출력보다 고속도에서 발생한다.

해설 3상 유도전동기 최대출력은 최대토크보다 고속도에서 발생한다.

18 유도전동기 1극의 자속 및 2차 도체에 흐르는 전류와 토크와의 관계는?

[2016년 3회 기사]

① 토크는 1극의 자속과 2차 유효전류의 곱에 비례한다.

② 토크는 1극의 자속과 2차 유효전류의 제곱에 비례한다.

③ 토크는 1극의 자속과 2차 유효전류의 곱에 반비례한다.

④ 토크는 1극의 자속과 2차 유효전류의 제곱에 반비례한다.

해설 $T = k\phi I$

19 8극, 50[kW], 3,300[V], 60[Hz]인 3상 권선형 유도전동기의 전부하 슬립이 4[%]라고 한다. 이 전동기의 슬립링 사이에 0.16[Ω]의 저항 3개를 Y로 삽입하면 전부하 토크를 발생할 때의 회전수[rpm]는?(단, 2차 각 상의 저항은 0.04[Ω]이고, Y접속이다) [2020년 1, 2회 산업기사]

① 660

② 720

③ 750

④ 880

해설 $N = N_s(1-s)$

$s \propto r_2$

$r_2 = 0.04[\Omega]$

$r_2 + R = 0.04 + 0.16 = 0.2[\Omega]$

$\dfrac{0.2}{0.04} = 5$배로 변함

$N' = \dfrac{120f}{P}(1-5s) = \dfrac{120 \times 60}{8}(1-5 \times 0.04) = 720[\mathrm{rpm}]$

20 전부하로 운전하고 있는 60[Hz], 4극 권선형 유도전동기의 전부하속도는 1,728[rpm], 2차 1상의 저항은 0.02[Ω]이다. 2차 회로의 저항을 3배로 할 때의 회전수[rpm]는?

[2015년 2회 산업기사]

① 1,264

② 1,356

③ 1,584

④ 1,765

해설 권선형 유도전동기의 비례추이 이용

동기속도 $N_s = \dfrac{120f}{p} = \dfrac{120 \times 60}{4} = 1,800[\mathrm{rpm}]$

슬립 $s = \dfrac{N_s - N}{N_s} = \dfrac{1,800 - 1,728}{1,800} = 0.04$

회전자속도 $N = (1-s)N_s = (1-0.04) \times 1,800 = 1,728[\mathrm{rpm}]$

$s \propto r_2$하므로 s를 3배하면 r_2도 3배 증가할 때

회전수 $N' = (1-3s)N_s = (1-3 \times 0.04) \times 1,800 = 1,584[\mathrm{rpm}]$

21 3상 권선형 유도전동기의 전부하 슬립 5[%], 2차 1상의 저항 0.5[Ω]이다. 이 전동기의 기동 토크를 전부하 토크와 같도록 하려면 외부에서 2차에 삽입할 저항[Ω]은?　　[2018년 2회 기사]

① 8.5

② 9

③ 9.5

④ 10

> **해설**
> 2차 저항 $\dfrac{r_2}{s} = \dfrac{r_2 + R}{s'}$ 에서 $\dfrac{0.5}{0.05} = \dfrac{0.5 + R}{1}$
>
> 2차 외부저항 $R = 10 - 0.5 = 9.5[\Omega]$
>
> 여기서, 전부하슬립 $s = 0.05$, 기동 시 슬립 $s' = 1$

22 슬립 s_t에서 최대토크를 발생하는 3상 유도전동기에 2차 측 한 상의 저항을 r_2라 하면 최대토크로 기동하기 위한 2차 측 한 상에 외부로부터 가해 주어야 할 저항[Ω]은?

[2017년 1회 기사 / 2022년 2회 기사]

① $\dfrac{1-s_t}{s_t}r_2$

② $\dfrac{1+s_t}{s_t}r_2$

③ $\dfrac{r_2}{1-s_t}$

④ $\dfrac{r_2}{s_t}$

> **해설**
> $\dfrac{r_2}{s_t} = \dfrac{r_2 + R}{1}$
>
> $\therefore R = \dfrac{r_2}{s_t} - r_2 = \dfrac{1-s_t}{s_t}r_2$

23 전부하로 운전하고 있는 50[Hz], 4극의 권선형 유도전동기가 있다. 전부하에서 속도를 1,440[rpm]에서 1,000[rpm]으로 변화시키자면 2차에서 약 몇 [Ω]의 저항을 넣어야 하는가?(단, 2차 저항은 0.02[Ω]이다)

[2020년 4회 기사]

① 0.147 ② 0.18
③ 0.02 ④ 0.024

해설 비례추이

$$\frac{r_2}{s_1} = \frac{r_2 + R_2}{s_2} \text{에서} \quad \frac{0.02}{0.04} = \frac{0.02 + R_2}{0.333}$$

$$0.04(0.02 + R_2) = 0.02 \times 0.333$$

$$\therefore R_2 = \frac{0.02 \times 0.333}{0.04} - 0.02 = 0.1465 ≒ 0.147$$

여기서, 동기속도 $N_s = \frac{120f}{P} = \frac{120 \times 50}{4} = 1,500[\text{rpm}]$

$$s_1 = \frac{N_s - N}{N_s} = \frac{1,500 - 1,440}{1,500} = 0.04$$

$$s_2 = \frac{N_s - N}{N_s} = \frac{1,500 - 1,000}{1,500} ≒ 0.333$$

24 60[Hz], 6극의 3상 권선형 유도전동기가 있다. 이 전동기의 정격부하 시 회전수는 1,140[rpm]이다. 이 전동기를 같은 공급전압에서 전부하 토크로 기동하기 위한 외부저항은 몇 [Ω]인가? (단, 회전자 권선은 Y결선이며 슬립링 간의 저항은 0.1[Ω]이다)

[2021년 1회 기사]

① 0.5 ② 0.85
③ 0.95 ④ 1

해설
$$N_s = \frac{120f}{P} = \frac{120 \times 60}{6} = 1,200[\text{rpm}]$$

$$s = \frac{N_s - N}{N_s} = \frac{1,200 - 1,140}{1,200} = 0.05$$

$$r_2 = \frac{0.1}{2} = 0.05[\Omega]$$

$$\therefore R = r_2\left(\frac{1}{s} - 1\right) = 0.05\left(\frac{1}{0.05} - 1\right) = 0.95[\Omega]$$

25 권선형 3상 유도전동기의 2차 회로는 Y로 접속되고 2차 각 상의 저항은 0.3[Ω]이며 1차, 2차 리액턴스의 합은 1.5[Ω]이다. 기동 시에 최대토크를 발생하기 위해서 삽입하여야 할 저항 [Ω]은?(단, 1차 각 상의 저항은 무시한다)　　　　　　　　　　　　[2017년 2회 산업기사]

① 1.2　　　　　　　　　　　　　　② 1.5
③ 2　　　　　　　　　　　　　　　④ 2.2

해설　1차 저항 $r_1 = 0$이므로

$$R_s' = \sqrt{r_1^2 + (x_1 + x_2')^2} - r_2' = \sqrt{(x_1 + x_2')^2} - r_2'$$

$x_1 + x_2' = 1.5[\Omega]$, $r_2 = 0.3[\Omega]$이므로

$$R_s = \sqrt{(x_1 + x_2')^2} - r_2 = \sqrt{(1.5)^2} - 0.3 = 1.2[\Omega]$$

26 6극 60[Hz]의 3상 권선형 유도전동기가 1,140[rpm]의 정격속도로 회전할 때 1차 측 단자를 전환해서 상회전 방향을 반대로 바꾸어 역전제동을 하는 경우 제동토크를 전부하토크와 같게 하기 위한 2차 삽입저항 $R[\Omega]$은?(단, 회전자 1상의 저항은 0.005[Ω], Y결선이다)

[2016년 3회 산업기사]

① 0.19　　　　　　　　　　　　　② 0.27
③ 0.38　　　　　　　　　　　　　④ 0.5

해설　$N_S = \dfrac{120f}{p} = \dfrac{120 \times 60}{6} = 1,200[\text{rpm}]$, $s = \dfrac{N_s - N}{N_s} = \dfrac{1,200 - 1,140}{1,200} = 0.05$

역전제동할 때에 슬립 s'는

$$s' = \frac{N_s - (-N)}{N_s} = \frac{1,200 - (-1,140)}{1,200} = 1.95$$

$s' = 1.95$에서 전부하토크를 발생시키는 데 필요한 2차 삽입저항 R은

$$\frac{r_2}{s} = \frac{r_2 + R}{s'}, \quad \frac{0.005}{0.05} = \frac{0.005 + R}{1.95}$$

$$\therefore R = \frac{0.005}{0.05} \times 1.95 - 0.005 = 0.19[\Omega]$$

27 유도전동기에서 인가전압이 일정하고 주파수가 정격값에서 수 [%] 감소할 때 나타나는 현상 중 틀린 것은?　　　　　　　　　　　　　　　　　　　　　　　[2016년 2회 산업기사]

① 철손이 증가한다.　　　　　　　　② 효율이 나빠진다.
③ 동기속도가 감소한다.　　　　　　④ 누설리액턴스가 증가한다.

해설　$X_l = 2\pi f L$에 의해 비례한다.

28 3상 권선형 유도전동기 기동 시 2차 측에 외부 가변저항을 넣는 이유는?　　[2021년 1회 기사]

① 회전수 감소
② 기동전류 증가
③ 기동토크 증가
④ 기동전류 감소와 기동토크 증가

해설 비례추이에 의해 기동전류는 줄이고 토크는 증가시킨다.

29 [보기]의 설명에서 빈칸(㉠~㉢)에 알맞은 말은?　　[2014년 2회 산업기사]

> 권선형 유도전동기에서 2차 저항을 증가시키면 기동전류는 (㉠)하고 기동토크는 (㉡)하며, 2차 회로의 역률이 (㉢)되고 최대토크는 일정하다.

① ㉠ 감소, ㉡ 증가, ㉢ 좋아지게
② ㉠ 감소, ㉡ 감소, ㉢ 좋아지게
③ ㉠ 감소, ㉡ 증가, ㉢ 나빠지게
④ ㉠ 증가, ㉡ 감소, ㉢ 나빠지게

해설 3상 권선형 유도전동기에서 2차 저항을 크게 하면 기동전류는 감소하고 기동토크는 증가한다. 최대 토크가 2차 저항에 비례추이하므로 최대토크는 변하지 않는다.

30 3상 유도전동기의 기동법 중 전전압 기동에 대한 설명으로 틀린 것은? [2019년 1회 기사]

① 기동 시에 역률이 좋지 않다.

② 소용량으로 기동 시간이 길다.

③ 소용량 농형 전동기의 기동법이다.

④ 전동기 단자에 직접 정격전압을 가한다.

해설 유도전동기의 기동법

		특 징	용 량
농 형	전전압 기동법 (직입 기동법)	직접 정격전압을 인가하여 기동, 기동전류가 정격 전류의 4~6배 정도	5[kW] 이하
	Y-△ 기동	기동 시 고정자권선을 Y로 접속하여 기동전류 감소, 정격속도가 되면 △로 변경, 기동전류와 기동토크가 각각 $\frac{1}{3}$ 배로 감소	5~15[kW] 이하
	기동보상 기법	전동기 1차 쪽에 강압용 단권변압기를 설치하여 전동기에 인가되는 전압을 감소시켜서 기동	15[kW] 이상
	리액터 기동	전동기 1차 측에 리액터를 설치 후 조정하여 전동기 인가전압 제어	
권선형	2차 저항 기동법	비례추이 이용 : 2차 회로 저항값 증가 - 토크 증가, 기동 전류 억제, 속도 감소, 운전특성 불량, 게르게스법	

31 3상 농형 유도전동기의 기동방법으로 틀린 것은? [2015년 3회 기사 / 2018년 3회 기사]

① Y-△ 기동

② 2차 저항에 의한 기동

③ 전전압 기동

④ 리액터 기동

해설 30번 해설 참조

32 농형 유도전동기 기동법에 대한 설명 중 틀린 것은? [2017년 3회 산업기사]

① 전전압 기동법은 일반적으로 소용량에 적용된다.

② Y-△ 기동법은 기동전압(V)이 $\frac{1}{\sqrt{3}}V$로 감소한다.

③ 리액터 기동법은 기동 후 스위치로 리액터를 단락한다.

④ 기동 보상기법은 최종속도 도달 후에도 기동보상기가 계속 필요하다.

해설 약 15[kW] 정도 이상의 전동기에서 기동전류를 제한하려는 경우와 고압의 농형 전동기에서는 기동 보상기로서 3상 단권변압기를 사용하여 기동전압을 낮추는 방법이 사용되며, 이 방법은 우선 조작핸 들을 기동 측에 넣으면 기동보상기의 1차 측이 전원에, 2차 측이 전동기에 접속되며 기동전압이 전동기에 가해져서 기동하고 최종속도에 가까워졌을 때에 핸들을 운전 측으로 변환하여 정격전압을 공급함과 동시에 기동보상기를 회로에서 분리하는 것이다.

33 유도전동기의 기동 시 공급하는 전압을 단권변압기에 의해서 일시 강하시켜서 기동전류를 제한하는 기동방법은? [2019년 1회 기사]

① Y-△ 기동 ② 저항기동
③ 직접 기동 ④ 기동 보상기에 의한 기동

해설 **기동 보상기법** : 단권변압기에 의하여 전동기의 단자전압을 전원전압보다 낮게 하여 기동하고 운전 시에는 전전압을 공급한다.

34 다음 중 권선형 유도전동기의 기동법은? [2012년 3회 기사 / 2013년 2회 기사]

① 분상 기동법 ② 2차 저항 기동법
③ 콘덴서 기동법 ④ 반발 기동법

해설 **3상 권선형 전동기의 기동법** : 2차 저항법, 게르게스법
2차 저항법 : 비례추이의 원리에 의하여 기동 시 큰 기동토크를 얻는 반면에 기동전류는 억제하는 기동법이다.

35 기동장치를 갖는 단상 유도전동기가 아닌 것은? [2017년 3회 산업기사]

① 2중 농형　　　　　　　　　② 분상 기동형
③ 반발 기동형　　　　　　　　④ 셰이딩 코일형

해설 **기동장치 기동토크가 큰 순서**
반발 기동형 > 반발 유도형 > 콘덴서 기동형 > 분상 기동형 > 셰이딩 코일형

36 유도전동기의 2차 회로에 2차 주파수와 같은 주파수로 적당한 크기와 적당한 위상의 전압을 외부에서 가해 주는 속도제어법은? [2018년 2회 기사]

① 1차 전압제어　　　　　　　② 2차 저항제어
③ 2차 여자제어　　　　　　　④ 극수 변환제어

해설 **권선형 유도전동기의 속도제어법**
• 2차 저항제어법
 ― 토크의 비례추이를 이용
 ― 2차 회로에 저항을 넣어서 같은 토크에 대한 슬립 s 를 바꾸어 속도를 제어
• 2차 여자법
 ― 비교적 효율이 좋고 단계적인 속도제어를 한다.
 ― 유도전동기 회전자에 슬립주파수 전압(주파수)을 공급하여 속도를 제어

35 ① 36 ③ 정답

37 유도전동기의 2차 여자제어법에 대한 설명으로 틀린 것은? [2018년 3회 기사]

① 역률을 개선할 수 있다.

② 권선형 전동기에 한하여 이용된다.

③ 동기속도의 이하로 광범위하게 제어할 수 있다.

④ 2차 저항손이 매우 커지며 효율이 저하된다.

해설 2차 여자법은 유도전동기의 회전자 권선에 2차 기전력(sE_2)과 동일 주파수의 전압(E_c)을 슬립링을 통해 공급하여 그 크기를 조절함으로써 속도를 제어하는 방법으로 권선형 전동기에서 이용된다. 전동기의 속도는 동기속도의 상하로 상당히 넓게 제어할 수 있고 역률 개선도 할 수 있다.

38 sE_2는 권선형 유도전동기의 2차 유기전압이고 E_c는 외부에서 2차 회로에 가하는 2차 주파수와 같은 주파수의 전압이다. E_c가 sE_2와 반대 위상일 경우 E_c를 크게 하면 속도는 어떻게 되는가?(단, $sE_2 - E_c$는 일정하다) [2017년 1회 산업기사]

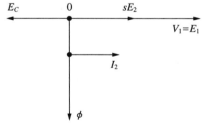

① 속도가 증가한다. ② 속도가 감소한다.

③ 속도에 관계없다. ④ 난조현상이 발생한다.

해설 권선형 유도전동기의 2차 여자법에 의한 속도제어에서 슬립주파수의 전압을 2차 유기전압과 같은 방향으로 가하면 속도가 상승하고, 반대 방향으로 가하면 속도가 감소한다.

39 권선형 유도전동기의 2차 권선의 전압 sE_2와 같은 위상의 전압 E_c를 공급하고 있다. E_c를 점점 크게 하면 유도전동기의 회전방향과 속도는 어떻게 변하는가? [2016년 3회 기사]

① 속도는 회전자계와 같은 방향으로 동기속도까지만 상승한다.
② 속도는 회전자계와 반대 방향으로 동기속도까지만 상승한다.
③ 속도는 회전자계와 같은 방향으로 동기속도 이상으로 회전할 수 있다.
④ 속도는 회전자계와 반대 방향으로 동기속도 이상으로 회전할 수 있다.

> **해설** 권선형 유도전동기의 2차 여자법에 의한 속도제어에서 슬립주파수의 전압을 2차 유기전압과 같은 방향으로 가하면 속도가 상승하여 회전자계와 같은 방향으로 동기속도 이상으로 회전할 수 있다.

40 3상 유도전동기의 기동법 중 Y−△ 기동법으로 기동 시 1차 권선의 각 상에 가해지는 전압은 기동 시 및 운전 시 각각 정격전압의 몇 배가 가해지는가? [2016년 2회 기사]

① 1, $\dfrac{1}{\sqrt{3}}$
② $\dfrac{1}{\sqrt{3}}$, 1
③ $\sqrt{3}$, $\dfrac{1}{\sqrt{3}}$
④ $\dfrac{1}{\sqrt{3}}$, $\sqrt{3}$

> **해설** 기동 시 Y로 전환하면 1상에 가해지는 전압은 $\dfrac{1}{\sqrt{3}}$ 배가 되며, 운전 시 △로 전환하면 1상에 가해지는 전압은 1배가 된다.

41 일반적인 농형 유도전동기에 관한 설명 중 틀린 것은? [2017년 1회 산업기사]

① 2차 측을 개방할 수 없다.
② 2차 측의 전압을 측정할 수 있다.
③ 2차 저항제어법으로 속도를 제어할 수 없다.
④ 1차 3선 중 2선을 바꾸면 회전방향을 바꿀 수 있다.

> **해설** 농형 유도전동기는 2차 권선이 없으므로 2차 측 전압을 측정할 수 없다.

42 유도전동기의 속도제어방식으로 틀린 것은?

[2018년 2회 산업기사]

① 크레머방식   ② 일그너방식

③ 2차 저항제어방식   ④ 1차 주파수제어방식

해설   일그너방식은 직류전동기의 속도제어법이다.

43 권선형 유도전동기의 2차 여자법 중 2차 단자에서 나오는 전력을 동력으로 바꿔서 직류전동기에 가하는 방식은?

[2021년 3회 기사]

① 회생방식

② 크레머방식

③ 플러깅방식

④ 세르비우스방식

해설   **크레머방식** : 유도전동기와 직류전동기를 기계적으로 직결 후 전기적으로는 유도전동기의 2차 여자법 중 2차 출력을 실리콘 정류기로 정류하여 직류전동기의 입력으로 사용

44 농형 유도전동기에 주로 사용되는 속도제어법은?

[2013년 1회 기사 / 2015년 1회 기사 / 2017년 3회 기사 / 2019년 3회 기사]

① 2차 저항제어법   ② 극수변환법

③ 종속 접속법   ④ 2차 여자제어법

해설   **농형 유도전동기의 속도제어법**
- 주파수변환법(VVVF)
  - 역률이 양호하며 연속적인 속도제어가 되지만, 전용 전원이 필요하다.
  - 인견·방직 공장의 포트모터, 선박의 전기추진기
- 극수변환법 : 비교적 단계적인 속도를 제어한다(효율이 좋다).
- 전압제어법(전원전압) : 유도전동기의 토크가 전압의 2승에 비례하여 변환하는 성질을 이용하여 부하운전 시 슬립을 변화시켜 속도를 제어한다.

45 농형 유도전동기의 속도제어법이 아닌 것은? [2018년 1회 산업기사]

① 극수변환   ② 1차 저항변환
③ 전원전압변환   ④ 전원주파수변환

해설   **농형 유도전동기의 속도제어법**
- 주파수변환법(VVVF)
  – 역률이 양호하며 연속적인 속도제어가 되지만, 전용 전원이 필요하다.
  – 인견·방직 공장의 포트모터, 선박의 전기추진기
- 극수변환법 : 비교적 단계적인 속도를 제어한다(효율이 좋다).
- 전압제어법(전원전압) : 유도전동기의 토크가 전압의 2승에 비례하여 변환하는 성질을 이용하여 부하운전 시 슬립을 변화시켜 속도를 제어한다.

46 3상 유도전동기의 속도제어법으로 틀린 것은? [2019년 1회 기사]

① 1차 저항법   ② 극수제어법
③ 전압제어법   ④ 주파수제어법

해설   **유도전동기의 속도제어**
- 농형 유도전동기 : 주파수변환법(VVVF), 극수변환법, 전압제어법
- 권선형 유도전동기 : 2차 저항법, 2차 여자법, 종속 접속법

47 유도전동기의 속도제어 방식으로 적합하지 않은 것은?

[2012년 1회 산업기사 / 2012년 3회 산업기사 / 2014년 1회 산업기사]

① 2차 여자제어
② 2차 저항제어
③ 1차 저항제어
④ 1차 주파수제어

해설　유도전동기의 속도제어
- 농형 유도전동기 : 주파수변환법(VVVF), 극수변환법, 전압제어법
- 권선형 유도전동기 : 2차 저항법, 2차 여자법, 종속 접속법

48 3상 유도전동기의 속도제어법이 아닌 것은?

[2018년 3회 산업기사]

① 극수변환법
② 1차 여자제어
③ 2차 저항제어
④ 1차 주파수제어

해설　47번 해설 참조

49 3상 유도전동기의 속도제어법 중 2차 저항제어와 관계가 없는 것은? [2017년 3회 산업기사]

① 농형 유도전동기에 이용된다.

② 토크 속도특성에 비례추이를 응용한 것이다.

③ 2차 저항이 커져 효율이 낮아지는 단점이 있다.

④ 조작이 간단하고 속도제어를 광범위하게 행할 수 있다.

> **해설** • 농형 유도전동기 속도제어법
> - 주파수를 바꾸는 방법
> - 극수를 바꾸는 방법
> - 전원전압을 바꾸는 방법
> • 권선형 유도전동기 속도제어법
> - 2차 저항을 제어하는 방법
> - 2차 여자법

50 유도전동기의 회전자에 슬립주파수의 전압을 공급하여 속도를 제어하는 방법은?

[2019년 3회 산업기사]

① 2차 저항법 ② 2차 여자법

③ 직류 여자법 ④ 주파수 변환법

> **해설** 권선형 유도전동기의 속도제어법
> • 2차 저항제어법
> - 토크의 비례추이를 이용
> - 2차 회로에 저항을 넣어서 같은 토크에 대한 슬립 s를 바꾸어 속도를 제어
> • 2차 여자법
> - 비교적 효율이 좋고 단계적인 속도제어를 한다.
> - 유도전동기 회전자에 슬립주파수 전압(주파수)을 공급하여 속도를 제어

51 권선형 유도전동기의 속도제어방법 중 저항제어법의 특징으로 옳은 것은? [2017년 2회 산업기사]

① 효율이 높고 역률이 좋다.
② 부하에 대한 속도변동률이 작다.
③ 구조가 간단하고 제어조작이 편리하다.
④ 전부하로 장시간 운전하여도 온도에 영향이 적다.

해설 **권선형 유도전동기의 저항제어법**
- 장 점
  - 기동용 저항기를 겸한다.
  - 구조가 간단하여 제어조작이 용이하고 내구성이 풍부하다.
- 단 점
  - 속도 변화의 [%]와 같은 [%]의 효율을 희생하기 때문에 운전효율이 나쁘다. 즉, 2차 회로의

    효율 $\eta_2 = \dfrac{P}{P_2} = (1-s)$이다.
  - 부하에 대한 속도변동이 크다.
  - 부하가 적을 때는 광범위한 속도조정이 곤란하다.
  - 제어용 저항은 전부하에서 장시간 운전해도 위험한 온도가 되지 않을 만큼의 충분한 크기가 필요하므로 가격이 비싸다.

52 권선형 유도전동기의 저항제어법의 장점은? [2019년 2회 산업기사]

① 부하에 대한 속도변동이 크다.
② 역률이 좋고, 운전효율이 양호하다.
③ 구조가 간단하며, 제어조작이 용이하다.
④ 전부하로 장시간 운전하여도 온도 상승이 적다.

해설 51번 해설 참조

53 권선형 유도전동기 저항제어법의 단점 중 틀린 것은? [2018년 1회 기사]

① 운전효율이 낮다.
② 부하에 대한 속도변동이 작다.
③ 제어용 저항기는 가격이 비싸다.
④ 부하가 적을 때는 광범위한 속도조정이 곤란하다.

해설 51번 해설 참조

정답 51 ③ 52 ③ 53 ②

54 선박추진용 및 전기자동차용 구동전동기의 속도제어로 가장 적합한 것은? [2018년 1회 산업기사]

① 저항에 의한 제어 ② 전압에 의한 제어
③ 극수변환에 의한 제어 ④ 전원주파수에 의한 제어

해설 농형 유도전동기의 속도제어법
• 주파수변환법(VVVF)
 – 역률이 양호하며 연속적인 속도제어가 되지만, 전용 전원이 필요
 – 인견·방직 공장의 포트모터, 선박의 전기추진기
• 극수변환법 : 비교적 효율이 좋고 단계적인 속도제어를 한다.
• 전압제어법(전원전압) : 유도전동기의 토크가 전압의 2승에 비례하여 변환하는 성질을 이용하여 부하운전 시 슬립을 변화시켜 속도를 제어한다.

55 유도전동기의 속도제어를 인버터방식으로 사용하는 경우 1차 주파수에 비례하여 1차 전압을 공급하는 이유는?
[2019년 1회 기사]

① 역률을 제어하기 위해 ② 슬립을 증가시키기 위해
③ 자속을 일정하게 하기 위해 ④ 발생토크를 증가시키기 위해

해설 • 인버터를 사용하여 $N_S = \dfrac{120f}{p}$ 에서 주파수 f를 변환시켜 속도를 제어하는 방법이다.

• 자속을 일정하게 유지하기 위하여 $\dfrac{V_1}{f}$ 을 일정하게 한다.

• 선박추진기, 포트모터(인견공업용 전동기) 등에 사용된다.

54 ④ 55 ③ **정답**

56 전력의 일부를 전원 측에 반환할 수 있는 유도전동기의 속도제어법은?　　　[2020년 4회 기사]

① 극수변환법　　　　　　　　② 크레머방식
③ 2차 저항가감법　　　　　　④ 세르비우스방식

해설　2차 여자제어법에는 크레머방식과 세르비우스방식이 있는데, 크레머방식은 기계적 제어, 세르비우스 방식은 전기적 제어로 속도를 제어한다.

57 직류전동기의 발전제동 시 사용하는 저항의 주된 용도는?　　　[2016년 2회 산업기사]

① 전압강하　　　　　　　　　② 전류의 감소
③ 전력의 소비　　　　　　　　④ 전류의 방향전환

해설　전동기의 회전을 정지시키고자 할 때 1차 권선을 교류전원에서 분리한 다음 직류로 여자하면 전동기는 발전기로 바뀌고 회전자에서 기전력이 생기며 이로 인한 전류로 제동작용을 한다. 이때 외부저항은 발전된 전력을 열로 소비하는 데 사용한다.

58 다음 중 VVVF 제어방식으로 가장 적당한 전동기는?　　　[2012년 1회 기사 / 2016년 2회 기사]

① 동기전동기　　　　　　　　② 유도전동기
③ 직류 직권전동기　　　　　　④ 직류 분권전동기

해설　VVVF 방식이란 전압제어를 통하여 주파수를 변화시키는 것으로 유도전동기 속도제어에 사용한다. 그 밖에 극수변환, 2차 여자법, 1차 전압제어, 2차 저항제어법 등이 있다.

59 권선형 유도전동기 2대를 직렬 종속으로 운전하는 경우 그 동기속도는 어떤 전동기의 속도와 같은가?

[2015년 3회 기사 / 2020년 4회 기사]

① 두 전동기 중 적은 극수를 갖는 전동기
② 두 전동기 중 많은 극수를 갖는 전동기
③ 두 전동기의 극수의 합과 같은 극수를 갖는 전동기
④ 두 전동기의 극수의 차와 같은 극수를 갖는 전동기

해설 유도전동기 속도제어법 중 종속접속법
- 직렬 종속법 : $P' = P_1 + P_2$, $N = \dfrac{120}{P_1 + P_2} f$
- 차동 종속법 : $P' = P_1 - P_2$, $N = \dfrac{120}{P_1 - P_2} f$
- 병렬 종속법 : $P' = \dfrac{P_1 - P_2}{2}$, $N = 2 \times \dfrac{120}{P_1 + P_2} f$

60 12극과 8극인 2개의 유도전동기를 종속법에 의한 직렬 접속법으로 속도제어할 때 전원주파수가 60[Hz]인 경우 무부하속도 N_0는 몇 [rps]인가?

[2020년 3회 산업기사]

① 5   ② 6
③ 200   ④ 360

해설 유도전동기 속도제어법 중 종속접속법
- 직렬 종속법 : $P' = P_1 + P_2$, $N = \dfrac{120}{P_1 + P_2} f$
- 차동 종속법 : $P' = P_1 - P_2$, $N = \dfrac{120}{P_1 - P_2} f$
- 병렬 종속법 : $P' = \dfrac{P_1 - P_2}{2}$, $N = 2 \times \dfrac{120}{P_1 + P_2} f$
- ∴ 직렬 종속법의 회전수 $N = \dfrac{120}{12 + 8} \times 60 = 360[\mathrm{rpm}] = 6[\mathrm{rps}]$

61 60[Hz]인 3상 8극 및 2극의 유도전동기를 차동 종속으로 접속하여 운전할 때의 무부하속도 [rpm]는?

① 720
② 900
③ 1,000
④ 1,200

 해설

$$N = \frac{120f}{P_1 - P_2} = \frac{120 \times 60}{8 - 2} = 1,200$$

62 3상 유도전동기의 전원 측에서 임의의 2선을 바꾸어 접속하여 운전하면?

[2020년 1, 2회 산업기사]

① 즉각 정지된다.
② 회전방향이 반대가 된다.
③ 바꾸지 않았을 때와 동일하다.
④ 회전방향은 불변이나 속도가 약간 떨어진다.

해설　**역상제동**
　3상 유도전동기의 전원 측에서 임의의 2선을 바꾸어 접속하면 회전자계 방향이 반대가 된다.

정답 61 ④ 62 ②

제4장 유도기 / 299

63 3상 유도전동기를 급속하게 정지시킬 경우에 사용되는 제동법은? [2015년 2회 산업기사]

① 발전제동법　　　　　　　　② 희생제동법

③ 마찰제동법　　　　　　　　④ 역상제동법

해설　**유도전동기의 제동법**
- 회생제동 : 유도전동기를 발전기로 적용하여 생긴 유기기전력을 전원을 귀환시키는 제동법
- 발전제동 : 유도전동기를 발전기로 적용하여 생긴 유기기전력을 저항을 통하여 열로 소비하는 제동법
- 역상제동(플러깅) : 전기자의 접속을 반대로 바꿔서 역토크를 발생시키는 제동법, 비상시 사용

64 동기전동기에 대한 설명으로 틀린 것은? [2021년 2회 기사]

① 동기전동기는 주로 회전계자형이다.

② 동기전동기는 무효전력을 공급할 수 있다.

③ 동기전동기는 제동권선을 이용한 기동법이 일반적으로 많이 사용된다.

④ 3상 동기전동기의 회전방향을 바꾸려면 계자권선 전류의 방향을 반대로 한다.

해설　**동기전동기**
- 동기전동기는 주로 회전계자형이다.
- 동기전동기는 무효전력을 공급할 수 있다.
- 동기전동기는 제동권선을 이용한 기동법이 일반적으로 많이 사용된다.

65 유도전동기 역상제동의 상태를 크레인이나 권상기의 강하 시에 이용하고 속도제한의 목적에 사용되는 경우의 제동방법은?

[2017년 3회 산업기사]

① 발전제동
② 유도제동
③ 회생제동
④ 단상제동

해설 **유도제동** : 유도전동기의 역상제동의 상태를 크레인이나 권상기의 강하 시에 이용하고, 속도제한의 목적에 사용하는 경우를 유도제동이라 한다. 2차 저항을 크게 하면, 전류가 제한되는 동시에 커다란 제동토크를 얻는 특성이 있다.

※ 주의 – 회생제동
크레인이나 언덕길에 운전되는 전기기관차 등에 사용되는 것이며, 유도전동기를 전원에 연결시킨 상태로 동기속도 이상의 속도에서 운전하여 유도발전기로 작동시키고, 발생된 전력을 전원으로 반환하면서 제동하는 방법이다. 기계적인 제동과 같이 마찰로 인한 마모나 발열이 없고 전력을 회수할 수 있으므로 유리하다.

66 유도전동기의 안정 운전의 조건은?(단, T_m : 전동기토크, T_L : 부하토크, n : 회전수이다)

[2013년 3회 기사 / 2017년 1회 기사 / 2021년 1회 기사]

① $\dfrac{dT_m}{dn} < \dfrac{dT_L}{dn}$

② $\dfrac{dT_m}{dn} = \dfrac{dT_L^2}{dn}$

③ $\dfrac{dT_m}{dn} > \dfrac{dT_L}{dn}$

④ $\dfrac{dT_m}{dn} \neq \dfrac{dT_L^2}{dn}$

해설 **유도전동기 안정 운전 조건**

• 안정 운전 : $\dfrac{dT_m}{dn} < \dfrac{dT_L}{dn}$

• 불안정 운전 : $\dfrac{dT_m}{dn} > \dfrac{dT_L}{dn}$

정답 65 ② 66 ①

12. 단상 유도전동기

권선에 단상교류를 가하여 여자하면 교번자장이 발생하며 회전자장이 아니다. 따라서 기동토크는 발생하지 않고 스스로 기동하지 못한다. 그러나 외력에 의하여 회전자가 어느 방향으로 회전하기 시작하면 그 방향으로 토크가 발생하여 가속되고 회전을 계속한다. 기동토크를 얻기 위하여 주권선 외에 기동 시 2상 교류에 의한 회전자장을 만들 수 있는 보조권선(기동권선)을 설치하는 방법이 쓰인다.

(1) 분상 기동형

기동권선의 권수는 주권선의 약 $\frac{1}{2}$이며 상당히 가늘어 인덕턴스는 작고, 저항은 크게 하여 주권선과 기동권선에 흐르는 전류 간에는 90° 가까운 위상차가 있도록 하여 회전자장을 얻는다.

(2) 콘덴서 기동형

기동권선의 권수를 주권선의 1~1.5배 정도로 하고 콘덴서를 통하여 접속하면 주권선과 기동권선에 흐르는 전류는 90° 가까운 위상차를 갖게 되어 회전자장을 얻는다.

(3) 셰이딩 코일형

나동선으로 만든 단락 코일, 즉 링 코일을 셰이딩 코일이라 하며 ϕ_m보다 ϕ_s는 뒤진 위상이 되어 셰이딩 코일 쪽으로 회전자장을 얻는다.

(4) 특 징

① 기동 시($s = 1$) 토크가 0으로 기동장치를 필요로 한다.
② r_2가 증가하면 최대토크는 감소(cf. 3상 유도전동기에서 최대토크는 불변)한다.
③ 0.75[kW] 이하의 소출력으로 회전자는 농형, 고정자는 단상 권선을 사용한다.

01 단상 유도전동기의 기동 시 브러시를 필요로 하는 것은? [2020년 1, 2회 기사]

① 분상 기동형

② 반발 기동형

③ 콘덴서 분상 기동형

④ 셰이딩 코일 기동형

해설 반발형은 브러시가 필요하다.

02 단상 유도전동기에서 기동토크가 가장 큰 것은?

[2014년 2회 산업기사 / 2014년 3회 기사 / 2016년 3회 산업기사 / 2017년 2회 기사]

① 반발 기동형

② 분상 기동형

③ 콘덴서 전동기

④ 셰이딩 코일형

해설 **단상 유도전동기**
- 종류(기동토크가 큰 순서대로) : 반발 기동형 > 반발 유도형 > 콘덴서 기동형 > 분상 기동형 > 셰이딩 코일형 > 모노 사이클릭형
- 단상 유도전동기의 특징
  - 교번자계 발생
  - 기동 시 기동토크가 존재하지 않으므로 기동장치가 필요하다.
  - 슬립이 0이 되기 전에 토크는 미리 0이 된다.
  - 2차 저항이 증가되면 최대토크는 감소한다(비례추이할 수 없다).
  - 2차 저항값이 어느 일정값 이상이 되면 토크는 부($-$)가 된다.

03 기동 시 정류자의 불꽃으로 라디오의 장해를 주며 단락장치의 고장이 일어나기 쉬운 전동기는? [2020년 1, 2회 산업기사]

① 직류 직권전동기

② 단상 직권전동기

③ 반발 기동형 단상 유도전동기

④ 셰이딩 코일형 단상 유도전동기

해설 단락장치가 들어가 있는 전동기는 반발 기동형 유도전동기

정답 01 ② 02 ① 03 ③

04 단상 유도전동기의 특징을 설명한 것으로 옳은 것은? [2019년 3회 기사]

① 기동토크가 없으므로 기동장치가 필요하다.
② 기계손이 있어도 무부하 속도는 동기속도보다 크다.
③ 권선형은 비례추이가 불가능하며, 최대토크는 불변이다.
④ 슬립은 $0 > s > -1$이고 2보다 작고 0이 되기 전에 토크가 0이 된다.

해설 단상 유도전동기
- 종류(기동토크가 큰 순서대로) : 반발 기동형 > 반발 유도형 > 콘덴서 기동형 > 분상 기동형 > 셰이딩 코일형 > 모노 사이클릭형
- 단상 유도전동기의 특징
  - 교번자계 발생
  - 기동 시 기동토크가 존재하지 않으므로 기동장치가 필요하다.
  - 슬립이 0이 되기 전에 토크는 미리 0이 된다.
  - 2차 저항이 증가되면 최대토크는 감소한다(비례추이할 수 없다).
  - 2차 저항값이 어느 일정값 이상이 되면 토크는 부($-$)가 된다.

05 단상 유도전동기를 기동토크가 큰 것부터 낮은 순서로 배열한 것은? [2016년 2회 산업기사]

① 모노 사이클릭형 → 반발 유도형 → 반발 기동형 → 콘덴서 기동형 → 분상 기동형
② 반발 기동형 → 반발 유도형 → 모노 사이클릭형 → 콘덴서 기동형 → 분상 기동형
③ 반발 기동형 → 반발 유도형 → 콘덴서 기동형 → 분상 기동형 → 모노 사이클릭형
④ 반발 기동형 → 분상 기동형 → 콘덴서 기동형 → 반발 유동형 → 모노 사이클릭형

해설 4번 해설 참조

04 ① 05 ③ **정답**

06 단상 유도전동기 중 기동토크가 가장 작은 것은? [2020년 3회 산업기사]

① 반발 기동형
② 분상 기동형
③ 셰이딩 코일형
④ 커패시터 기동형

해설 **기동장치 기동토크가 큰 순서**
반발 기동형 > 반발 유도형 > 콘덴서 기동형 > 분상 기동형 > 셰이딩 코일형

07 단상 반발 유도전동기에 대한 설명으로 옳은 것은? [2018년 3회 산업기사]

① 역률은 반발 기동형보다 나쁘다.
② 기동토크는 반발 기동형보다 크다.
③ 전부하 효율은 반발 기동형보다 좋다.
④ 속도의 변화는 반발 기동형보다 크다.

해설 • 농형 권선과 반발형 전동기 권선을 가져서 운전
• 반발 기동형과 비교 시 기동토크는 작지만 최대토크는 크며, 부하에 의한 속도변화는 반발 기동형 보다 크다.

08 브러시의 위치를 이동시켜 회전방향을 역회전시킬 수 있는 단상 유도전동기는? [2013년 2회 기사]

① 반발 기동형 전동기

② 셰이딩 코일형 전동기

③ 분상 기동형 전동기

④ 콘덴서 전동기

해설
- 반발 기동형 : 정류자편과 브러시가 있어 속도제어 및 역전이 가능하다.
- 셰이딩 코일형 : 10[W] 이하
- 분상 기동형 : 저항이 크고 인덕턴스가 적다.
- 콘덴서 기동형 : 역률이 크고 기동전류가 적다.

09 3상 유도전동기가 경부하로 운전 중 1선의 퓨즈가 끊어지면 어떻게 되는가?

[2017년 1회 산업기사]

① 전류가 증가하고 회전은 계속한다.

② 슬립은 감소하고 회전수는 증가한다.

③ 슬립은 증가하고 회전수는 증가한다.

④ 계속 운전하여도 열 손실이 발생하지 않는다.

해설 **경부하에서 회전을 계속한다면**
- 슬립이 2배 정도로 되고 회전수는 떨어진다.
- 1차 전류가 2배 가까이 되어서 열 손실이 증가하고, 계속 운전하면 과열로 소손된다.

08 ① 09 ① **정답**

10 단상 유도전동기 중 콘덴서 기동형 전동기의 특성은? [2013년 1회 기사]

① 회전자계는 타원형이다. ② 기동전류가 크다.

③ 기동회전력이 작다. ④ 분상 기동형의 일종이다.

해설 **콘덴서 기동형 전동기의 특성**
- 분상 기동형의 일종으로 직렬로 콘덴서를 연결한다.
- 회전자계는 원형이다.
- 기동전류는 작고 기동회전력이 크다.

11 단상 유도전동기의 분상 기동형에 대한 설명으로 틀린 것은? [2020년 1, 2회 기사]

① 보조권선은 높은 저항과 낮은 리액턴스를 갖는다.
② 주권선은 비교적 낮은 저항과 높은 리액턴스를 갖는다.
③ 높은 토크를 발생시키려면 보조권선에 병렬로 저항을 삽입한다.
④ 전동기가 기동하여 속도가 어느 정도 상승하면 보조권선을 전원에서 분리해야 한다.

해설 단상 유도전동기는 기동토크가 발생하지 않기 때문에 기동권선인 보조권선이 필요하므로 그 특징은 다음과 같다.
- 보조권선은 높은 저항과 낮은 리액턴스를 갖는다.
- 주권선은 비교적 낮은 저항과 높은 리액턴스를 갖는다.
- 전동기가 기동하여 속도가 어느 정도 상승하면 보조권선을 전원에서 분리해야 한다.

12 단상 유도전동기에 대한 설명으로 틀린 것은? [2020년 3회 기사]

① 반발 기동형 : 직류전동기와 같이 정류자와 브러시를 이용하여 기동한다.
② 분상 기동형 : 별도의 보조권선을 사용하여 회전자계를 발생시켜 기동한다.
③ 커패시터 기동형 : 기동전류에 비해 기동토크가 크지만, 커패시터를 설치해야 한다.
④ 반발 유도형 : 기동 시 농형 권선과 반발전동기의 회전자권선을 함께 이용하나 운전 중에는 농형 권선만을 이용한다.

해설 반발 유도형은 운전 중에도 농형 권선과 반발전동기의 회전자권선 둘 다 사용 가능하다.

13 반발 기동형 단상 유도전동기의 회전방향을 변경하려면?   [2017년 3회 기사]

① 전원의 2선을 바꾼다.
② 주권선의 2선을 바꾼다.
③ 브러시의 접속선을 바꾼다.
④ 브러시의 위치를 조정한다.

> 해설 **반발 기동형** : 정류자편과 브러시가 있어 속도제어 및 역전이 가능하다.

14 정·역 운전을 할 수 없는 단상 유도전동기는?   [2014년 3회 산업기사]

① 분상 기동형   ② 셰이딩 코일형
③ 반발 기동형   ④ 콘덴서 기동형

> 해설 자극 일부에 셰이딩 코일이 감겨져 있고 자극과 셰이딩 코일 사이에 이동자계가 발생하여 회전한다.
> 기동토크가 매우 작고 역률과 효율이 낮고 정·역회전을 할 수 없지만, 구조가 간단하고 견고하다.

15 단상 유도전동기와 3상 유도전동기를 비교했을 때 단상 유도전동기의 특징에 해당되는 것은?   [2019년 1회 산업기사]

① 대용량이다.   ② 중량이 작다.
③ 역률, 효율이 좋다.   ④ 기동장치가 필요하다.

> 해설 **단상 유도전동기 특징**
> • 기동 시($s=1$) 토크가 0으로 기동장치를 필요로 한다.
> • r_2가 증가하면 최대토크는 감소(cf. 3상 유도전동기에서 최대토크는 불변)한다.
> • 0.75[kW] 이하의 소출력으로 회전자는 농형, 고정자는 단상권선을 사용한다.

13. 기타 유도기

(1) **유도전압조정기** : 1차 권선(분로권선)과 2차 권선(직렬권선)의 상대적 위치를 바꿈으로써 출력전압을 광범위하게 조절할 수 있는 변압기의 일종으로 유도기와 비슷한 구조이다.

전압 조정 범위 : $E_2 = E_c \pm E_s$

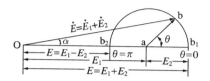

종류 내용	단상 유도전압조정기	3상 유도전압조정기
2차 전압	$\theta : 0 \sim 180° \rightarrow V_2 = V_1 \pm E_2 \cos\theta$	$V_2 = \sqrt{3}(V_1 \pm E_1)$
조정 범위	$V_1 - E_2 \sim V_1 + E_2$	$\sqrt{3}(V_1 - E_2) \sim \sqrt{3}(V_1 + E_2)$
용량	$P = E_2 I_2 \times 10^{-3}[\text{kVA}]$	$P = \sqrt{3}E_2 I_2 \times 10^{-3}[\text{kVA}]$
특징	• 교번자계를 이용 • 입력과 출력전압의 위상차가 없음 • 단락코일이 필요	• 회전자계 이용 • 입력과 출력전압의 위상차가 있음 • 단락권선이 필요 없음
공통	• 1차 권선(분로권선)과 2차 권선(직렬권선) 분리 • 회전자의 위상각으로 전압조정 • 원활한 전압조정 가능 • 단락코일 : 누설리액턴스 때문에 발생하는 전압강하를 방지	

(2) **3상 유도전동기의 이상현상**

① **크라울링(Crawling) 현상**

계자에 고조파가 유기될 경우 정격속도에 이르지 못하고 낮은 속도에서 안정되어 버리는 현상이다.

㉠ 원인 : 고정자와 회전자 슬롯수가 적당하지 않을 경우, 공극이 일정하지 않을 경우

㉡ 결과 : 소음 발생

㉢ 대비책 : 경사 슬롯 채용

② **게르게스(Görges) 현상**

3상 권선형 유도전동기의 2차 회로가 한 개 단선된 경우 $s = 50[\%]$ 부근에서 더 이상 가속되지 않는 현상이다.

③ 고조파의 회전자계

회전자계 방향	기본파와 같은 방향 $h = 2mn+1$ 7차, 13차 ···	기본파와 반대 방향 $h = 2mn-1$ 5차, 11차 ···	회전자계 없음 $h = 2mn$ 3차, 6차 ···
회전속도	회전속도 $= \dfrac{1}{\text{고조파 차수}} = \dfrac{1}{h}$		

(3) 유도발전기 : 3상 전원에 접속되어 있는 유도전동기를 원동기로 구동하여 동기속도 이상의 속도로 회전시키면 slip s는 (−)값을 갖게 되며 전동기는 원동기로부터 동력을 받아 발전하여 선로에 전력을 보내게 된다.

① 장 점
  ㉠ 동기발전기에 비해 가격이 싸다.
  ㉡ 기동과 취급이 간단하며 고장이 적다.
  ㉢ 동기발전기와 같이 동기화할 필요가 없으며 난조 등의 이상현상도 없다.
  ㉣ 단락전류는 동기기에 비해 적다.

② 단 점
  ㉠ 병렬로 운전되는 동기기에서 여자전류를 취해야 한다.
  ㉡ 공극의 치수가 작기 때문에 운전 시 주의해야 한다.
  ㉢ 효율과 역률이 동기기에 비해 낮다.

(4) 유도주파수 변환기 : 권선형 전동기를 주파수 f_1의 전원에 연결하고 동기속도 N_s의 회전자속을 만들고 2차 측을 개로한 상태에서 회전자에 외력을 가하여 임의의 속도 N으로 회전시키면 슬립링에 나타나는 2차 주파수 f_2는 다음과 같다.

$$f_2 = sf_1 = \frac{n_s - n}{n_s}f_1$$

(5) 셀신전동기 : 부하가 둘 이상 되는 경우에 그 부하축의 회전수를 동일하게 하거나 일정비의 회전수로 운전하고자 할 때, 또는 축을 동일한 각도만큼 돌리고자 할 때에 기계적으로 하지 않고, 전기적으로 동기운전하기 위하여 사용되는 유도기를 셀신전동기라 한다.

(6) 셀신장치(지시용 싱크로)

기계적인 각도의 변화를 전기적인 방법으로 먼 거리에 있는 장소에 전달해서 원격지시한다. 원격측정하는 데 사용되는 장치이다(원격신호, 원격제어 등 각 방면에 널리 사용).

(7) 구조적 특수기

① 2중 농형 유도전동기

　㉠ 회전자의 농형권선을 내외 이중으로 설치한 것이다.

　㉡ 도 체

　　• 외측 도체 : 저항이 높은 황동 또는 동니켈 합금의 도체를 사용한다.

　　• 내측 도체 : 저항이 낮은 동을 사용한다.

　㉢ 기동 시에는 저항이 높은 외측 도체로 흐르는 전류에 의해 큰 기동토크를 얻고, 기동완료 후에는 저항이 작은 내측 도체로 전류가 흘러 우수한 특성을 얻는 전동기이다.

② 농형 유도전동기

2차 도체로서 회전자의 반경 방향 길이가 두께에 비하여 대단히 큰 단면으로 된 것을 사용하는 전동기이다.

　㉠ 기동 시 : 슬롯 밑 부분에 가까운 도체 부분은 누설리액턴스가 커 전류는 회전자 표면 부분의 도체에 집중되어(표피효과) 기동특성이 향상된다.

　㉡ 기동완료 후 : 전류분포는 전 도체에 균일하게 분포한다.

　㉢ 이중농형에 비해 냉각효과가 크다.

(8) 스텝모터

스텝모터는 디지털신호에 비례하여 일정각도만큼 회전하는 모터로 그 총회전각은 입력펄스의 수로, 회전속도는 입력펄스의 빠르기로 쉽게 제어한다.

① 회전각과 속도는 펄스수에 비례한다.

② 오픈루프에서 속도 및 위치제어를 할 수 있다.

③ 디지털신호를 직접 제어할 수 있다.

④ 정역 및 가감속이 쉽다.

⑤ 위치제어를 할 때 각도 오차가 작다.

⑥ 종류는 가변 릴럭턴스형(VR), 영구자석형(PM), 복합형(H)이 있다.

01 유도전동기의 실부하법에서 부하로 쓰이지 않는 것은? [2020년 3회 산업기사]

① 전동발전기 ② 전기동력계

③ 프로니 브레이크 ④ 손실을 알고 있는 직류발전기

해설 실부하법은 직접 토크회전수 입력 등을 측정한 다음 효율, 슬립 등을 구하는 시험으로 다음의 방법이 있다.
- 보조전동기
- 프로니 브레이크
- 전기동력계법
- 손실을 알고 있는 직류발전기

02 일반적인 농형 유도전동기에 비하여 2중 농형 유도전동기의 특징으로 옳은 것은? [2017년 1회 기사]

① 손실이 적다. ② 슬립이 크다.

③ 최대토크가 크다. ④ 기동토크가 크다.

해설 2중 농형 유도전동기는 일반적인 농형 유도전동기에 비하여 기동전류가 작고 기동토크가 크다.

03 2중 농형 유도전동기가 보통 농형 유도전동기에 비해서 다른 점은 무엇인가? [2018년 3회 산업기사]

① 기동전류가 크고, 기동토크도 크다.
② 기동전류가 작고, 기동토크도 작다.
③ 기동전류는 작고, 기동토크는 크다.
④ 기동전류는 크고, 기동토크는 작다.

해설 2번 해설 참조

01 ① 02 ④ 03 ③ **정답**

04 단상 유도전압조정기의 원리는 다음 중 어느 것을 응용한 것인가? [2018년 2회 산업기사]

① 3권선변압기
② V결선변압기
③ 단상 단권변압기
④ 스코트결선(T결선)변압기

해설 전압조정기는 단상용과 3상용이 있는데 단상 유도전압조정기의 원리는 단상 단권변압기를 응용한 전압조정기이다.

05 3상 유도전압조정기의 원리를 응용한 것은? [2019년 1회 기사]

① 3상 변압기
② 3상 유도전동기
③ 3상 동기발전기
④ 3상 교류자전동기

해설 3상 유도전압조정기는 구조상 유도기와 비슷하고 3상 유도전압조정기는 3상 유도전동기를 응용한 전압조정기이다.

06 단상 유도전압조정기의 1차 권선과 2차 권선의 축 사이의 각도를 α라 하고 양 권선의 축이 일치할 때 2차 권선의 유기전압을 E_2, 전원전압을 V_1, 부하 측의 전압을 V_2라고 하면 임의의 각 α일 때의 V_2는? [2012년 1회 산업기사 / 2016년 3회 산업기사]

① $V_2 = V_1 + E_2\cos\alpha$
② $V_2 = V_1 - E_2\cos\alpha$
③ $V_2 = V_1 + E_2\sin\alpha$
④ $V_2 = V_1 - E_2\sin\alpha$

해설

종류	단상 유도전압조정기	3상 유도전압조정기
2차 전압	$\theta : 0 \sim 180°$일 때 $V_2 = V_1 \pm E_2\cos\theta$	$V_2 = \sqrt{3}(V_1 \pm E_1)$
조정 범위	$V_1 - E_2 \sim V_1 + E_2$	$\sqrt{3}(V_1 - E_2) \sim \sqrt{3}(V_1 + E_2)$
조정 정격용량	$P_2 = E_2 I_2 \times 10^{-3}[\text{kVA}]$	$P_2 = \sqrt{3}\,E_2 I_2 \times 10^{-3}[\text{kVA}]$

축이 일치할 때이므로 ①번이 된다.

07 단상 유도전압조정기의 1차 전압 100[V], 2차 전압 100 ± 30[V], 2차 전류는 50[A]이다. 이 전압조정기의 정격용량은 약 몇 [kVA]인가? [2017년 1회 산업기사]

① 1.5

② 2.6

③ 5

④ 6.5

해설 단상 유도전압조정기의 용량은

$$P = 부하용량 \times \frac{승압\ 전압}{고압\ 측\ 전압} = 130 \times 50 \times \frac{30}{130} \times 10^{-3} = 1.5[\text{kVA}]$$

08 단상 유도전압조정기에서 단락권선의 역할은? [2021년 1회 기사]

① 철손 경감

② 절연 보호

③ 전압강하 경감

④ 전압조정 용이

해설 단락권선이란 누설리액턴스에 의한 전압강하 경감

09 단상 및 3상 유도전압조정기에 관하여 옳게 설명한 것은? [2014년 3회 산업기사 / 2020년 3회 산업기사]

① 단락권선은 단상 및 3상 유도전압조정기 모두 필요하다.

② 3상 유도전압조정기에는 단락권선이 필요 없다.

③ 3상 유도전압조정기의 1차와 2차 전압은 동상이다.

④ 단상 유도전압조정기의 기전력은 회전자계에 의해서 유도된다.

해설 유도전압조정기

종 류	단상 유도전압조정기	3상 유도전압조정기
특 징	• 교번자계 이용 • 입력과 출력 위상차 없음 • 단락권선 필요	• 회전자계 이용 • 입력과 출력 위상차 있음 • 단락권선 필요 없음

• 단락권선의 역할 : 누설리액턴스에 의한 2차 전압 강하 방지

• 3상 유도전압조정기 위상차 해결 → 대각 유도전압조정기

10 3상 유도전압조정기의 동작원리 중 가장 적당한 것은? [2016년 2회 기사]

① 두 전류 사이에 작용하는 힘이다.

② 교번자계의 전자유도작용을 이용한다.

③ 충전된 두 물체 사이에 작용하는 힘이다.

④ 회전자계에 의한 유도작용을 이용하여 2차 전압의 위상전압 조정에 따라 변화한다.

해설 유도전압조정기

종 류	단상 유도전압조정기	3상 유도전압조정기
특 징	• 교번자계 이용 • 입력과 출력 위상차 없음 • 단락권선 필요	• 회전자계 이용 • 입력과 출력 위상차 있음 • 단락권선 필요 없음

• 단락권선의 역할 : 누설리액턴스에 의한 2차 전압 강하 방지

• 3상 유도전압조정기 위상차 해결 → 대각 유도전압조정기

11 3상 유도전압조정기의 특징이 아닌 것은? [2017년 2회 산업기사]

① 분로권선에 회전자계가 발생한다.

② 입력전압과 출력전압의 위상이 같다.

③ 두 권선은 2극 또는 4극으로 감는다.

④ 1차 권선은 회전자에 감고 2차 권선은 고정자에 감는다.

해설 10번 해설 참조

정답 10 ④ 11 ②

12 유도발전기에 대한 설명으로 틀린 것은? [2016년 3회 산업기사]

① 공극이 크고 역률이 동기기에 비해 좋다.
② 병렬로 접속된 동기기에서 여자전류를 공급받아야 한다.
③ 농형 회전자를 사용할 수 있으므로 구조가 간단하고 가격이 싸다.
④ 선로에 단락이 생기면 여자가 없어지므로 동기기에 비해 단락전류가 작다.

> **해설** • 장 점
>   – 동기발전기에 비해 가격이 싸다.
>   – 기동과 취급이 간단하며 고장이 적다.
>   – 동기발전기와 같이 동기화할 필요가 없으며 난조 등의 이상현상도 없다.
>   – 단락전류는 동기기에 비해 작다.
> • 단 점
>   – 병렬로 운전되는 동기기에서 여자전류를 취해야 한다.
>   – 공극의 치수가 작기 때문에 운전 시 주의해야 한다.
>   – 효율과 역률이 동기기에 비해 낮다.

13 유도발전기의 동작특성에 관한 설명 중 틀린 것은? [2019년 3회 기사]

① 병렬로 접속된 동기발전기에서 여자를 취해야 한다.
② 효율과 역률이 낮으며 소출력의 자동수력발전기와 같은 용도에 사용된다.
③ 유도발전기의 주파수를 증가하려면 회전속도를 동기속도 이상으로 회전시켜야 한다.
④ 선로에 단락이 생긴 경우에는 여자가 상실되므로 단락전류는 동기발전기에 비해 적고 지속시간도 짧다.

> **해설** • 회전자속을 만들기 위한 여자전류는 발전기에 연결되어 있는 전원에서 공급해야 한다.
> • 유도발전기는 단독으로 발전할 수는 없으므로 반드시 동기발전기가 있는 전원에 접속해서 운전하여야 한다.
> • 발전기의 주파수는 전원의 주파수로 정하고 회전속도에는 관계가 없다.
> • 출력은 거의 상대속도$(n - n_s)$와 비례하기 때문에 출력을 증가하려면 속도를 증가시켜야 한다.

12 ① 13 ③ 정답

14 3상 유도전동기의 슬립이 $s < 0$인 경우를 설명한 것으로 틀린 것은? [2014년 1회 기사]

① 동기속도 이상이다.

② 유도발전기로 사용된다.

③ 유도전동기 단독으로 동작이 가능하다.

④ 속도를 증가시키면 출력이 증가한다.

해설

슬립 $s = \dfrac{N_s - N}{N_s}$

슬립(s)의 범위

정 지	동기속도	전동기	발전기	제동기
$N = 0$ $s = 1$	$N = N_s$ $s = 0$	$0 < s < 1$	$s < 0$	$s > 1$

15 회전형 전동기와 선형 전동기(Linear Motor)를 비교한 설명 중 틀린 것은?

[2016년 1회 기사 / 2022년 1회 기사]

① 선형의 경우 회전형에 비해 공극의 크기가 작다.

② 선형의 경우 직접적으로 직선운동을 얻을 수 있다.

③ 선형의 경우 회전형에 비해 부하관성의 영향이 크다.

④ 선형의 경우 전원의 상 순서를 바꾸어 이동방향을 변경한다.

해설 선형 전동기는 무한 연속운동을 하는 회전형 전동기와 달리

- 길이가 유한한 구조와 상대적으로 큰 공극으로 인해서 회전기보다 성능(힘, 효율 등)이 떨어진다.
- 직선구동력이 필요한 시스템에서는 회전형 전동기와 회전력을 직선운동으로 변환해주는 기어, 벨트 등의 추가적인 기계변환장치가 필요하지 않으므로, 시스템구조가 간단하고 손실이나 소음이 발생하지 않는다.
- 전원의 상 순서를 바꾸어 이동방향을 변경한다.
- 선형의 경우 회전형에 비해 직선운동으로 부하관성의 영향이 크다.

16 일반적인 전동기에 비하여 리니어 전동기(Linear Motor)의 장점이 아닌 것은?

[2017년 2회 기사]

① 구조가 간단하여 신뢰성이 높다.
② 마찰을 거치지 않고 추진력이 얻어진다.
③ 원심력에 의한 가속제한이 없고 고속을 쉽게 얻을 수 있다.
④ 기어, 벨트 등 동력 변환기구가 필요 없고 직접 원운동이 얻어진다.

해설 **리니어 전동기 특징**

장 점	단 점
• 구조가 간단하여 신뢰성이 높다. • 마찰을 거치지 않고 추진력이 얻어진다. • 원심력에 의한 가속제한이 없고 고속을 쉽게 얻을 수 있다. • 기어, 벨트 등 동력 변환기구가 필요 없고 직접 직선 운동이 얻어진다.	• 회전형에 비해 역률, 효율이 낮다. • 저속도를 얻기 어렵다. • 부하의 관성의 영향이 크다.

17 3상 권선형 유도전동기의 2차 회로의 한 상이 단선된 경우에 부하가 약간 커지면 슬립이 50[%]인 곳에서 운전이 되는 것을 무엇이라 하는가?

[2015년 2회 산업기사]

① 차동기 운전　　　　　　　　② 자기여자
③ 게르게스 현상　　　　　　　④ 난 조

해설 **게르게스 현상** : 3상 권선형 유도전동기의 2차 회로가 한 개 단선된 경우 $s=50[\%]$ 부근에서 더 이상 가속되지 않는 현상이다.

18 유도전동기에서 크라울링(Crawling) 현상으로 맞는 것은?

[2015년 2회 기사]

① 기동 시 회전자의 슬롯수 및 권선법이 적당하지 않은 경우 정격속도보다 낮은 속도에서 안정운전이 되는 현상

② 기동 시 회전자의 슬롯수 및 권선법이 적당하지 않은 경우 정격속도보다 높은 속도에서 안정운전이 되는 현상

③ 회전자 3상 중 1상이 단선된 경우 정격속도의 50[%] 속도에서 안정운전이 되는 현상

④ 회전자 3상 중 1상이 단락된 경우 정격속도보다 높은 속도에서 안정운전이 되는 현상

해설 **크라울링 현상**
계자에 고조파가 유기될 경우 정격속도에 이르지 못하고 낮은 속도에서 안정되어 버리는 현상
• 원인 : 고정자와 회전자 슬롯수가 적당하지 않을 경우, 공극이 일정하지 않을 경우
• 결과 : 소음 발생
• 대비책 : 경사 슬롯 채용

19 3상 유도전동기에서 고조파 회전자계가 기본파 회전방향과 역방향인 고조파는?

[2021년 3회 기사]

① 제3고조파 ② 제5고조파
③ 제7고조파 ④ 제13고조파

해설 고조파차수$(h) = 2nm \pm 1$

1ϕ $\quad h = 2 \times 1 \times 2 \pm 1 = 3.5$
$\quad\quad h = 2 \times 2 \times 2 \pm 1 = 7.9$
$\quad\quad h = 2 \times 3 \times 2 \pm 1 = 11.13$

3ϕ $\quad h = 2 \times 1 \times 3 \pm 1 = 5.7$
$\quad\quad h = 2 \times 2 \times 3 \pm 1 = 11.13$
$\quad\quad h = 2 \times 3 \times 3 \pm 1 = 17.19$에서 회전자계는 3ϕ이므로 3배수 고조파는 나타나지 않는다.

(+ : 같은 방향, − : 반대 방향)

20 제9차 고조파에 의한 기자력의 회전방향 및 속도는 기본파 회전자계와 비교할 때 다음 중 적당한 것은? [2013년 1회 기사]

① 기본파와 역방향이고 9배의 속도

② 기본파와 역방향이고 1/9배의 속도

③ 회전자계를 발생하지 않음

④ 기본파와 동방향이고 9배의 속도

해설 고조파차수$(h) = 2nm \pm 1$

1ϕ $h = 2 \times 1 \times 2 \pm 1 = 3.5$

$h = 2 \times 2 \times 2 \pm 1 = 7.9$

$h = 2 \times 3 \times 2 \pm 1 = 11.13$

3ϕ $h = 2 \times 1 \times 3 \pm 1 = 5.7$

$h = 2 \times 2 \times 3 \pm 1 = 11.13$

$h = 2 \times 3 \times 3 \pm 1 = 17.19$에서 회전자계는 3ϕ이므로 3배수 고조파는 나타나지 않는다.

21 유도전동기의 슬립을 측정하려고 한다. 다음 중 슬립의 측정법이 아닌 것은?

[2015년 1회 산업기사]

① 동력계법   ② 수화기법

③ 직류 밀리볼트계법   ④ 스트로보스코프법

해설 슬립의 측정 : 직류 밀리볼트계법(권선형 유도전동기), 스트로보스코프법, 수화기법

※ 동력계법 : 토크 측정

22 유도전동기의 슬립을 측정하려고 한다. 다음 중 슬립의 측정법이 아닌 것은? [2021년 3회 기사]

① 수화기법   ② 직류밀리볼트계법

③ 스트로보스코프법   ④ 프로니브레이크법

해설 21번 해설 참조

23 브러시리스 모터(BLDC)의 회전자 위치 검출을 위해 사용하는 것은? [2016년 3회 산업기사]

① 홀(Hall) 소자
② 리니어 스케일
③ 회전형 엔코더
④ 회전형 디코더

해설 주로 홀 소자를 사용한다. 즉, 홀 소자는 자속을 감지(자전변환) 할 수 있는 소자로서 회전자 영구자석의 자극을 검출한다.

24 50[Hz]로 설계된 3상 유도전동기를 60[Hz]에 사용하는 경우 단자전압을 110[%]로 높일 때 일어나는 현상이 아닌 것은? [2015년 2회 기사 / 2019년 2회 기사]

① 철손 불변
② 여자전류 감소
③ 출력이 일정하면 유효전류 감소
④ 온도상승 증가

해설 ④ 철손 및 동손 감소, 여자전류 감소로 온도는 줄어든다.

① 히스테리시스손 $P_h \propto \dfrac{E^2}{f}$ 에서 $P_h \propto \dfrac{f_2}{f_1}E^2 = \dfrac{50}{60}(1.1E)^2 \fallingdotseq 1.008$ 이므로 거의 불변

② 여자전류 $I_0 \fallingdotseq I_\phi = \dfrac{V_1}{\omega L} = \dfrac{V_1}{2\pi f L}[\mathrm{A}]$ 이므로 주파수에 반비례한다.

③ 3상 전력 $P = \sqrt{3}\,VI\cos\theta[\mathrm{W}]$ 에서 전력 일정, 전압이 증가하면 전류는 감소한다.

정답 23 ①, ③ 24 ④

25 60[Hz]의 3상 유도전동기를 동일전압으로 50[Hz]에 사용할 때 ⓐ 무부하전류, ⓑ 온도상승, ⓒ 속도는 어떻게 변하겠는가?

[2017년 3회 기사]

① ⓐ $\frac{60}{50}$ 으로 증가, ⓑ $\frac{60}{50}$ 으로 증가, ⓒ $\frac{50}{60}$ 으로 감소

② ⓐ $\frac{60}{50}$ 으로 증가, ⓑ $\frac{50}{60}$ 으로 감소, ⓒ $\frac{50}{60}$ 으로 감소

③ ⓐ $\frac{50}{60}$ 으로 감소, ⓑ $\frac{60}{50}$ 으로 증가, ⓒ $\frac{50}{60}$ 으로 감소

④ ⓐ $\frac{50}{60}$ 으로 감소, ⓑ $\frac{60}{50}$ 으로 증가, ⓒ $\frac{60}{50}$ 으로 증가

해설 주파수 변환 : 60[Hz]에서 50[Hz]

구 분	자 속	자속밀도	여자전류	철 손	리액턴스	온도상승	속 도
주파수	반비례 $\frac{6}{5}$	반비례 $\frac{6}{5}$	반비례 $\frac{6}{5}$	반비례 $\frac{6}{5}$	비례 $\frac{5}{6}$	반비례 $\frac{6}{5}$	비례 $\frac{5}{6}$

26 정류자형 주파수변환기의 회전자에 주파수 f_1 의 교류를 가할 때 시계방향으로 회전자계가 발생하였다. 정류자 위의 브러시 사이에 나타나는 주파수 f_c 를 설명한 것 중 틀린 것은?(단, n : 회전자의 속도, n_s : 회전자계의 속도, s : 슬립이다)

[2019년 3회 기사]

① 회전자를 정지시키면 $f_c = f_1$ 인 주파수가 된다.

② 회전자를 반시계방향으로 $n = n_s$ 의 속도로 회전시키면, $f_c = 0[Hz]$ 가 된다.

③ 회전자를 반시계방향으로 $n < n_s$ 의 속도로 회전시키면, $f_c = sf_1[Hz]$ 가 된다.

④ 회전자를 시계방향으로 $n < n_s$ 의 속도로 회전시키면, $f_c < f_1$ 인 주파수가 된다.

해설 ④ ϕ와 같은 방향에 속도 n으로 회전시키면 브러시에 대한 ϕ의 상대속도는 $n_s + n$ 이 되기 때문에

$$f_c = (n_s + n)\frac{P}{2} = \frac{P}{2}n_s + \frac{P}{2}n = f_1 + f[Hz] \text{ 즉, 전원의 주파수 } f_1 \text{을 임의의 주파수 } f_1 + f \text{로 변환}$$

할 수 있다.

① 회전자가 정지하고 있는 경우에 정류가 브러시 사이에 나타나는 전압 E_c의 주파수 f_c는 슬립링에 가한 전압주파수 f_1가 같다. ($f_c = f_1$)

② 반대 방향으로 속도 $n = n_s$로 회전시키면 고정된 브러시에 대한 ϕ의 상대속도는 0이 되므로 E_c의 주파수 f_c는 0이며 직류전압이 된다. ($f_c = 0$)

③ ϕ와 반대 방향으로 $n < n_s$의 경우, 고정된 브러시에 대한 ϕ의 상대속도는 $n_s - n$이 되기 때문에

$$f_c = (n_s - n)\frac{P}{2} = (n_s - n)\frac{P}{2} \times \frac{n_s}{n_s} = \left(\frac{n_s - n}{n_s}\right)\frac{P}{2}n_s = sf_1[Hz]$$

25 ① 26 ④ **정답**

27 유도전동기에서 공급전압의 크기가 일정하고 전원주파수만 낮아질 때 일어나는 현상으로 옳은 것은?

[2020년 3회 기사]

① 철손이 감소한다.　　　　　　② 온도상승이 커진다.
③ 여자전류가 감소한다.　　　　④ 회전속도가 증가한다.

해설

- 철손, 온도, 여자전류 $\propto \dfrac{1}{f}$

- $N = N_s(1-s) = \dfrac{120f}{p}(1-s) \propto f$

28 유도전동기를 정격상태로 사용 중, 전압이 10[%] 상승하면 다음과 같은 특성의 변화가 있다. 틀린 것은?(단, 부하는 일정토크라고 가정한다)

[2016년 1회 기사]

① 슬립이 작아진다.
② 효율이 떨어진다.
③ 속도가 감소한다.
④ 히스테리시스손과 와류손이 증가한다.

해설

$s \propto \dfrac{1}{V^2}$ 이므로

- $\eta = (1-s)$ 이므로 Slip이 감소하면 효율은 증가한다.
- $N = (1-s)N_s$ 이므로 Slip 감소 시 N은 증가한다.

29 스텝모터에 대한 설명 중 틀린 것은?

[2015년 3회 기사]

① 회전속도는 스테핑 주파수에 반비례한다.
② 총회전각도는 스텝각과 스텝수의 곱이다.
③ 분해능은 스텝각에 반비례한다.
④ 펄스구동방식의 전동기이다.

해설 　스텝모터(Step Motor)의 장점
- 스테핑 주파수(펄스수)로 회전각도를 조정한다.
- 회전각을 검출하기 위한 피드백(Feedback)이 불필요하다.
- 디지털 신호로 제어하기 용이하므로 컴퓨터로 사용하기에 아주 적합하다.
- 가·감속이 용이하며 정·역전 및 변속이 쉽다.
- 각도오차가 매우 작아 주로 자동제어장치에 많이 사용된다.

30 스텝모터의 일반적인 특징으로 틀린 것은? [2016년 1회 기사]

① 기동·정지 특성은 나쁘다.
② 회전각은 입력펄스수에 비례한다.
③ 회전속도는 입력펄스 주파수에 비례한다.
④ 고속 응답이 좋고, 고출력의 운전이 가능하다.

> **해설** 스텝모터(Step Motor)의 장점
> • 스테핑 주파수(펄스수)로 회전각도를 조정한다.
> • 회전각을 검출하기 위한 피드백(Feedback)이 불필요하다.
> • 디지털 신호로 제어하기 용이하므로 컴퓨터로 사용하기에 아주 적합하다.
> • 가·감속이 용이하며 정·역전 및 변속이 쉽다.
> • 각도오차가 매우 작아 주로 자동제어장치에 많이 사용된다.

31 스텝모터(Step Motor)의 장점으로 틀린 것은? [2022년 2회 기사]

① 회전각과 속도는 펄스 수에 비례한다.
② 위치제어를 할 때 각도오차가 적고 누적된다.
③ 가속, 감속이 용이하며 정·역전 및 변속이 쉽다.
④ 피드백 없이 오픈 루프로 손쉽게 속도 및 위치제어를 할 수 있다.

> **해설** 30번 해설 참조

32 스텝모터(Step Moter)의 장점이 아닌 것은? [2016년 1회 산업기사]

① 가속, 감속이 용이하며 정·역전 및 변속이 쉽다.
② 위치제어를 할 때 각도오차가 있고 누적된다.
③ 피드백 루프가 필요없이 오픈 루프로 손쉽게 속도 및 위치제어를 할 수 있다.
④ 디지털신호를 직접 제어할 수 있으므로 컴퓨터 등 다른 디지털기기와 인터페이스가 쉽다.

> **해설** 30번 해설 참조

30 ① 31 ② 32 ② 정답

33 스텝모터에 대한 설명으로 틀린 것은? [2020년 1, 2회 기사]

① 가속과 감속이 용이하다.
② 정·역 및 변속이 용이하다.
③ 위치제어 시 각도오차가 작다.
④ 브러시 등 부품수가 많아 유지보수 필요성이 크다.

> **해설** 스텝모터(Step Motor)의 장점
> • 스테핑 주파수(펄스수)로 회전각도를 조정한다.
> • 회전각을 검출하기 위한 피드백(Feedback)이 불필요하다.
> • 디지털 신호로 제어하기 용이하므로 컴퓨터로 사용하기에 아주 적합하다.
> • 가·감속이 용이하며 정·역전 및 변속이 쉽다.
> • 각도오차가 매우 작아 주로 자동제어장치에 많이 사용된다.

34 3상 반작용전동기(Reaction Motor)의 특성으로 가장 옳은 것은? [2017년 3회 산업기사]

① 역률이 좋은 전동기
② 토크가 비교적 큰 전동기
③ 기동용 전동기가 필요한 전동기
④ 여자권선 없이 동기속도로 회전하는 전동기

> **해설** Reaction Motor : 회전자는 알루미늄 또는 구리의 농형 권선을 감고 이것에 의해 유도전동기로 기동한다. 고정자는 3상 권선 또는 단상 권선에 콘덴서 부착으로 회전자계를 발생한다. 특징은 토크가 작고 역률과 효율이 나쁘나 구조가 간단하고 직류여자가 필요하지 않는 장점이 있다.

35 3선 중 2선의 전원단자를 서로 바꾸어서 결선하면 회전방향이 바뀌는 기기가 아닌 것은? [2020년 1, 2회 기사]

① 회전변류기
② 유도전동기
③ 동기전동기
④ 정류자형 주파수변환기

> **해설** ④는 주파수를 변환하기 때문에 회전방향을 바꾸는 것과는 무관하다.

36 스테핑전동기의 스텝각이 3°이고, 스테핑주파수(Pulse Rate)가 1,200[pps]이다. 이 스테핑전동기의 회전속도[rps]는?

[2017년 3회 산업기사]

① 10   ② 12

③ 14   ④ 16

해설   회전속도 $N_s = \dfrac{\alpha}{360} \cdot f_s = \dfrac{3}{360} \times 1{,}200 = 10[\mathrm{rps}]$

37 스텝각이 2°, 스테핑주파수(Pulse Rate)가 1,800[pps]인 스테핑모터의 축속도[rps]는?

[2019년 2회 기사]

① 8   ② 10

③ 12   ④ 14

해설   회전속도 $N_s = \dfrac{\alpha}{360} \cdot f_s = \dfrac{2}{360} \times 1{,}800 = 10[\mathrm{rps}]$

14. 원선도

유도전동기에 대하여 간단한 시험의 결과로 원선도를 그려 두면 전동기의 특성은 실부하시험을 하지 않아도 이 선도에서 쉽게 구할 수 있으므로 대단히 편리하다. 이와 같은 그림을 활용하여 전동기의 특성을 구하는 방법을 원선도법이라고 한다.

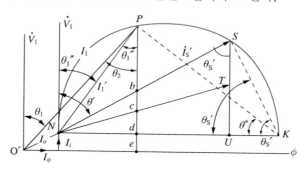

원선도에서 전동기의 특성을 구해 보면 다음과 같다.

1차 전류 $I_1 = \overline{O'P}$	여자전류 $I_0 = \overline{O'N}$	1차 부하전류 $I_1' = \overline{NP}$
1차 입력(전입력) $P_1 = \overline{Pe}$	철손 $P_i = \overline{de}$	1차 동손 $P_{c1} = \overline{cd}$
2차 동손 $P_{c2} = \overline{bc}$	회전자입력(2차 입력) $P_2 = \overline{Pc}$	출력(발생기계동력) $P_0 = \overline{Pb}$
역률 $\cos\theta_1 = \dfrac{\overline{Pe}}{\overline{O'P}}$	회전자효율(2차 효율)$(1-s) = \dfrac{P_0}{P_2} = \dfrac{\overline{Pb}}{\overline{Pc}}$	효율(기계손은 무시) $\dfrac{P_0}{P_1} = \dfrac{\overline{Pb}}{\overline{Pe}}$

핵 / 심 / 예 / 제

01 3상 유도전동기 원선도에서 역률[%]을 표시하는 것은?

[2016년 3회 기사]

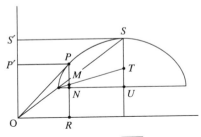

① $\dfrac{\overline{OS'}}{\overline{OS}} \times 100$

② $\dfrac{\overline{SS'}}{\overline{OS}} \times 100$

③ $\dfrac{\overline{OP'}}{\overline{OP}} \times 100$

④ $\dfrac{\overline{OS}}{\overline{OP}} \times 100$

해설 $\cos\theta = \dfrac{\text{유효}}{\text{피상}} = \dfrac{\overline{PR}}{\overline{OP}} = \dfrac{\overline{OP'}}{\overline{OP}}$

02 3상 유도전동기의 원선도 작성에 필요한 기본량이 아닌 것은?

[2019년 3회 산업기사]

① 저항 측정

② 슬립 측정

③ 구속시험

④ 무부하시험

해설 **원선도**

유도전동기 1차 부하전류의 선단 부하의 증감과 더불어 그리는 그 궤적이 항상 반원주상에 있는 것을 이용하여 여러 가지 값을 구하는 곡선

작성에 필요한 값	저항 측정	무부하시험	구속시험
		철손, 여자전류	동손, 임피던스 전압, 단락전류
구할 수 있는 값		1차 입력, 2차 입력(동기와트), 철손, 슬립 1차 저항손, 2차 저항손, 출력, 효율, 역률	
구할 수 없는 값		기계적 출력, 기계손	

03 3상 유도전동기의 원선도 작성 시 필요한 시험이 아닌 것은?

[2013년 1회 산업기사 / 2013년 3회 산업기사 / 2014년 1회 산업기사 / 2015년 1회 산업기사 / 2015년 3회 산업기사]

① 슬립측정
② 무부하시험
③ 구속시험
④ 고정자권선의 저항측정

해설 Heyland 원선도

유도전동기 1차 부하전류의 선단 부하의 증감과 더불어 그리는 그 궤적이 항상 반원주상에 있는 것을 이용하여 여러 가지 값을 구하는 곡선

작성에 필요한 값	저항 측정	무부하시험	구속시험
		철손, 여자전류	동손, 임피던스 전압, 단락전류
구할 수 있는 값		1차 입력, 2차 입력(동기와트), 철손, 슬립 1차 저항손, 2차 저항손, 출력, 효율, 역률	
구할 수 없는 값		기계적 출력, 기계손	

04 유도전동기 원선도에서 원의 지름은?(단, E는 1차 전압, r은 1차로 환산한 저항, X는 1차로 환산한 누설리액턴스라 한다)

[2015년 2회 산업기사 / 2019년 3회 산업기사]

① rE에 비례
② rXE에 비례
③ $\dfrac{E}{r}$에 비례
④ $\dfrac{E}{X}$에 비례

해설 유도전동기에 대해 간단한 시험의 결과로 반원을 그리면 전동기 특성을 실부하시험을 하지 않고 이 선도에서 쉽게 구할 수 있다. 이를 원선도라 하고 특성을 구하는 방법을 원선도법이라 한다. 이때 시험을 통해 구한 원의 지름은 $\dfrac{E}{X_1 + Y_2'}$ 이므로 $\dfrac{E}{X}$에 비례한다.

05 E를 전압, r을 1차로 환산한 저항, x를 1차로 환산한 리액턴스라고 할 때, 유도전동기의 원선도에서 원의 지름을 나타내는 것은?

[2019년 3회 기사]

① $E \cdot r$
② $E \cdot x$
③ $\dfrac{E}{x}$
④ $\dfrac{E}{r}$

해설 4번 해설 참조

정답 03 ① 04 ④ 05 ③

06 유도전동기에서 여자전류는 극수가 많아지면 정격전류에 대한 비율이 어떻게 변하는가?

[2016년 2회 산업기사]

① 커진다.　　　　　　　　　② 불변이다.

③ 작아진다.　　　　　　　　④ 반으로 줄어든다.

해설　유도전동기의 자기회로에는 갭이 있어 정격전류에 대한 여자전류의 비율이 매우 커서 일반적으로
전부하전류의 25~50[%]에 이르며 여자전류의 값은 용량이 작을수록 크고 같은 용량에서는 극수가
많을수록 크다.

07 일반적인 3상 유도전동기에 대한 설명 중 틀린 것은?　　　[2018년 2회 기사 / 2022년 2회 기사]

① 불평형 전압으로 운전하는 경우 전류는 증가하나 토크는 감소한다.

② 원선도 작성을 위해서는 무부하시험, 구속시험, 1차 권선저항 측정을 하여야 한다.

③ 농형은 권선형에 비해 구조가 견고하며 권선형에 비해 대형 전동기로 널리 사용된다.

④ 권선형 회전자의 3선 중 1선이 단선되면 동기속도의 50[%]에서 더 이상 가속되지 못하는
　현상을 게르게스 현상이라 한다.

해설　농형은 소형, 중형 전동기에 사용되고 권선형은 대형 전동기로 사용된다.

08 직류발전기를 3상 유도전동기에서 구동하고 있다. 이 발전기에 55[kW]의 부하를 걸 때 전동기의 전류는 약 몇 [A]인가?(단, 발전기의 효율은 88[%], 전동기의 단자전압은 400[V], 전동기의 효율은 88[%], 전동기의 역률은 82[%]로 한다)

[2018년 3회 기사]

① 125 ② 225
③ 325 ④ 425

해설

$$P = \sqrt{3}\, VI\cos\theta\eta$$

$$I = \frac{P}{\sqrt{3}\, V\cos\theta\,\eta_G\eta_M} = \frac{55\times10^3}{\sqrt{3}\times400\times0.82\times0.88\times0.88} \fallingdotseq 125\,[\text{A}]$$

09 직류발전기에 직결한 3상 유도전동기가 있다. 발전기의 부하 100[kW], 효율 90[%]이며 전동기 단자전압 3,300[V], 효율 90[%], 역률 90[%]이다. 전동기에 흘러들어 가는 전류는 약 몇 [A]인가?

[2019년 3회 기사]

① 2.4 ② 4.8
③ 19 ④ 24

해설

$$\text{전류}\ I = \frac{\dfrac{P}{\eta_G}}{\sqrt{3}\, V\eta_M\cos\theta} = \frac{\dfrac{100\times10^3}{0.9}}{\sqrt{3}\times3,300\times0.9\times0.9} \fallingdotseq 24\,[\text{A}]$$

교류 정류자기

1. 교류 정류자전동기의 분류

(1) 직권 특성

① 단상기 : 단상 직권 정류자전동기, 단상 반발전동기
② 3상기 : 3상 직권 정류자전동기

(2) 분권 특성

① 단상기 : 단상 분권 정류자전동기
② 3상기 : 3상 분권 정류자전동기

2. 단상 직권 정류자전동기

(1) 종 류

① 직권형
② 직렬보상 직권형
③ 유도보상 직권형

(2) 특 성

단상 직권전동기의 특성은 직류 직권전동기와 비슷하다. 속도제어는 변압기의 탭 변경에 의한 전압 제어법을 사용, 효율이 양호하다.
① **소출력(75[W] 이하)** : 가정용 미싱, 소형 공구, 영사기, 믹서, 의료기구용
② **대출력** : 단상 교류 전기철도용 전동기
③ 교류, 직류 양용으로 만능전동기라 함
④ 고정자와 회전자 철심을 성층하여 와류손을 줄인다.
⑤ 효율이 좋다.
⑥ 연속적인 속도제어가 가능

(3) 정류 개선

① 보상권선과 보극
② 탄소 브러시
③ 고저항도선

(4) 역률 개선방법

① 계자권수보다 전기자권수를 적게 하면 주자속 감속 → 계자 인덕턴스 감소 → 역률 개선
② 보상권선 → 전기자 반작용 감소 → 누설리액턴스 감소 → 역률 개선
③ 회전속도 증가 → 전류와 동상 → 역률 개선

3. 단상 반발전동기

(1) 종 류

① 아트킨손형
② 톰슨형
③ 데리형
④ 보상반발

(2) 특 성

① 브러시의 위치를 적당히 하면 매우 큰 토크를 얻을 수 있다. 전부하토크의 400~500[%] 정도, 기동전류는 전부하전류의 200~300[%] 정도이다.
② 브러시를 이동하여 연속적인 속도제어를 할 수 있다.

4. 3상 직권 정류자전동기

(1) 특 성

직권 특성의 변속도 전동기로서 토크는 거의 전류의 제곱에 비례한다. 송풍기, 인쇄기, 공작기계, 외권형 펌프와 같이 기동토크가 크고 속도제어 범위가 넓은 것을 요구하는 경우에 사용한다.

(2) 중간변압기를 사용하는 이유

① 전원전압의 크기와 관계없이 정류에 알맞게 회전자전압을 선택할 수 있다.
② 중간변압기의 권수비를 바꾸어 전동기의 특성을 조정할 수 있다.
③ 직권 특성이기 때문에 경부하에서는 속도가 매우 상승하나 중간변압기를 사용, 그 철심을 포화하도록 하면 그 속도상승을 제한할 수 있다.

5. 3상 분권 정류자전동기

3상 분권 정류자전동기의 구조에는 여러 종류가 있으나 특성이 가장 뛰어나고 또한 널리 사용되고 있는 것은 시라게전동기이다. 토크의 변화에 대한 속도의 변화가 매우 작아 분권 특성의 정속도 전동기인 동시에 가감 속도 전동기로서 직류 분권전동기와 비슷하다.

01 브러시를 이동하여 회전속도를 제어하는 전동기는? [2016년 2회 산업기사]

① 반발전동기

② 단상 직권전동기

③ 직류 직권전동기

④ 반발기동형 단상 유도전동기

해설 토크발생은 고정자에 권선을 따로 설치하는 것과 브러시 위치를 바꾸는 방법 두 종류를 사용하며, 이 중 브러시를 이동하여 속도제어하는 방식이 반발전동기이다.

02 단상 직권전동기의 종류가 아닌 것은? [2018년 1회 기사]

① 직권형

② 아트킨손형

③ 보상직권형

④ 유도보상 직권형

해설 단상 직권전동기는 직권형, 보상 직권형, 유도보상 직권형이 있다.

정답 01 ① 02 ②

03 단상 정류자전동기의 일종인 단상 반발전동기에 해당되는 것은? [2021년 2회 기사]

① 시라게전동기
② 반발유도전동기
③ 아트킨손형전동기
④ 단상 직권 정류자전동기

해설 **단상 반발전동기**
• 종류 : 아트킨손형, 톰슨형, 데리형
• 특징 : 브러시를 단락시켜 브러시 이동으로 기동토크, 속도제어

04 75[W] 이하의 소출력으로 소형 공구, 영사기, 치과의료용 등에 널리 이용되는 전동기는?

[2018년 1회 산업기사]

① 단상 반발전동기
② 영구자석 스텝전동기
③ 3상 직권 정류자전동기
④ 단상 직권 정류자전동기

해설 **단상 직권 정류자전동기의 용도**
75[W] 정도 : 소출력, 소형 공구, 치과의료용, 믹서 등

05 가정용 재봉틀, 소형 공구, 영사기, 치과의료용, 엔진 등에 사용하고 있으며, 교류, 직류 양쪽
모두에 사용되는 만능전동기는? [2019년 2회 기사]

① 전기 동력계
② 3상 유도전동기
③ 차동 복권전동기
④ 단상 직권 정류자전동기

해설 **단상 직권 정류자전동기(직권형, 보상 직권형, 유도보상 직권형)**
• 만능전동기(직·교류 양용)
• 정류 개선을 위해 약계자, 강전기자형 사용
• 역률 개선을 위해 보상권선을 설치
• 회전속도를 증가시킬수록 역률이 개선됨

03 ③ 04 ④ 05 ④ 정답

06 75[W] 이하의 소출력 단상 직권정류자 전동기의 용도로 적합하지 않은 것은? [2021년 3회 기사]

① 믹 서

② 소형 공구

③ 공작기계

④ 치과의료용

해설 소출력 단상 직권정류자 전동기의 용도 : 믹서, 소형 공구, 치과의료용 등
단상 직권 정류자전동기(직권형, 보상 직권형, 유도보상 직권형)
• 만능전동기(직ㆍ교류 양용)
• 정류 개선을 위해 약계자, 강전기자형 사용
• 역률 개선을 위해 보상권선을 설치
• 회전속도를 증가시킬수록 역률이 개선됨

07 직류 및 교류 양용에 사용되는 만능전동기는? [2019년 1회 산업기사]

① 복권전동기

② 유도전동기

③ 동기전동기

④ 직권 정류자전동기

해설 **브러시의 위치 변경으로 회전방향을 조정하는 기계**
• 단상 반발전동기(아트킨손형, 톰슨형, 데리형) : 교ㆍ직 양용 - 만능전동기
• 단상 직권정류자 전동기(직권형, 보상 직권형, 유도보상 직권형)
• 3상 분권 정류자전동기(시라게전동기)

08 단상 직권 정류자전동기에서 보상권선과 저항도선의 작용을 설명한 것 중 틀린 것은?

[2017년 1회 기사 / 2018년 3회 기사 / 2022년 1회 기사]

① 보상권선은 역률을 좋게 한다.
② 보상권선은 변압기의 기전력을 크게 한다.
③ 보상권선은 전기자 반작용을 제거해 준다.
④ 저항도선은 변압기 기전력에 의한 단락전류를 작게 한다.

해설 저항도선은 변압기 기전력에 의해 단락전류를 작게 하여 정류를 좋게 하며, 또한 보상권선은 전기자 반작용을 상쇄하여 역률을 좋게 하고 변압기의 기전력을 작게 해서 정류작용을 개선한다.

09 단상 직권 정류자전동기의 전기자권선과 계자권선에 대한 설명으로 틀린 것은?

[2018년 1회 기사 / 2022년 2회 기사]

① 계자권선의 권수를 적게 한다.
② 전기자권선의 권수를 크게 한다.
③ 변압기 기전력을 작게 하여 역률 저하를 방지한다.
④ 브러시로 단락되는 코일 중의 단락전류를 많게 한다.

해설 8번 해설 참조

08 ② 09 ④ **정답**

10 교류 정류자기에서 갭의 자속분포가 정현파로 $\phi_m = 0.14$[Wb], $P = 2$, $a = 1$, $Z = 200$, $N = 1,200$ [rpm]인 경우 브러시 축이 자극 축과 30°라면 속도 기전력의 실횟값 E_s는 약 몇 [V]인가?

[2017년 2회 기사]

① 160
② 400
③ 560
④ 800

해설
- $E = \dfrac{PZ\phi N}{60a} = \dfrac{2 \times 200 \times 0.14 \times 1,200}{60 \times 1} = 1,120$
- 실횟값 $E_s = \dfrac{E_m}{\sqrt{2}} \sin\theta = \dfrac{1,120}{\sqrt{2}} \times \sin 30° ≒ 395.97$[V]

11 10[kW], 3상, 200[V] 유도전동기의 전부하전류는 약 몇 [A]인가?(단, 효율 및 역률 85[%]이다)

[2016년 3회 산업기사]

① 60
② 80
③ 40
④ 20

해설
정격전류 $I = \dfrac{10,000}{\sqrt{3} \times 200 \times 0.85 \times 0.85} ≒ 39.95$[A]

12 그림은 단상 직권 정류자전동기의 개념도이다. C를 무엇이라고 하는가?　　[2016년 2회 기사]

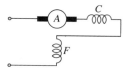

① 제어권선
② 보상권선
③ 보극권선
④ 단층권선

해설　A : 전기자, C : 보상권선, F : 계자권선

13 단상 직권 정류자전동기에 관한 설명 중 틀린 것은?(단, A : 전기자, C : 보상권선, F : 계자 권선이라 한다) [2019년 3회 산업기사]

① 직권형은 A와 F가 직렬로 되어 있다.
② 보상 직권형은 A, C 및 F가 직렬로 되어 있다.
③ 단상 직권 정류자전동기에서는 보극권선을 사용하지 않는다.
④ 유도보상 직권형은 A와 F가 직렬로 되어 있고 C는 A에서 분리한 후 단락되어 있다.

해설 단상 직권전동기의 보상권선은 직류 직권전동기와 달리 전기자 반작용으로 생기는 필요 없는 자속을 상쇄하도록 하여, 무효전력의 증대에 따르는 역률의 저하를 방지한다.

14 교류 단상 직권전동기의 구조를 설명한 것 중 옳은 것은? [2012년 3회 산업기사 / 2018년 2회 산업기사]

① 역률 개선을 위해 고정자와 회전자의 자로를 성층철심으로 한다.
② 정류 개선을 위해 강계자 약전기자형으로 한다.
③ 전기자 반작용을 줄이기 위해 약계자 강전기자형으로 한다.
④ 역률 및 정류 개선을 위해 약계자 강전기자형으로 한다.

해설 단상 정류자전동기는 약계자형과 강전기자형으로 되어 있으며, 역률이 좋고 변압기 기전력을 작게 한다.

15 교류 정류자전동기의 설명 중 틀린 것은? [2016년 1회 산업기사]

① 정류작용은 직류기와 같이 간단히 해결된다.
② 구조가 일반적으로 복잡하여 고장이 생기기 쉽다.
③ 기동토크가 크고 기동장치가 필요 없는 경우가 많다.
④ 역률이 높은 편이며 연속적인 속도제어가 가능하다.

해설 교류 정류자전동기는 직류기와 같이 정류자를 가지고 있는 회전자와 유도기와 같은 고정자로 구성되어 있으며 정류작용이 직류기보다 더욱 곤란하기 때문에 출력에 제한을 받는다.

16 3상 직권 정류자전동기에 중간변압기를 사용하는 이유로 적당하지 않은 것은?

[2018년 3회 기사]

① 중간변압기를 이용하여 속도상승을 억제할 수 있다.
② 회전자 전압을 정류작용에 맞는 값으로 선정할 수 있다.
③ 중간변압기를 사용하여 누설리액턴스를 감소할 수 있다.
④ 중간변압기의 권수비를 바꾸어 전동기 특성을 조정할 수 있다.

해설 **3상 직권 정류자전동기에서 중간변압기를 사용하는 목적**
  • 전원전압의 크기에 관계없이 회전자전압을 정류작용에 알맞은 값으로 선정할 수 있다.
  • 중간변압기의 권수비를 조정하여 전동기 특성을 조정할 수 있다.
  • 경부하 시 직권 특성 $\left(Z \propto I^2 \propto \dfrac{1}{N^2} \right)$ 이므로 속도가 크게 상승할 수 있다. 따라서 중간변압기를 사용하여 속도상승을 억제할 수 있다.

17 3상 직권 정류자전동기에 중간(직렬)변압기가 쓰이고 있는 이유가 아닌 것은? [2017년 2회 기사]

① 정류자 전압의 조정
② 회전자 상수의 감소
③ 실효 권수비 선정 조정
④ 경부하 때 속도의 이상상승 방지

해설 16번 해설 참조

18 3상 직권 정류자전동기의 중간변압기의 사용목적은? [2017년 2회 산업기사]

① 역회전의 방지
② 역회전을 위하여
③ 전동기의 특성을 조정
④ 직권 특성을 얻기 위하여

해설 16번 해설 참조

19 3상 분권 정류자전동기에 속하는 것은? [2020년 4회 기사]

① 톰슨전동기
② 데리전동기
③ 시라게전동기
④ 아트킨손전동기

> **해설** 브러시의 위치 변경으로 회전방향을 조정하는 기계
> • 단상 반발전동기(아트킨손형, 톰슨형, 데리형) : 교·직 양용 – 만능전동기
> • 단상 직권 정류자전동기(직권형, 보상 직권형, 유도보상 직권형)
> • 3상 분권 정류자전동기(시라게전동기)

20 3상 분권 정류자전동기의 설명으로 틀린 것은? [2019년 3회 산업기사]

① 변압기를 사용하여 전원전압을 낮춘다.
② 정류자 권선은 저전압 대전류에 적합하다.
③ 부하가 가해지면 슬립의 발생 소요 토크는 직류전동기와 같다.
④ 특성이 가장 뛰어나고 널리 사용되어 있는 전동기는 시라게전동기이다.

> **해설** 부하가 가해지면 슬립의 발생 소요 토크는 직류전동기와 다르다(2차 권선을 고정자에 설치한 권선형 3상 유도전동기로 볼 수 있다).

21 교류전동기에서 브러시의 이동으로 속도변화가 가능한 것은?

[2012년 3회 산업기사 / 2014년 1회 산업기사 / 2017년 1회 산업기사]

① 농형전동기　　　　　　　　② 2중 농형전동기
③ 동기전동기　　　　　　　　④ 시라게전동기

> **해설** **시라게전동기**
> • 3상 분권 정류자전동기
> • 직류 분권전동기와 특성이 비슷한 정속도 전동기
> • 브러시 이동으로 간단히 원활하게 속도제어

19 ③　20 ③　21 ④　**정답**

CHAPTER 06 정류기

1. 회전변류기

(1) 전압비

$$\frac{E_i}{E_d} = \frac{1}{\sqrt{2}}\sin\frac{\pi}{m} \quad \left(\text{단상} \ \frac{E_a}{E_d} = 0.707, \ 3\text{상} \ \frac{E_a}{E_d} = 0.612\right)$$

여기서, E_i : 슬립링 사이의 전압(교류)[V], E_d : 직류전압[V]

(2) 전류비

$$\frac{I_l}{I_d} = \frac{2\sqrt{2}}{m\cos\theta}$$

여기서, I_l : 교류 측 선전류[A], I_d : 직류 측 선전류[A]

(3) 기동법

① 교류 측 기동법
② 기동전동기에 의한 기동법
③ 직류 측 기동법

(4) 전압 조정법

① 직렬 리액턴스에 의한 방법
② 유도전압조정기를 사용하는 방법
③ 부하 시 전압조정변압기를 사용하는 방법
④ 동기승압기에 의한 방법

(5) 난조의 원인 및 방지법

① 난조의 원인
  ㉠ 브러시의 위치가 중성점보다 늦은 위치에 있을 때
  ㉡ 직류 측 부하가 급변한 경우
  ㉢ 교류 측 주파수가 주기적으로 맥동하는 경우
  ㉣ 역률이 나쁜 경우
  ㉤ 전기자 회로저항이 리액턴스에 비해 큰 경우

② 난조의 방지법
  ㉠ 제동권선의 작용을 강하게 할 것
  ㉡ 전기자저항에 비해서 리액턴스를 크게 할 것
  ㉢ 허용되는 범위 내에서 자극수를 적게 하고 기하학적 각도와 전기 각도의 차를 작게
    할 것

2. 수은정류기

(1) 전압비

$$\frac{E_d}{E_a} = \frac{\sqrt{2}\sin\frac{\pi}{m}}{\frac{\pi}{m}} \left(단상 \ \frac{E_d}{E_a} = 0.9, \ 3상 \ \frac{E_d}{E_a} = 1.17 \right)$$

여기서, E : 교류 측 전압[V], E_d : 직류 측 전압[V]

(2) 이상현상

① 역호(Back Firing)
② 이상 전압(Abnormal Voltage)
③ 통호(Arc-through)
④ 실호(Misfiring)

(3) 역호의 발생원인

① 내부 잔존가스 압력의 상승
② 화성 불충분
③ 양극의 수은방울의 부착
④ 양극표면의 불순물의 부착
⑤ 양극재료의 불량
⑥ 전류, 전압의 과대
⑦ 증기밀도의 과대
⑧ 양극 부분의 과열

(4) 역호의 방지방법

① 정류기를 과부하로 되지 않도록 한다.
② 냉각장치에 주의하여 과열, 과랭을 피한다.
③ 진공도를 충분히 높인다.
④ 양극재료의 선택에 주의한다.
⑤ 양극에 직접 수은증기가 접촉되지 않도록 양극부의 유리를 구부린다.
⑥ 철제 수은정류기에서는 그리드를 설치하고 이것을 부전위로 하여 역호를 저지시킨다.

3. 단상 정류회로

(1) 무유도 부하인 경우

① 반파 정류회로

$$E_d = \frac{1}{2\pi} \int_a^\pi \sqrt{2}\,E\sin\theta \cdot d\theta = \frac{1+\cos\alpha}{\sqrt{2}\,\pi}E[\text{V}]$$

$$I_d = \frac{E_d}{R_L} = \frac{1+\cos\alpha}{\sqrt{2}\,\pi} \cdot \frac{E}{R}[\text{A}]$$

여기서, E_d : 직류전압의 평균값[V], I_d : 직류전류의 평균값[A]

$\cos\alpha$: 격자율, $1+\cos\alpha$: 제어율

(점호제어를 일으키지 않을 경우 $\alpha = 0$)

$$E_d = \frac{\sqrt{2}}{\pi} \cdot E = 0.45E[\text{V}]$$

$$I_d = \frac{E_d}{R_L} = \frac{2}{\pi} \cdot \frac{E}{R_L}[\mathrm{A}]$$

$$E = \frac{E_m}{\pi R_L} = \frac{I_m}{\pi}[\mathrm{A}]$$

rms(root mean square) 전류 I_s는

$$I_s = \sqrt{\frac{1}{2\pi}\int_o^\pi i_d{}^2 d\theta} = \sqrt{\frac{1}{2\pi}\int_o^\pi I_m{}^2 \sin^2\theta\, d\theta} = \frac{I_m}{2}[\mathrm{A}]$$

정류 효율 $\quad \eta_R = \frac{P_{dc}}{P_{ac}} \times 100 = \frac{\left(\frac{I_m}{\pi}\right)^2 R_L}{\left(\frac{I_m}{2}\right)^2 R_L} \times 100 = \frac{4}{\pi^2} \times 100 = 40.5[\%]$

맥동률 $\quad \nu = \sqrt{\left(\frac{I_s}{I_d}\right)^2 - 1} = \sqrt{\frac{\left(\frac{I_m}{2}\right)^2}{\left(\frac{I_m}{\pi}\right)^2} - 1} = \sqrt{\frac{\pi^2}{4} - 1} = 1.21$

다이오드에 걸리는 첨두역전압(PIV)은 $\sqrt{2}\,E$이다.

② 전파 정류회로

$$E_d = \frac{\sqrt{2}\,(1+\cos\alpha)}{\pi} \cdot E[\mathrm{V}], \quad I_d = \frac{\sqrt{2}\,(1+\cos\alpha)}{\pi} \cdot \frac{E}{R_L}[\mathrm{A}]$$

(점호제어를 일으키지 않을 경우 $\alpha = 0$)

$$E_d = \frac{2\sqrt{2}}{\pi}E = 0.90E[\mathrm{V}]$$

$$I_d = \frac{E_d}{R_L} = \frac{2\sqrt{2}}{\pi} \cdot \frac{E}{R_L}[\mathrm{A}]$$

$$I_s = \sqrt{\frac{1}{\pi}\int_0^\pi i^2\, d\theta} = \sqrt{\frac{1}{\pi}\int_0^\pi \sqrt{2}\,I\sin\theta\, d\theta} = \frac{I_m}{\sqrt{2}}[\mathrm{A}]$$

$$\eta_R = \frac{P_{dc}}{P_{ac}} \times 100 = \frac{I_d{}^2 R_L}{I_s{}^2 R_L} \times 100 = \frac{\left(\frac{2}{\pi}I_m\right)^2}{\left(\frac{I_m}{\sqrt{2}}\right)^2} \times 100 = \frac{8}{\pi^2} \times 100 = 81.2[\%]$$

$$\nu = \sqrt{\left(\frac{I_s}{I_d}\right)^2 - 1} = \sqrt{\frac{\left(\frac{I_m}{\sqrt{2}}\right)^2}{\left(\frac{2I_m}{\pi}\right)^2} - 1} = \sqrt{\frac{\pi^2}{8} - 1} = 0.48$$

다이오드에 걸리는 첨두역전압(PIV)은 $2\sqrt{2}\,E = 2E_m$이다.

4. 정류회로(AC → DC)

(1) 개 요

① 정류회로 : 다이오드 사용, 전류를 한 방향으로 만드는 회로이다.

② 평활회로 : 교류성분(Ripple Current)을 제거한다.

③ 맥동률 : 직류 출력에 교류성분이 얼마나 포함되어 있는가를 나타내는 양이다.

$$\nu = \frac{\text{파형 속의 맥동분 실횻값}}{\text{정류된 파형의 평균값}(DC)} = \sqrt{\left(\frac{I_s}{I_{de}}\right)^2 - 1}$$

④ 전압변동률

$$\varepsilon = \frac{\text{무부하직류전압} - \text{전부하직류전압}}{\text{전부하 직류전압}} = \frac{V_0 - V_{dc}}{V_{dc}}$$

(2) 정류회로

① 1ϕ 반파 : $E_d = \dfrac{\sqrt{2}}{\pi}E_a = 0.45E_a$, $\eta = 40.6[\%]$, $\nu = 1.21$, $PIV = \sqrt{2}\,E_a$

② 1ϕ 전파 : $E_d = \dfrac{2\sqrt{2}}{\pi}E_a = 0.9E_a$, $\eta = 81.2[\%]$, $\nu = 0.48$, $PIV = 2\sqrt{2}\,E_a$

③ 3ϕ 반파 : $E_d = 1.17E_a$, $\nu = 0.17$

④ 3ϕ 전파 : $E_d = 1.35E_a$, $\nu = 0.04$

(3) SCR 위상제어

① 1ϕ 반파 : $E_d = 0.45E_a\left(\dfrac{1 + \cos\alpha}{2}\right)$

② 1ϕ 전파 : $E_d = 0.45E_a(1 + \cos\alpha)$, 유도성 $E_d = 0.9E_a\cos\alpha$

③ 3ϕ 반파 : $E_d = 1.17E\cos\alpha$

④ 3ϕ 전파 : $E_d = 1.35E\cos\alpha$

(4) 유도부하인 경우

① 반파인 경우

$$E_d = \frac{\sqrt{2}}{2\pi} E\{\cos\alpha - \cos(\alpha + \theta_1)\}[\mathrm{V}]$$

② 전파인 경우

㉠ 부하전류가 연속이 아닌 경우

$$E_d = \frac{\sqrt{2}}{\pi} E\{\cos\alpha - \cos(\alpha + \theta_1)\}[\mathrm{V}]$$

㉡ 부하전류가 연속인 경우

$$E_d = \frac{2\sqrt{2}}{\pi} E\cos\alpha[\mathrm{V}]$$

5. 전력용 반도체 소자

(1) 다이오드(Diode) : pn접합 반도체

① 정 의
　　㉠ 가전자 : 원자핵에서 제일 바깥쪽 궤도를 돌고 있는 전자
　　㉡ 자유전자 : 가전자에서 결속력이 약하여 외부에너지에 의해 쉽게 이탈
　　㉢ 공유결합 : 두 원자핵이 같은 전자에 대해 동시에 인력을 가짐(불순물 반도체 결정구조)
　　㉣ 정공(Hole) : 전자가 이동하여 비어 있는 구멍
　　㉤ 반송자(Carrier) : 전류가 흐를 때 이동되는 전자와 정공

② 반도체
　　㉠ 진성 반도체 : Si, Ge 등에 불순물이 섞이지 않는 순수한 반도체
　　㉡ n형 반도체 : Si, Ge +5가 원소(As, Sb)=Donor
　　㉢ p형 반도체 : Si, Ge +3가 원소(B, In)=Acceptor
　　※ 최고 허용온도 : Si(140~200[℃]), Ge(65~75[℃])

③ Zener 다이오드
　　㉠ 정전압 다이오드
　　㉡ 안정된 전원

④ 다이오드 직·병렬접속

   ⊙ 직렬접속 시 : 고압으로부터 보호

   ⓛ 병렬접속 시 : 대전류로부터 보호

(2) 트랜지스터(Transistor)

① 바이폴러 트랜지스터(Bipolar Transistor)

   ⊙ 구 조

     • p, n접합 3층 구조 pnp형과 npn형이 있다.

     • 이미터(Emitter, E), 가운데 베이스(Base, B), 컬렉터(Collector, C)

   ⓛ 용도 : 증폭(정상적인 활동(활성영역)), 발진, 변조, 검파

② 전계효과 트랜지스터(FET)

   ⊙ 분류(드레인(D), 가운데 게이트(G, 게이트전압으로 제어), 소스(S))

     • 접합형 FET : p채널, n채널

     • MOSFET(동작주파수가 가장 빠른 반도체, 스위칭 속도가 매우 빠르다) : 증가형, 공핍형 → 지속적인 Gate신호가 필요

③ IGBT(Insulated Gate Bipolar Transistor)

   ⊙ 구 조

   MOSFET, BJT, GTO의 사이리스터의 장점을 결합(Bipolar Transistor+MOS FET)

   ⓛ 응 용

   DC, AC모터, 지하철, UPS, 전자접촉기 등 중용량급 전력전자에 사용한다(소음이 작고, 동작특성이 우수).

④ 파워 트랜지스터(Power Transistor)

   ⊙ 자기소호형 반도체소자

   ⓛ 스위칭전원 용도(용접기 전원, UPS, 고주파)

   ⓒ 병렬접속(대전류 → 대용량), 직렬접속 ×

     → 유사 트랜지스터 → 달링턴 트랜지스터(큰 전류 증폭률을 갖는 트랜지스터) → 3단자 소자

(3) 사이리스터(Thyristor)

① SCR

㉠ 구 조

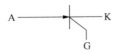

㉡ SCR Turn-on 시간 : Gate전류를 가해 도통완료까지의 시간(축적시간+하강시간)
- 빛(Light) : 빛으로 Turn-on시키는 SCR이 LASCR이다.

㉢ SCR Turn-off
- 온상태의 사이리스터 순방향 전류를 유지전류(20[mA]) 이하 감소
- 역전압 인가

② GTO : Gate로 Turn-on, Turn-off 시행

③ TRIAC : SCR 두 개 역병렬 → 전류제어(평균전류)소자, (+)(−) Gate

단방향		양방향	
3단자	4단자	2단자	3단자
SCR	SCS	DIAC	TRIAC
LASCR		SSS → 과전압(전파제어)	
GTO			

※ Turn-on 시간 : Gate전류를 가하여 도통완료까지의 시간(축적시간+하강시간)

※ 래칭전류(Latching Current) : SCR을 TURN-on시키기 위하여 Gate에 흘러야 할 최소전류(80[mA])

※ 유지전류(Holding Current) : SCR이 On 상태를 유지하기 위한 최소전류(온도상승 지전류 감소)

01 수은정류기에 있어서 정류기의 밸브작용이 상실되는 현상을 무엇이라고 하는가?

[2020년 1, 2회 산업기사]

① 통 호 ② 실 호
③ 역 호 ④ 점 호

> **해설** • 정류기의 밸브작용이 상실되는 것 : 역호
> • 이상전압과 관계가 없는 것 : 점호

02 전력변환기기가 아닌 것은?

[2013년 3회 기사 / 2019년 3회 기사]

① 변압기 ② 정류기
③ 유도전동기 ④ 인버터

> **해설** • 전력변환기기

인버터	초 퍼	정 류	사이클로 컨버터 (주파수 변환)
직류 – 교류	직류 – 직류	교류 – 직류	교류 – 교류

> • 변압기 : 고전압을 저전압, 저전압을 고전압으로 변성
> • 유도전동기 : 전기에너지를 운동에너지로 변환

03 직류 직권전동기의 속도제어에 사용되는 기기는?

[2019년 2회 산업기사]

① 초 퍼 ② 인버터
③ 듀얼 컨버터 ④ 사이클로 컨버터

> **해설** 2번 해설 참조

정답 01 ③ 02 ③ 03 ①

04 인버터에 대한 설명으로 옳은 것은? [2020년 3회 산업기사]

① 직류를 교류로 변환 ② 교류를 교류로 변환

③ 직류를 직류로 변환 ④ 교류를 직류로 변환

해설 **전력변환기기**

인버터	초 퍼	정 류	사이클로 컨버터 (주파수 변환)
직류 – 교류	직류 – 직류	교류 – 직류	교류 – 교류

05 직류를 다른 전압의 직류로 변환하는 전력변환기기는? [2017년 2회 기사]

① 초 퍼 ② 인버터

③ 사이클로 컨버터 ④ 브리지형 인버터

해설 4번 해설 참조

04 ① 05 ① **정답**

06 PN 접합 구조로 되어 있고 제어는 불가능하나 교류를 직류로 변환하는 반도체 정류소자는?

[2019년 3회 산업기사]

① IGBT
② 다이오드
③ MOSFET
④ 사이리스터

해설   Diode는 스위칭 기능(ON-OFF)만 있고 제어 기능은 없다.

07 전압이나 전류의 제어가 불가능한 소자는?

[2018년 1회 산업기사]

① SCR
② GTO
③ IGBT
④ Diode

해설   6번 해설 참조

08 다이오드를 사용한 정류회로에서 다이오드를 여러 개 직렬로 연결하면 어떻게 되는가?

[2021년 3회 기사]

① 전력공급의 증대
② 출력전압의 맥동률을 감소
③ 다이오드를 과전류로부터 보호
④ 다이오드를 과전압으로부터 보호

해설   **다이오드의 연결**
- 직렬연결 : 과전압을 방지한다.
- 병렬연결 : 과전류를 방지한다.

09 다이오드를 사용한 정류회로에서 여러 개를 병렬로 연결하여 사용할 경우 얻는 효과는?

[2018년 1회 산업기사]

① 인가전압 증가
② 다이오드의 효율 증가
③ 부하 출력의 맥동률 감소
④ 다이오드의 허용전류 증가

해설 **다이오드의 연결**
• 직렬연결 : 과전압을 방지한다.
• 병렬연결 : 과전류를 방지한다.

10 다이오드를 사용하는 정류회로에서 과대한 부하전류로 인하여 다이오드가 소손될 우려가 있을 때 가장 적절한 조치는 어느 것인가?

[2016년 1회 기사 / 2021년 2회 기사]

① 다이오드를 병렬로 추가한다.
② 다이오드를 직렬로 추가한다.
③ 다이오드 양단에 적당한 값의 저항을 추가한다.
④ 다이오드 양단에 적당한 값의 콘덴서를 추가한다.

해설 9번 해설 참조

09 ④ 10 ① **정답**

11 일반적으로 전철이나 화학용과 같이 비교적 용량이 큰 수은정류기용 변압기의 2차 측 결선방식으로 쓰이는 것은?

[2014년 3회 산업기사 / 2018년 3회 산업기사]

① 6상 2중 성형   ② 3상 반파

③ 3상 전파   ④ 3상 크로스파

해설   수은정류기의 직류 측 전압은 맥동이 있으므로 맥동을 적게 하기 위하여 상수를 6상 또는 12상을 사용한다. 특히 대용량의 경우는 보통 6상식이 쓰인다.

12 반도체정류기에서 첨두 역방향 내전압이 가장 큰 것은?   [2012년 1회 기사 / 2018년 1회 기사]

① 셀렌정류기   ② 게르마늄정류기

③ 실리콘정류기   ④ 아산화동정류기

해설   역방향 내전압이 가장 큰 것은 실리콘정류기로서 약 500~1,000[V] 정도이다.

정답   11 ①   12 ③

13 IGBT(Insulated Gate Bipolar Transistor)에 대한 설명으로 틀린 것은? [2020년 3회 기사]

① MOSFET와 같이 전압제어 소자이다.

② GTO 사이리스터와 같이 역방향 전압저지 특성을 갖는다.

③ 게이트와 이미터 사이의 입력 임피던스가 매우 낮아 BJT보다 구동하기 쉽다.

④ BJT처럼 On-drop이 전류에 관계없이 낮고 거의 일정하며, MOSFET보다 훨씬 큰 전류를 흘릴 수 있다.

해설 IGBT(Insulated Gate Bipolar Transistor)
게이트와 이미터 사이의 입력 임피던스가 매우 높아 BJT보다 구동하기 쉽다.

14 BJT에 대한 설명으로 틀린 것은? [2021년 1회 기사]

① Bipolar Junction Thyristor의 약자이다.

② 베이스 전류로 컬렉터 전류를 제어하는 전류제어 스위치이다.

③ MOSFET, IGBT 등의 전압제어 스위치보다 훨씬 큰 구동전력이 필요하다.

④ 회로기호 B, E, C는 각각 베이스(Base), 이미터(Emitter), 컬렉터(Collercter)이다.

해설 BJT란 Bipolar Junction Transistor의 약자이다.

15 반도체 사이리스터에 의한 제어는 어느 것을 변화시키는 것인가? [2015년 1회 산업기사]

① 주파수　　　　　　　　　② 전 류
③ 위상각　　　　　　　　　④ 최댓값

해설　사이리스터 : 정류전압의 크기를 위상으로 제어한다.

16 사이리스터에 의한 제어는 무엇을 제어하여 출력전압을 변환시키는가? [2019년 1회 산업기사]

① 토 크　　　　　　　　　② 위상각
③ 회전수　　　　　　　　　④ 주파수

해설　15번 해설 참조

17 유도전동기의 1차 전압 변화에 의한 속도제어 시 SCR을 사용하여 변화시키는 것은?

[2016년 3회 기사]

① 토 크

② 전 류

③ 주파수

④ 위상각

해설 사이리스터 : 정류전압의 크기를 위상으로 제어한다.

18 다음 괄호 안에 알맞은 내용을 순서대로 나열한 것은?　　[2012년 2회 기사 / 2017년 3회 기사]

> 사이리스터(Thyristor)에서는 게이트전류가 흐르면 순방향의 저지상태에서 (　　　)상태로 된다.
> 게이트전류를 가하여 도통완료까지의 시간을 (　　　)시간이라고 하나 이 시간이 길면 (　　　) 시의
> (　　　)이 많고 사이리스터 소자가 파괴되는 수가 있다.

① 온(On), 턴온(Turn On), 스위칭, 전력손실

② 온(On), 턴온(Turn On), 전력손실, 스위칭

③ 스위칭, 온(On), 턴온(Turn On), 전력손실

④ 턴온(Turn On), 스위칭, 온(On), 전력손실

해설 사이리스터(Thyristor)
- 온(On) 상태 : 게이트전류가 흐르면 순방향의 도통상태
- 턴온(Turn On) 시간 : 게이트전류를 가하여 도통완료까지의 시간
  턴온 시간이 길면 스위칭 시의 전력손실이 많고 사이리스터 소자가 파괴될 수 있다.

19 SCR에 대한 설명으로 옳은 것은? [2020년 1, 2회 산업기사]

① 증폭기능을 갖는 단방향성 3단자 소자이다.
② 제어기능을 갖는 양방향성 3단자 소자이다.
③ 정류기능을 갖는 단방향성 3단자 소자이다.
④ 스위칭기능을 갖는 양방향성 3단자 소자이다.

> **해설** **SCR의 특징**
> • 정류기능을 가진 단일 방향성 3단자 소자이다.
> • 과전압에 약하고 열용량이 적어 고온에 약하다.
> • 아크가 생기지 않으므로 열의 발생이 적다.
> • 역방향 내전압이 크고, 전압강하가 작다.
> • Turn On 조건은 양극과 음극 간에 브레이크 오버전압 이상의 전압을 인가하고, 게이트에 래칭전류 이상의 전류를 인가한다.
> • Turn Off 조건은 애노드의 극성을 부(−)로 한다.
> • 래칭전류는 사이리스터가 Turn On하기 시작하는 순전류이다.
> • 이온이 소멸되는 시간이 짧다.
> • 직류 및 교류 전압제어를 하며 스위칭 소자이다.

20 SCR에 관한 설명으로 틀린 것은? [2016년 2회 기사]

① 3단자 소자이다.
② 스위칭 소자이다.
③ 직류 전압만을 제어한다.
④ 적은 게이트신호로 대전력을 제어한다.

> **해설** 19번 해설 참조

21 SCR에 관한 설명으로 틀린 것은? [2018년 3회 산업기사]

① 3단자 소자이다.
② 전류는 애노드에서 캐소드로 흐른다.
③ 소형의 전력을 다루고 고주파 스위칭을 요구하는 응용분야에 주로 사용된다.
④ 도통상태에서 순방향 애노드전류가 유지전류 이하로 되면 SCR은 차단상태로 된다.

> **해설** 19번 해설 참조

정답 19 ③ 20 ③ 21 ③

22 도통(On)상태에 있는 SCR을 차단(Off)상태로 만들기 위해서는 어떻게 하여야 하는가?

[2020년 1, 2회 기사]

① 게이트 펄스전압을 가한다.
② 게이트전류를 증가시킨다.
③ 게이트전압이 부(−)가 되도록 한다.
④ 전원전압의 극성이 반대가 되도록 한다.

> **해설** SCR Off 조건
> • 유지전류 이하
> • 애노드 전압을 0 또는 (−)로 한다. → 전압을 반대로 인가

23 SCR의 특징으로 틀린 것은?

[2019년 3회 기사]

① 과전압에 약하다.
② 열용량이 적어 고온에 약하다.
③ 전류가 흐르고 있을 때의 양극 전압강하가 크다.
④ 게이트에 신호를 인가할 때부터 도통할 때까지의 시간이 짧다.

> **해설** SCR의 특징
> • 정류기능을 가진 단일 방향성 3단자 소자이다.
> • 과전압에 약하고 열용량이 적어 고온에 약하다.
> • 아크가 생기지 않으므로 열의 발생이 적다.
> • 역방향 내전압이 크고, 전압강하가 작다.
> • Turn On 조건은 양극과 음극 간에 브레이크 오버전압 이상의 전압을 인가하고, 게이트에 래칭전류
>   이상의 전류를 인가한다.
> • Turn Off 조건은 애노드의 극성을 부(−)로 한다.
> • 래칭전류는 사이리스터가 Turn On하기 시작하는 순전류이다.
> • 이온이 소멸되는 시간이 짧다.
> • 직류 및 교류 전압제어를 하며 스위칭 소자이다.

24 사이리스터에서 게이트전류가 증가하면? [2017년 1회 기사]

① 순방향 저지전압이 증가한다.

② 순방향 저지전압이 감소한다.

③ 역방향 저지전압이 증가한다.

④ 역방향 저지전압이 감소한다.

해설 게이트에 트리거 펄스를 인가하면 통전상태가 되므로 이때 게이트전류를 증가시키면 순방향 저지전압이 낮아진다.

25 실리콘제어정류기(SCR)의 설명 중 **틀린** 것은? [2018년 1회 기사]

① P−N−P−N 구조로 되어 있다.

② 인버터 회로에 이용될 수 있다.

③ 고속도의 스위치작용을 할 수 있다.

④ 게이트에 (+)와 (−)의 특성을 갖는 펄스를 인가하여 제어한다.

해설 **실리콘제어정류기(SCR)의 특징**
- P−N−P−N 구조로 되어 있다.
- 인버터 회로에 이용될 수 있다.
- 고속도의 스위치작용을 할 수 있다.

26 SCR의 특징이 아닌 것은?

① 아크가 생기지 않으므로 열의 발생이 적다.

② 열용량이 적어 고온에 약하다.

③ 전류가 흐르고 있을 때 양극의 전압강하가 작다.

④ 과전압에 강하다.

해설 **SCR의 특징**
- 정류기능을 가진 단일 방향성 3단자 소자이다.
- 과전압에 약하고 열용량이 적어 고온에 약하다.
- 아크가 생기지 않으므로 열의 발생이 적다.
- 역방향 내전압이 크고, 전압강하가 작다.
- Turn On 조건은 양극과 음극 간에 브레이크 오버전압 이상의 전압을 인가하고, 게이트에 래칭전류 이상의 전류를 인가한다.
- Turn Off 조건은 애노드의 극성을 부(−)로 한다.
- 래칭전류는 사이리스터가 Turn On하기 시작하는 순전류이다.
- 이온이 소멸되는 시간이 짧다.
- 직류 및 교류 전압제어를 하며 스위칭 소자이다.

---

27 1방향성 4단자 사이리스터는?

① TRIAC ② SCS

③ SCR ④ SSS

해설 **사이리스터의 구분**

단방향		양방향	
3단자	4단자	2단자	3단자
SCR GTO LASCR	SCS	DIAC SSS	TRIAC

26 ④ 27 ② **정답**

28 2방향성 3단자 사이리스터는 어느 것인가?

[2012년 2회 기사 / 2017년 2회 산업기사 / 2018년 3회 기사 / 2022년 2회 기사]

① SCR

② SSS

③ SCS

④ TRIAC

해설 사이리스터의 구분

단방향		양방향	
3단자	4단자	2단자	3단자
SCR GTO LASCR	SCS	DIAC SSS	TRIAC

29 3단자 사이리스터가 아닌 것은?

[2015년 2회 기사 / 2016년 1회 산업기사 / 2016년 3회 기사]

① SCR

② GTO

③ SCS

④ TRIAC

해설 사이리스터의 구분

구 분		종 류
방 향	단일 방향성	SCR, LASCR, GTO, SCS
	양방향성	DIAC, SSS, TRIAC
단자수	2단자	DIAC, SSS
	3단자	SCR, LASCR, GTO, TRIAC
	4단자	SCS

30 게이트조작에 의해 부하전류 이상으로 유지전류를 높일 수 있어 게이트의 턴온, 턴오프가 가능한 사이리스터는?

[2015년 1회 기사]

① SCR

② GTO

③ LASCR

④ TRIAC

해설 역저지 3단자 소자
- SCR : 게이트신호로 ON
- LASCR : 빛을 게이트신호로 ON
- GTO : 게이트신호로 ON/OFF

31 GTO 사이리스터의 특징으로 틀린 것은?

[2020년 4회 기사]

① 각 단자의 명칭은 SCR 사이리스터와 같다.

② 온(On) 상태에서는 양방향 전류특성을 보인다.

③ 온(On) 드롭(Drop)은 약 2~4[V]가 되어 SCR 사이리스터보다 약간 크다.

④ 오프(Off) 상태에서는 SCR 사이리스터처럼 양방향 전압저지 능력을 갖고 있다.

해설　**사이리스터(Thyristor)**
- 온(On) 상태 : 게이트전류가 흐르면 순방향의 도통상태
- 턴온(Turn On) 시간 : 게이트전류를 가하여 도통완료까지의 시간
  턴온 시간이 길면 스위칭 시의 전력손실이 많고 사이리스터 소자가 파괴될 수 있다.

32 트라이액(Triac)에 대한 설명으로 틀린 것은?

[2017년 3회 산업기사]

① 쌍방향성 3단자 사이리스터이다.

② 턴오프 시간이 SCR보다 짧으며 급격한 전압변동에 강하다.

③ SCR 2개를 서로 반대방향으로 병렬연결하여 양방향 전류제어가 가능하다.

④ 게이트에 전류를 흘리면 어느 방향이든 전압이 높은 쪽에서 낮은 쪽으로 도통한다.

해설　**트라이액(Triac)의 특징**
- SCR은 한 방향으로만 도통할 수 있는 데 반하여 이 소자는 양방향으로 도통할 수 있다.
- TRIAC은 기능상으로 2개의 SCR을 역병렬 접속한 것과 같다.
- TRIAC의 게이트에 전류를 흘리면 그 상황에서 어느 방향이건 전압이 높은 쪽에서 낮은 쪽으로 도통한다.
- 일단 도통하면 SCR과 같이 그 방향으로 전류가 더 이상 흐르지 않을 때까지 계속 도통한다. 따라서, 전류방향이 바뀌려고 하면 소호되고 일단 소호되면 다시 점호시킬 때까지 차단상태를 유지한다.

33 단상 다이오드 반파정류회로인 경우 정류효율은 약 몇 [%]인가?(단, 저항부하인 경우이다)

[2020년 1, 2회 산업기사]

① 12.6
② 40.6
③ 60.6
④ 81.2

해설 정류회로의 특성

구 분		반파정류	전파정류
다이오드		$E_d = \dfrac{\sqrt{2}E}{\pi} = 0.45E$	$E_d = \dfrac{2\sqrt{2}E}{\pi} = 0.9E$
SCR	단 상	$E_d = \dfrac{\sqrt{2}E}{\pi}\left(\dfrac{1+\cos\alpha}{2}\right)$	$E_d = \dfrac{2\sqrt{2}E}{\pi}\left(\dfrac{1+\cos\alpha}{2}\right)$
	3상	$E_d = \dfrac{3\sqrt{6}}{2\pi}E\cos\alpha$	$E_d = \dfrac{3\sqrt{2}}{\pi}E\cos\alpha$
효 율		40.6[%]	81.2[%]
PIV		$PIV = E_d \times \pi$, 브리지 $PIV = 0.5E_d \times \pi$	

※ SCR은 항상 부하 역률각보다 큰 범위에서만 제어가 가능하다(제어각>역률각).

34 단상 전파정류회로에서 맥동률은?

[2012년 1회 산업기사 / 2015년 3회 산업기사]

① 약 0.17
② 약 0.34
③ 약 0.48
④ 약 0.96

해설 $맥동률 = \dfrac{교류분}{직류분} \times 100 = \sqrt{\dfrac{실횻값^2 - 평균값^2}{평균값^2}} \times 100$

정류 종류	단상 단파	단상 전파	3상 반파	3상 전파
맥동률[%]	121	48	17.7	4.04
맥동주파수[Hz]	f	$2f$	$3f$	$6f$
정류효율[%]	40.5	81.1	96.7	99.8

정답 **33** ② **34** ③

35 직류전압의 맥동률이 가장 작은 정류회로는?(단, 저항부하를 사용한 경우이다)

[2019년 2회 산업기사]

① 단상 전파   ② 단상 반파

③ 3상 반파   ④ 3상 전파

> 해설
> - 1ϕ 반파 맥동률 $\nu = 1.21$
> - 3ϕ 반파 맥동률 $\nu = 0.17$
> - 1ϕ 전파 맥동률 $\nu = 0.48$
> - 3ϕ 전파 맥동률 $\nu = 0.04$

36 3상 반파정류회로에서 직류전압의 파형은 전원전압 주파수의 몇 배의 교류분을 포함하는가?

[2018년 3회 산업기사]

① 1   ② 2

③ 3   ④ 6

> 해설 3상 반파정류회로 직류전압의 파형은 전원전압 주파수의 3배의 교류분을 포함하고 있다.

37 어떤 정류기의 부하전압이 2,000[V]이고 맥동률이 3[%]이면 교류분의 진폭[V]은?

[2016년 1회 기사]

① 20   ② 30

③ 50   ④ 60

> 해설 진폭전압은 맥동분만큼 변하는 것으로
> $$v = V \times \nu = 2,000 \times 0.03 = 60[\text{V}]$$

35 ④   36 ③   37 ④   정답

38 어떤 정류회로의 부하전압이 50[V]이고 맥동률 3[%]이면 직류 출력전압에 포함된 교류분은 몇 [V]인가?

[2018년 2회 기사]

① 1.2

② 1.5

③ 1.8

④ 2.1

해설 진폭전압은 맥동분만큼 변하는 것으로

전압 $v = V \times \nu = 50 \times 0.03 = 1.5 \text{[V]}$

39 어떤 정류기의 출력전압 평균값이 2,000[V]이고 맥동률이 3[%]이면 교류분은 몇 [V] 포함되어 있는가?

[2020년 3회 산업기사]

① 20

② 30

③ 60

④ 70

해설 진폭전압은 맥동분만큼 변하는 것으로

전압 $v = V \times \nu = 2,000 \times 0.03 = 60 \text{[V]}$

40 정류기의 직류 측 평균전압이 2,000[V]이고 리플률이 3[%]일 경우, 리플전압의 실횻값[V]은?

[2022년 1회 기사]

① 20

② 30

③ 50

④ 60

해설 리플전압$(V) = \dfrac{E_a}{E_d}$

$E_a = VE_d = 0.03 \times 2,000 = 60 \text{[V]}$

41 정류회로에 사용되는 환류 다이오드(Free Wheeling Diode)에 대한 설명으로 틀린 것은?

[2017년 2회 기사]

① 순저항 부하의 경우 불필요하게 된다.
② 유도성 부하의 경우 불필요하게 된다.
③ 환류 다이오드 동작 시 부하 출력전압은 0[V]가 된다.
④ 유도성 부하의 경우 부하전류의 평활화에 유용하다.

해설 환류 다이오드란 인덕터 충전전류로 인한 기기 손상 방지를 위해 부하와 병렬로 연결된 다이오드이 며 전류가 off될 때, 인덕터에서 발생하는 역기전력을 다시 돌려 충전하는 다이오드이다. 따라서, 스위치가 on되어 일정시간 동안 도통되면 부하를 통해 흐르는 전류는 일정값에 흐르게 되고 유도성 부하(인덕터)에 저장되게 된다. 또한 환류 다이오드 동작 시 off이므로 출력은 0[V]이며 유도성 부하의 경우에 평활회로를 구성하게 된다. 즉, 유도성 부하의 경우에 필요하다.

42 단상 반파정류회로에서 평균출력전압은 전원전압의 약 몇 [%]인가? [2017년 1회 산업기사]

① 45.0
② 66.7
③ 81.0
④ 86.7

해설 $E_d = \dfrac{\sqrt{2}}{\pi} E = \dfrac{\sqrt{2}}{\pi} \times 100 \fallingdotseq 45.0$

43 단상 반파정류회로에서 평균직류전압 200[V]를 얻는 데 필요한 변압기 2차 전압은 약 몇 [V] 인가?(단, 부하는 순저항이고 정류기의 전압강하는 15[V]로 한다) [2018년 2회 산업기사]

① 400
② 478
③ 512
④ 642

해설 2차 전압 $E = \dfrac{\pi}{\sqrt{2}}(E_d + e_a) = \dfrac{\pi}{\sqrt{2}}(200 + 15) \fallingdotseq 477.6 \fallingdotseq 478[\mathrm{V}]$

41 ② 42 ① 43 ② 정답

44 단상 반파정류회로에서 직류전압의 평균값 210[V]를 얻는 데 필요한 변압기 2차 전압의 실횻값은 약 몇 [V]인가?(단, 부하는 순저항이고, 정류기의 전압강하 평균값은 15[V]로 한다)

[2021년 3회 기사]

① 400

② 433

③ 500

④ 566

해설 2차 전압 $E = \dfrac{\pi}{\sqrt{2}}(E_d + e_d) = \dfrac{\pi}{\sqrt{2}}(210 + 15) ≒ 499.82[V]$

45 동작모드가 그림과 같이 나타나는 혼합브리지는?

[2020년 3회 기사]

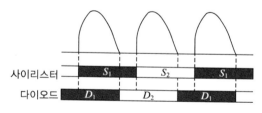

①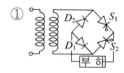

②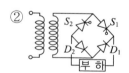

③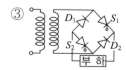

④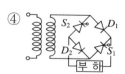

해설 S_1과 D_1, S_2와 D_2를 통해 파형이 출력되는 것은 ①이다.

46 그림과 같은 회로에서 전원전압의 실효치 200[V], 점호각 30°일 때 출력전압은 약 몇 [V]인가?(단, 정상상태이다)

[2017년 1회 기사]

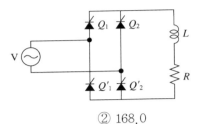

① 157.8

② 168.0

③ 177.8

④ 187.8

해설 $E_d = 0.45(1 + \cos\alpha) \times E_a = 0.45(1 + \cos 30°) \times 200 ≒ 167.94 ≒ 168.0$

47 전원전압이 100[V]인 단상 전파정류제어에서 점호각이 30°일 때 직류 평균전압은 약 몇 [V]인가?

[2020년 1, 2회 기사]

① 54

② 64

③ 84

④ 94

해설 $E_d = 0.45 E_a(1 + \cos\alpha) = 0.45 \times 100 \times (1 + \cos 30°) ≒ 84[V]$

48 그림과 같은 회로에서 V(전원전압의 실효치) = 100[V], 점호각 $a = 30°$인 때의 부하 시의 직류전압 E_{da}[V]는 약 얼마인가?(단, 전류가 연속하는 경우이다)

[2019년 1회 기사]

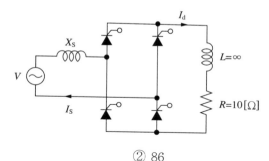

① 90   ② 86

③ 77.9   ④ 100

해설 부하전류가 연속인 경우

$$E_d = \frac{2\sqrt{2}}{\pi} E \cdot \cos\alpha = \frac{2\sqrt{2}}{\pi} \times 100 \times \cos 30° \fallingdotseq 77.9[V]$$

49 단상 전파정류에서 공급전압이 E일 때 무부하 직류전압의 평균값은?(단, 브리지 다이오드를 사용한 전파정류회로이다)

[2016년 2회 기사]

① $0.90E$ ② $0.45E$

③ $0.75E$ ④ $1.17E$

해설 정류회로의 특성

구 분		반파정류	전파정류
다이오드		$E_d = \dfrac{\sqrt{2}E}{\pi} = 0.45E$	$E_d = \dfrac{2\sqrt{2}E}{\pi} = 0.9E$
SCR	단 상	$E_d = \dfrac{\sqrt{2}E}{\pi}\left(\dfrac{1+\cos\alpha}{2}\right)$	$E_d = \dfrac{2\sqrt{2}E}{\pi}\left(\dfrac{1+\cos\alpha}{2}\right)$
	3상	$E_d = \dfrac{3\sqrt{6}}{2\pi}E\cos\alpha$	$E_d = \dfrac{3\sqrt{2}}{\pi}E\cos\alpha$
효 율		40.6[%]	81.2[%]
PIV		$PIV = E_d \times \pi$, 브리지 $PIV = 0.5E_d \times \pi$	

50 단상 전파정류회로를 구성한 것으로 옳은 것은?

[2019년 3회 산업기사]

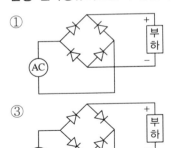

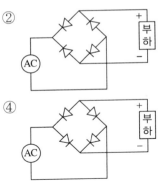

① ② ③ ④

해설 브리지회로

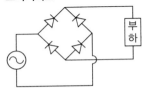

51 저항부하를 갖는 정류회로에서 직류분 전압이 200[V]일 때 다이오드에 가해지는 첨두역전압 (PIV)의 크기는 약 몇 [V]인가?

[2018년 2회 기사]

① 346 ② 628
③ 692 ④ 1,038

해설 단상 반파정류

직류평균전압 $E_d = 0.45E_a$ 에서 교류전압 $E_a = \dfrac{E_d}{0.45} = \dfrac{200}{0.45} ≒ 444[\text{V}]$

최대역전압 $V_{p-p} = \sqrt{2} \times E_a = 1.414 \times 444 ≒ 628[\text{V}]$

여기서, E_d : 직류전압, $E_a(E)$: 교류전압 = 실효전압 = 입력전압

52 단상 반파정류로 직류전압 150[V]를 얻으려고 한다. 최대역전압(Peak Inverse Voltage)이 약 몇 [V] 이상의 다이오드를 사용하여야 하는가?(단, 정류회로 및 변압기의 전압강하는 무시한다)

[2016년 1회 산업기사]

① 150   ② 166

③ 333   ④ 471

해설 최대역전압 $PIV = \sqrt{2} \times E_a = \sqrt{2} \times \dfrac{150}{0.45} ≒ 471.4[\text{V}]$

53 다이오드 2개를 이용하여 전파정류를 하고, 순저항부하에 전력을 공급하는 회로가 있다. 저항에 걸리는 직류분 전압이 90[V]라면 다이오드에 걸리는 최대역전압[V]의 크기는?

[2017년 3회 기사]

① 90   ② 242.8

③ 254.5   ④ 282.8

해설 최대역전압 $PIV = \sqrt{2} \times E_a = \sqrt{2} \times \dfrac{90}{0.45} ≒ 282.8[\text{V}]$

54 SCR을 이용한 단상 전파 위상제어 정류회로에서 전원전압은 실횻값이 220[V], 60[Hz]인 정현파이며, 부하는 순저항으로 10[Ω]이다. SCR의 점호각 a를 60°라 할 때 출력전류의 평균값[A]은?

[2022년 1회 기사]

① 7.54   ② 9.73

③ 11.43   ④ 14.86

해설 출력전류 평균값$(I_d) = \dfrac{E_d}{R} = \dfrac{148.6}{10} = 14.86[\text{A}]$

$E_d = 0.9E\dfrac{1+\cos\alpha}{2} = 0.9 \times 220 \times \dfrac{1+\cos 60°}{2} = 148.6[\text{V}]$

55 사이리스터 2개를 사용한 단상 전파정류회로에서 직류전압 100[V]를 얻으려면 *PIV*가 약 몇 [V]인 다이오드를 사용하면 되는가?   [2018년 1회 기사]

① 111   ② 141

③ 222   ④ 314

해설 정류회로의 특징

구 분		반파정류	전파정류
다이오드		$E_d = \dfrac{\sqrt{2}\,E}{\pi} = 0.45E$	$E_d = \dfrac{2\sqrt{2}\,E}{\pi} = 0.9E$
SCR	단 상	$E_d = \dfrac{\sqrt{2}\,E}{\pi}\left(\dfrac{1+\cos\alpha}{2}\right)$	$E_d = \dfrac{2\sqrt{2}\,E}{\pi}\left(\dfrac{1+\cos\alpha}{2}\right)$
	3상	$E_d = \dfrac{3\sqrt{6}}{2\pi}E\cos\alpha$	$E_d = \dfrac{3\sqrt{2}}{\pi}E\cos\alpha$
효 율		40.6[%]	81.2[%]
PIV		\multicolumn{2}{c}{$PIV = E_d \times \pi$, 브리지 $PIV = 0.5\,E_d \times \pi$}

$$\therefore\ PIV = \sqrt{2} \times \frac{100}{0.45} \fallingdotseq 314[\text{V}]$$

56 입력전압이 220[V]일 때 3상 전파 제어 정류회로에서 얻을 수 있는 직류전압은 몇 [V]인가? (단, 최대전압은 점호각 $\alpha = 0$일 때이고, 3상에서 선간전압으로 본다)   [2015년 2회 산업기사]

① 152   ② 198

③ 297   ④ 317

해설 3상 전파정류의 직류값

$$E_d = \frac{3\sqrt{2}}{\pi}E\cos\alpha = 1.35 \times 220 \times \cos 0^\circ = 297[\text{V}]$$

57 저항부하를 갖는 단상 전파 제어정류기의 평균출력전압은?(단, α는 사이리스터의 점호각, V_m은 교류 입력전압의 최댓값이다)

[2016년 3회 산업기사]

① $V_{dc} = \dfrac{V_m}{2\pi}(1+\cos\alpha)$ 　　　② $V_{dc} = \dfrac{V_m}{\pi}(1+\cos\alpha)$

③ $V_{dc} = \dfrac{V_m}{2\pi}(1-\cos\alpha)$ 　　　④ $V_{dc} = \dfrac{V_m}{\pi}(1-\cos\alpha)$

해설
$$V_d = \frac{\sqrt{2}}{\pi}V(1+\cos\alpha) = \frac{V_m}{\pi}(1+\cos\alpha) = \frac{2\sqrt{2}\,V}{\pi}\left(\frac{1+\cos\alpha}{2}\right)$$

58 3상 수은정류기의 직류 평균부하전류가 50[A]가 되는 1상 양극전류 실횻값은 약 몇 [A]인가?

[2018년 2회 기사]

① 9.6　　　　　　　　　　　② 17

③ 29　　　　　　　　　　　④ 87

해설 한 상의 양극전류는 50[A]가 $\dfrac{2\pi}{3}$ 사이에만 흐르고 나머지$\left(\dfrac{4\pi}{3}\right)$는 흐르지 않는다.

따라서, $I_{rms} = \sqrt{\dfrac{\left(50^2 \times \dfrac{2\pi}{3}\right)}{2\pi}} = \dfrac{50}{\sqrt{3}} \fallingdotseq 28.86 \fallingdotseq 29[\text{A}]$

59 평형 6상 반파정류회로에서 297[V]의 직류전압을 얻기 위한 입력 측 상전압은 약 몇 [V]인가?(단, 부하는 순수 저항부하이다)

[2020년 4회 기사]

① 110　　　　　　　　　　② 220

③ 380　　　　　　　　　　④ 440

해설 6ϕ에서 $\dfrac{E_d}{E_a} = 1.35$이므로 $E_a = \dfrac{297}{1.35} = 220$

정답 57 ②　58 ③　59 ②

60 단상 50[Hz], 전파정류회로에서 변압기의 2차 상전압 100[V], 수은정류기의 전압강하 20[V] 에서 회로 중의 인덕턴스는 무시한다. 외부부하로서 기전력 50[V], 내부저항 0.3[Ω]의 축전 지를 연결할 때 평균출력은 약 몇 [W]인가?   [2017년 2회 산업기사]

① 4,556
② 4,667
③ 4,778
④ 4,889

해설 직류 평균전압 $E_d = \dfrac{2\sqrt{2}}{\pi}E - e_a = \dfrac{2\sqrt{2}}{\pi} \times 100 - 20 ≒ 70[\text{V}]$

평균 부하전류 $I_d = \dfrac{E_d - E}{R_a} = \dfrac{70 - 50}{0.3} ≒ 66.67[\text{A}]$

∴ 평균출력 $P_0 = E_d I_d = 70 \times 66.67 ≒ 4,667[\text{W}]$

61 전류가 불연속인 경우 전원전압 220[V]인 단상 전파정류회로에서 점호각 $\alpha = 90°$일 때의 직류 평균전압은 약 몇 [V]인가?   [2012년 3회 산업기사 / 2017년 3회 산업기사]

① 45
② 84
③ 90
④ 99

해설 **전파정류회로의 직류평균값**
$E_d = 0.45E(1 + \cos\alpha) = 0.45 \times 220(1 + \cos 90°) = 99[\text{V}]$

62 상전압 200[V]의 3상 반파정류회로의 각 상에 SCR을 사용하여 정류제어할 때 위상각을 $\pi/6$ 로 하면 순저항부하에서 얻을 수 있는 직류전압[V]은?   [2019년 2회 기사]

① 90
② 180
③ 203
④ 234

해설 $E_{d\pi} = \dfrac{1}{\dfrac{2\pi}{3}} \displaystyle\int_{-\frac{\pi}{3}+\alpha}^{\frac{\pi}{3}+\alpha} \sqrt{2}\, V\cos\theta d\theta = \dfrac{3\sqrt{6}}{2\pi} V\cos\theta$

∴ $E_d = \dfrac{3\sqrt{6}}{2\pi} \times 200 \times \cos 30° ≒ 202.57[\text{V}]$

※ $E_d = 1.17 \times E \times \cos\theta = 1.17 \times 200 \times \cos 30° ≒ 202.65[\text{V}]$

60 ② 61 ④ 62 ③ **정답**

63 어떤 IGBT의 열용량은 0.02[J/℃], 열저항은 0.625[℃/W]이다. 이 소자에 직류 25[A]가 흐를 때 전압강하는 3[V]이다. 몇 [℃]의 온도상승이 발생하는가?

[2019년 1회 산업기사]

① 1.5

② 1.7

③ 47

④ 52

해설 $P = VI = 3 \times 25 = 75\,[\mathrm{kW}]$

이때 열저항은 $0.625\,[℃/\mathrm{W}]$ 이다.

$\therefore\ 75 \times 0.625 \fallingdotseq 47\,[℃]$

64 사이클로 컨버터(Cyclo Converter)에 대한 설명으로 틀린 것은?

[2021년 1회 기사]

① DC - DC Buck 컨버터와 동일한 구조이다.

② 출력주파수가 낮은 영역에서 많은 장점이 있다.

③ 시멘트공장의 분쇄기 등과 같이 대용량 저속 교류전동기 구종에 주로 사용된다.

④ 교류를 교류로 직접 변환하면서 전압과 주파수를 동시에 가변하는 전력변환기이다.

해설 전력변환기기

인버터	초 퍼	정 류	사이클로 컨버터 (주파수 변환)
직류-교류	직류-직류	교류-직류	교류-교류

65 부스트(Boost) 컨버터의 입력전압이 45[V]로 일정하고, 스위칭 주기가 20[kHz], 듀티비(Duty Ratio)가 0.6, 부하저항이 10[Ω]일 때 출력전압은 몇 [V]인가?(단, 인덕터에는 일정한 전류가 흐르고 커패시터 출력전압의 리플성분은 무시한다)

[2021년 2회 기사]

① 27

② 67.5

③ 75

④ 112.5

해설 출력전압$(V_o) = \dfrac{V_i}{1-D} = \dfrac{45}{1-0.6} = 112.5\,[\mathrm{V}]$

정답 63 ③ 64 ① 65 ④

제어기기

1. 제어기기의 분류

(1) 회전 증폭기

① 앰플리다인 : 전기자 반작용에 의한 여자작용을 이용한다.
② 로토트롤 : 계자권선의 여자작용을 이용한다.

(2) 자기 증폭기

코일의 리액턴스가 전류의 크기에 따라 변화하는 점을 이용하여 입력전류의 변화에 의해 부하전류를 제어하는 증폭기, 구조가 견고하고 큰 출력을 얻을 수 있으므로 자동제어장치 등에 쓰인다.

(3) 셀 신

기계적인 각도의 변화를 전기적인 방법으로 먼 거리에 있는 장소에 대해 원격지시, 원격측정하는 데 사용되는 장치(원격신호, 원격제어 등)

(4) 차동변압기

1차 쪽에 1개, 2차 쪽에 2개의 코일이 있는 변압기로서 상호인덕턴스의 원리를 이용한 것이며, 매우 정밀도가 높아서 1[mm]까지 측정할 수 있다. 접촉식 센서이기 때문에 접촉해서는 안 되는 피측정물에는 이용할 수 없으며 코일을 사용했기 때문에 온도의 영향을 받기 쉬운 결점이 있다. 두께의 측정, 압력·차압의 측정, 장력, 가중측정 등 넓은 응용분야에서 사용된다.

2. DC 서보전동기

제어용의 전기적 동력으로는 주로 DC 서보전동기가 사용된다. 이 전동기에는 분권식, 직권식 및 복권식 등이 있으며, 이 중 분권식은 분권권선에 흐르는 전류를 가감하여 그 속도를 제어할 수 있고 직권식은 전기자에 흐르는 전류에 의하여 속도제어를 한다.

3. AC 서보전동기

교류 서보기구에 사용하는 전동기는 일반적으로 2상 유도전동기이며 고정자는 직교한 기준계자권선과 제어계자권선으로 이루어진다. 두 권선은 90°의 위상차를 가지고 있으므로 이들에 의해 회전자계에서 회전자를 회전시킨다. 토크는 제어신호전압의 크기에 비례하고 속도에 따라서 직선적으로 감소한다.

4. DC 서보전동기와 AC 서보전동기의 비교

DC 서보전동기	AC 서보전동기
브러시의 마찰에 의한 부동작시간(지연시간)이 있다.	마찰이 적다(베어링 마찰뿐이다).
정류자와 브러시의 손질이 필요하다.	튼튼하고 보수가 쉽다.
직류전원이 필요하고 또한 회로의 독립이 곤란하다.	회로는 절연변압기에 의해 쉽게 독립시킬 수 있다.
직류 서보증폭기는 드리프트에 문제가 있다.	비교적 제어가 용이하다.
기동토크는 AC식보다 월등히 크다.	토크는 DC식에 비하여 뒤떨어진다.
회전속도를 임의로 선정할 수 있다.	극수와 주파수로 회전수가 결정된다.
회전증폭기, 제어발전기의 조합으로 대용량의 것을 만들 수 있다.	대용량의 것은 2차 동손 때문에 온도상승에 대한 특별한 고려를 해야 한다.
전기자 및 계자에 의해서 제어할 수 있다.	전압 및 위상제어를 할 수 있다.
계자에 여러 종류의 제어권선을 병용할 수 있다.	제어전압의 임피던스가 특성에 영향을 미친다.

01 서보모터의 특징에 대한 설명으로 틀린 것은? [2020년 3회 기사]

① 발생토크는 입력신호에 비례하고, 그 비가 클 것
② 직류 서보모터에 비하여 교류 서보모터의 시동토크가 매우 클 것
③ 시동토크는 크나 회전부의 관성모멘트가 작고, 전기적 시정수가 짧을 것
④ 빈번한 시동, 정지, 역전 등의 가혹한 상태에 견디도록 견고하고, 큰 돌입전류에 견딜 것

해설 DC 서보전동기와 AC 서보전동기의 비교

DC 서보전동기	AC 서보전동기
브러시의 마찰에 의한 부동작시간(지연시간)이 있다.	마찰이 적다(베어링 마찰뿐이다).
정류자와 브러시의 손질이 필요하다.	튼튼하고 보수가 쉽다.
직류전원이 필요하고 또한 회로의 독립이 곤란하다.	회로는 절연변압기에 의해 쉽게 독립시킬 수 있다.
직류 서보증폭기는 드리프트에 문제가 있다.	비교적 제어가 용이하다.
기동토크는 AC식보다 월등히 크다.	토크는 DC식에 비하여 뒤떨어진다.
회전속도를 임의로 선정할 수 있다.	극수와 주파수로 회전수가 결정된다.
회전 증폭기, 제어발전기의 조합으로 대용량의 것을 만들 수 있다.	대용량의 것은 2차 동손 때문에 온도상승에 대한 특별한 고려를 해야 한다.
전기자 및 계자에 의해서 제어할 수 있다.	전압 및 위상제어를 할 수 있다.
계자에 여러 종류의 제어권선을 병용할 수 있다.	제어전압의 임피던스가 특성에 영향을 미친다.

02 2상 교류 서보모터를 구동하는 데 필요한 2상 전압을 얻는 방법으로 널리 쓰이는 방법은? [2020년 4회 기사]

① 2상 전원을 직접 이용하는 방법
② 환상 결선 변압기를 이용하는 방법
③ 여자권선에 리액터를 삽입하는 방법
④ 증폭기 내에서 위상을 조정하는 방법

해설 서보모터는 펄스 폭으로 위치(각도)의 위상 및 전압, 전압·위상 혼합제어를 이용한다.

01 ② 02 ④ **정답**

03 일반적인 DC 서보모터의 제어에 속하지 않는 것은?

[2021년 2회 기사]

① 역률제어

② 토크제어

③ 속도제어

④ 위치제어

해설 역률제어와는 관계가 없다.

04 히스테리시스 전동기에 대한 설명으로 틀린 것은?

[2021년 1회 기사]

① 유도전동기와 거의 같은 고정자이다.

② 회전자 극은 고정자 극에 비하여 항상 각도 δ_h만큼 앞선다.

③ 회전자가 부드러운 외면을 가지므로 소음이 적으며, 순조롭게 회전시킬 수 있다.

④ 구속 시부터 동기속도만을 제외한 모든 속도 범위에서 일정한 히스테리시스 토크를 발생한다.

해설 정확하고 일정한 속도가 필요한 기록계의 구동용으로 사용되는 타이밍 전동기 또한 관성부하의 영향을 받지 않고 가속이 가능한 어떠한 부하도 제어할 수 있다.

정답 03 ① 04 ②

전기공사기사 · 산업기사 기본서 시리즈

전기공사

기사 · 산업기사 필기

SERIES 3

전기기기

최근 기출복원문제

전기공사
기사 · 산업기사
필기   SERIES **3**

전기기기

합격의 공식
온라인 강의

잠깐!

혼자 공부하기 힘드시다면 방법이 있습니다.
SD에듀의 동영상강의를 이용하시면 됩니다.
www.sdedu.co.kr → 회원가입(로그인) → 강의 살펴보기

01 정류회로에서 평활회로를 사용하는 이유는?

① 출력전압의 맥류분을 감소하기 위해
② 출력전압의 크기를 증가시키기 위해
③ 정류전압의 직류분을 감소하기 위해
④ 정류전압을 2배로 하기 위해

02 유도전동기의 부하를 증가시켰을 때 옳지 않은 것은?

① 속도는 감소한다.
② 1차 부하전류는 감소한다.
③ 슬립은 증가한다.
④ 2차 유도기전력은 증가한다.

03 계자저항 50[Ω], 계자전류 2[A], 전기자저항 3[Ω]인 분권발전기가 무부하로 정격속도로 회전할 때, 유기기전력 [V]은?

① 106
② 112
③ 115
④ 120

04 동기전동기의 V특성곡선(위상 특성곡선)에서 무부하곡선은?

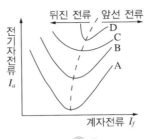

① A   ② B

③ C   ④ D

05 3상 직권 정류자전동기에서 중간 변압기를 사용하는 주된 이유는?

① 발생토크를 증가시키기 위해

② 역회전 방지를 위해

③ 직권특성을 얻기 위해

④ 경부하 시 급속한 속도상승 억제를 위해

06 3상 동기기의 제동권선을 사용하는 주목적은?

① 출력이 증가한다.   ② 효율이 증가한다.

③ 역률을 개선한다.   ④ 난조를 방지한다.

07 그림과 같은 동기발전기의 무부하 포화곡선에서 포화계수는?

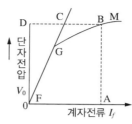

① $\overline{OA}/\overline{OG}$

② $\overline{OD}/\overline{DB}$

③ $\overline{BC}/\overline{CD}$

④ $\overline{CD}/\overline{CO}$

08 단상 단권변압기 2대를 V결선으로 해서 3상 전압 3,000[V]를 3,300[V]로 승압하고, 150[kVA]를 송전하려고 한다. 이 경우 단상 단권변압기 1대분의 자기용량[kVA]은 약 얼마인가?

① 15.74

② 13.62

③ 7.87

④ 4.54

09 부하에 관계없이 변압기에 흐르는 전류로서 자속만을 만드는 전류는?

① 1차 전류

② 철손전류

③ 여자전류

④ 자화전류

10 단상 유도전동기의 기동방법 중 기동토크가 가장 큰 것은?

① 반발기동형

② 분상기동형

③ 셰이딩코일형

④ 콘덴서분상기동형

11 직류발전기의 특성곡선 중 상호 관계가 옳지 않은 것은?

① 무부하 포화곡선 : 계자전류와 단자전압
② 외부 특성곡선 : 부하전류와 단자전압
③ 부하 특성곡선 : 계자전류와 단자전압
④ 내부 특성곡선 : 부하전류와 단자전압

12 30[kVA], 3,300/200[V], 60[Hz]의 3상 변압기 2차측에 3상 단락이 생겼을 경우 단락전류는 약 몇 [A]인가?(단, %임피던스 전압은 3[%]이다)

① 2,250
② 2,620
③ 2,730
④ 2,886

13 3상 유도전동기의 2차 입력 P_2, 슬립이 s일 때의 2차 동손 P_{c2}은?

① $P_{c2} = P_2/s$
② $P_{c2} = sP_2$
③ $P_{c2} = s^2P_2$
④ $P_{c2} = (1-s)P_2$

14 유도전동기의 속도 제어법 중 저항제어와 관계가 없는 것은?

① 농형유도전동기
② 비례추이
③ 속도제어가 간단하고 원활함
④ 속도조정범위가 작음

15 동기전동기에 관한 설명 중 틀린 것은?

① 기동토크가 작다.
② 유도전동기에 비해 효율이 양호하다.
③ 여자기가 필요하다.
④ 역률을 조정할 수 없다.

16 직류전동기의 역기전력이 220[V], 분당 회전수가 1,200[rpm]일 때에 토크가 15[kg · m]가 발생한다면 전기자전류는 약 몇 [A]인가?

① 54
② 67
③ 84
④ 96

17 전기철도에 가장 적합한 직류전동기는?

① 분권전동기
② 직권전동기
③ 복권전동기
④ 자여자분권전동기

18 동기발전기에서 동기속도와 극수와의 관계를 표시한 것은?(단, N : 동기속도, P : 극수이다)

①

②

③

④

19 3,300V/210[V], 5[kVA] 단상변압기의 퍼센트 저항강하 2.4[%], 퍼센트 리액턴스강하 1.8[%] 이다. 임피던스 와트[W]는?

① 320

② 240

③ 120

④ 90

20 3상 동기발전기의 매극 매상의 슬롯수를 3이라고 하면 분포계수는?

① $\sin \dfrac{2}{3}\pi$

② $\sin \dfrac{3}{2}\pi$

③ $6\sin \dfrac{\pi}{18}$

④ $\dfrac{1}{6\sin \dfrac{\pi}{18}}$

전기공사기사 최근 기출복원문제

01 유도전동기의 특성에서 토크와 2차 입력 및 동기속도의 관계는?

① 토크는 2차 입력과 동기속도의 곱에 비례한다.

② 토크는 2차 입력에 반비례하고, 동기속도에 비례한다.

③ 토크는 2차 입력에 비례하고, 동기속도에 반비례한다.

④ 토크는 2차 입력의 제곱에 비례하고, 동기속도의 제곱에 반비례한다.

02 직류발전기에서 회전속도가 빨라지게 되면 정류가 힘든 이유는?

① 리액턴스 전압이 커진다.

② 정류자속이 감소한다.

③ 브러시 접촉저항이 커진다.

④ 정류주기가 길어진다.

03 3,000/200[V] 변압기의 1차 임피던스가 225[Ω]이면 2차 환산임피던스는 약 몇 [Ω]인가?

① 1.0

② 1.5

③ 2.1

④ 2.8

04 다이오드를 사용하는 단상 반파의 정류효율은?

① $\dfrac{4}{\pi^2} \times 100$

② $\dfrac{\pi^2}{4} \times 100$

③ $\dfrac{8}{\pi^2} \times 100$

④ $\dfrac{\pi^2}{8} \times 100$

05 분권 직류전동기에서 부하의 변동이 심한 경우 광범위하고 안정되게 속도를 제어하는 가장 적당한 방식은?

① 계자제어 방식
② 저항제어 방식
③ 워드-레오나드 방식
④ 일그너 방식

06 동기발전기의 자기여자현상을 방지하는 방법이 아닌 것은?

① 수전단에 콘덴서를 병렬로 접속한다.
② 발전기 여러 대를 모선에 병렬로 접속한다.
③ 수전단에 동기 조상기를 접속한다.
④ 수전단에 리액턴스를 병렬로 접속한다.

07 3상 직권 정류자전동기에 중간변압기를 사용하는 이유로 적당하지 않은 것은?

① 중간변압기를 이용하여 속도상승을 억제할 수 있다.
② 회전자 전압을 정류작용에 맞는 값으로 선정할 수 있다.
③ 중간변압기를 사용하여 누설리액턴스를 감소할 수 있다.
④ 중간변압기의 권수비를 바꾸어 전동기 특성을 조정할 수 있다.

08 게이트조작에 의해 부하전류 이상으로 유지전류를 높일 수 있어 게이트의 턴온, 턴오프가 가능한 사이리스터는?

① SCR
② GTO
③ LASCR
④ TRIAC

09 동기발전기의 병렬운전에서 일치하지 않아도 되는 것은?

① 기전력의 크기　　　　　　② 기전력의 위상

③ 기전력의 극성　　　　　　④ 기전력의 주파수

10 동기발전기에서 앞선 전류가 흐를 때 어떤 작용을 하는가?

① 감자작용　　　　　　　　② 증자작용

③ 교차자화작용　　　　　　④ 아무 작용도 하지 않음

11 단상 유도전압조정기에서 단락권선의 역할은?

① 철손 경감　　　　　　　　② 절연 보호

③ 전압강하 경감　　　　　　④ 전압조정 용이

12 어떤 주상변압기가 4/5부하일 때 최대효율이 된다고 한다. 전부하에 있어서의 철손과 동손의 비 P_c / P_i는 약 얼마인가?

① 0.64　　　　　　　　　　② 1.56

③ 1.64　　　　　　　　　　④ 2.56

13 정격출력 10,000[kVA], 정격전압 6,600[V], 정격역률 0.6인 3상 동기발전기가 있다. 동기리액턴스 0.6[p.u]인 경우의 전압변동률[%]은?

① 21　　　　　　　　　　　② 31

③ 40　　　　　　　　　　　④ 52

14 단자전압 110[V], 전기자전류 15[A], 전기자 회로의 저항 2[Ω], 정격속도 1,800[rpm]으로 전부하에서 운전하고 있는 직류 분권전동기의 토크는 약 몇 [N·m]인가?

① 6.0
② 6.4
③ 10.08
④ 11.14

15 200[V], 7.5[kW], 6극 3상 농형 유도 전동기를 정격 전압으로 기동하면 기동 전류는 500[%] 흐르고, 기동 토크는 220[%]이다. 기동 전류를 300[%]로 제한하려면 기동 토크는?

① 79
② 92
③ 108
④ 132

16 변압기의 무부하시험, 단락시험에서 구할 수 없는 것은?

① 철 손
② 동 손
③ 절연내력
④ 전압변동률

17 스텝각이 2°, 스테핑주파수(Pulse Rate)가 1,800[pps]인 스테핑모터의 축속도[rps]는?

① 8
② 10
③ 12
④ 14

18 15[kW] 3상 유도전동기의 기계손이 350[W], 전부하 시의 슬립이 3[%]이다. 전부하 시의 2차 동손은 약 몇 [W]인가?

① 523

② 475

③ 411

④ 365

19 어떤 변압기의 부하 역률이 60[%]일 때 전압 변동률이 최대라고 한다. 지금 이 변압기의 부하 역률이 100[%]일 때 전압 변동률을 측정했더니 3[%]였다. 이 변압기의 최대 전압 변동률은 몇 [%]인가?

① 4.8

② 5.0

③ 6.2

④ 6.4

20 전체 도체수는 100, 단중 중권이며 자극수는 4, 자속수는 극당 0.628[Wb]인 직류 분권전동기가 있다. 이 전동기의 부하 시 전기자에 5[A]가 흐르고 있었다면 이때의 토크[N·m]는?

① 12.5

② 25

③ 50

④ 100

01 직류발전기의 전기자 반작용의 영향이 아닌 것은?

① 주자속이 증가한다.
② 전기적 중성축이 이동한다.
③ 정류작용에 악영향을 준다.
④ 정류자 편 사이의 전압이 불균일하게 된다.

02 리액터 기동방식에 리액터 대신 저항기를 사용한 것으로서 전동기의 전원측에 직렬로 저항을 접속하고, 전원 전압을 낮게 감압하여 기동한 후 서서히 저항을 감소시켜 가속하고, 전속도에 도달하면 이를 단락하는 방법에 해당되는 것은?

① 직입 기동방식
② Y-△ 기동방식
③ 1차 저항 기동방식
④ 기동보상기에 의한 기동방식

03 정격용량 100[kVA]인 단상 변압기 3대를 △-△ 결선하여 300[kVA]의 3상 출력을 얻고 있다. 한 상에 고장이 발생하여 결선을 V결선으로 하는 경우 (a) 뱅크용량[kVA], (b) 각 변압기의 출력[kVA]은?

① (a) 253, (b) 126.5
② (a) 200, (b) 100
③ (a) 173, (b) 86.6
④ (a) 152, (b) 75.6

04 2중 농형 유도전동기가 보통 농형 유도전동기에 비해서 다른 점은 무엇인가?

① 기동전류가 크고, 기동토크도 크다.
② 기동전류가 작고, 기동토크도 작다.
③ 기동전류는 작고, 기동토크는 크다.
④ 기동전류는 크고, 기동토크는 작다.

05 사이리스터의 래칭 전류에 관한 설명으로 옳은 것은?

① 게이트를 개방한 상태에서 사이리스터 도통 상태를 유지하기 위한 최소의 전류
② 게이트 전압을 인가한 후에 급히 제거한 상태에서 도통 상태가 유지되는 최소의 순전류
③ 사이리스터의 게이트를 개방한 상태에서 전압이 상승하면 급히 증가하게 되는 순전류
④ 사이리스터가 턴온하기 시작하는 순전류

06 동기발전기의 전기자 권선을 분포권으로 할 때의 특징으로 옳은 것은?

① 집중권과 비교할 때 유기기전력이 크다.
② 권선의 리액턴스가 커진다.
③ 기전력의 파형이 개선된다.
④ 난조가 방지되어 안정적인 발전이 가능하다.

07 직류기에서 전기자 반작용 중 감자기자력 $AT_d[\mathrm{AT/pole}]$는 어떻게 표시되는가?(단, α : 브러시의 이동각, Z : 전기자 도체수, p : 극수, I_a : 전기자 전류, a : 전기자 병렬 회로수이다)

① $AT_d = \dfrac{180}{\alpha} \cdot \dfrac{Z}{p} \cdot \dfrac{I_a}{a}$

② $AT_d = \dfrac{\alpha}{180} \cdot \dfrac{Z}{p} \cdot \dfrac{I_a}{a}$

③ $AT_d = \dfrac{180}{90-\alpha} \cdot \dfrac{Z}{p} \cdot \dfrac{I_a}{a}$

④ $AT_d = \dfrac{90-\alpha}{180} \cdot \dfrac{Z}{p} \cdot \dfrac{I_a}{a}$

08 3상 유도전동기의 원선도 작성 시 필요한 시험이 아닌 것은?

① 슬립측정　　　　　　　　② 무부하시험
③ 구속시험　　　　　　　　④ 고정자권선의 저항측정

09 일반적인 DC 서보모터의 제어에 속하지 않는 것은?

① 역률제어　　　　　　　　② 토크제어
③ 속도제어　　　　　　　　④ 위치제어

10 누설변압기에 필요한 특성은?

① 정전압 특성　　　　　　　② 고저항 특성
③ 고임피던스 특성　　　　　④ 정전류 특성

11 동기전동기에 대한 특징으로 옳은 것은?

① 역률을 개선할 수 있다.
② 기동토크가 큰 이점이 있다.
③ 가변속 전동기로 실제 다양하게 응용된다.
④ 공극이 작고 난조가 잘 일어나지 않는다.

12 직류분권발전기의 전기자저항이 0.05[Ω]이다. 단자전압이 200[V], 회전수 1,500[rpm]일 때 전기자전류가 100[A]이다. 이것을 전동기로 사용하여 전기자전류와 단자전압이 같을 때 회전속도 [rpm]은?(단, 전기자반작용은 무시한다)

① 1,427　　　　　　　　　② 1,577
③ 1,620　　　　　　　　　④ 1,800

13 변압비 10 : 1의 단상변압기 3대를 Y-△로 접속하여 2차 측에 200[V], 75[kVA]의 3상 평형부하를 걸었을 때 1차 측에 흐르는 전류는 몇 [A]인가?

① 10.5

② 11.5

③ 12.5

④ 13.5

14 동기발전기의 전기자권선법 중 집중권인 경우 매극 매상의 홈(Slot)수는?

① 1개

② 2개

③ 3개

④ 4개

15 주파수가 정격보다 3[%] 감소하고 동시에 전압이 정격보다 3[%] 상승된 전원에서 운전되는 변압기가 있다. 철손이 fB_m^2 에 비례한다면 이 변압기 철손은 정격상태에 비하여 어떻게 달라지는가?(단, f : 주파수, B_m : 자속밀도 최대치이다)

① 약 8.7[%] 증가

② 약 8.7[%] 감소

③ 약 9.4[%] 증가

④ 약 9.4[%] 감소

16 어떤 변압기의 단락시험에서 %저항강하 1.5[%]와 %리액턴스강하 3[%]를 얻었다. 부하역률 80[%] 앞선 경우의 전압변동률[%]은?

① -0.6

② 0.6

③ -3.0

④ 3.0

17 직류 복권발전기의 병렬운전에 있어 균압선을 붙이는 목적은 무엇인가?

① 손실을 경감한다.
② 운전을 안정하게 한다.
③ 고조파의 발생을 방지한다.
④ 직원계자 간의 전류증가를 방지한다.

18 콘덴서 전동기의 특징이 아닌 것은?

① 소음 증가
② 역률 양호
③ 효율 양호
④ 진동 감소

19 브러시의 위치를 바꾸어서 회전방향을 바꿀 수 있는 전기기계가 아닌 것은?

① 톰슨형 반발전동기
② 3상 직권 정류자전동기
③ 시라게전동기
④ 정류자형 주파수변환기

20 동기발전기에서 전기자권선과 계자권선이 모두 고정되고 유도자가 회전하는 것은?

① 수차발전기
② 고주파발전기
③ 터빈발전기
④ 엔진발전기

01 3상 동기발전기의 매극 매상의 슬롯수를 3이라 할 때 분포권 계수는?

① $6\sin\dfrac{\pi}{18}$

② $3\sin\dfrac{\pi}{36}$

③ $\dfrac{1}{6\sin\dfrac{\pi}{18}}$

④ $\dfrac{1}{12\sin\dfrac{\pi}{36}}$

02 3상 V결선의 변압기에서 전부하 시의 출력을 100[kVA]라 하면 같은 용량의 변압기 한 대를 증설하여 △결선하였을 때의 정격출력은 몇 [kVA]인가?

① 50

② $50\sqrt{3}$

③ 100

④ $100\sqrt{3}$

03 저항 부하인 사이리스터 단상 반파 정류기로 위상 제어를 할 경우 점호각 0°에서 60°로 하면 다른 조건이 동일한 경우 출력 평균 전압은 몇 배가 되는가?

① $\dfrac{3}{4}$

② $\dfrac{4}{3}$

③ $\dfrac{3}{2}$

④ $\dfrac{2}{3}$

04 유도전동기의 특성에서 토크와 2차 입력 및 동기속도의 관계는?

① 토크는 2차 입력과 동기속도의 곱에 비례한다.

② 토크는 2차 입력에 반비례하고, 동기속도에 비례한다.

③ 토크는 2차 입력에 비례하고, 동기속도에 반비례한다.

④ 토크는 2차 입력의 자승에 비례하고, 동기속도의 자승에 반비례한다.

05 직류 직권전동기에서 벨트를 걸고 운전하면 안 되는 이유는?

① 벨트가 벗겨지면 위험속도에 도달하므로
② 손실이 많아지므로
③ 직결하지 않으면 속도 제어가 곤란하므로
④ 벨트의 마멸 보수가 곤란하므로

06 단상 유도전압조정기의 2차 전압이 $100 \pm 30\,[\mathrm{V}]$이고, 직렬 권선의 전류가 6[A]인 경우 정격용량은 몇 [VA]인가?

① 180
② 312
③ 420
④ 780

07 100[HP], 600[V], 1,200[rpm]의 직류 분권전동기가 있다. 분권 계자저항이 400[Ω], 전기저항이 0.22[Ω]이고, 정격부하에서의 효율이 90[%]일 때, 전부하 시의 역기전력은 약 몇 [V]인가?

① 550
② 570
③ 590
④ 610

08 3상 유도전동기의 원선도 작성 시 필요한 시험이 아닌 것은?

① 슬립측정
② 무부하시험
③ 구속시험
④ 고정자권선의 저항측정

09 게이트조작에 의해 부하전류 이상으로 유지전류를 높일 수 있어 게이트의 턴온, 턴오프가 가능한 사이리스터는?

① SCR
② GTO
③ LASCR
④ TRIAC

10 스텝모터의 여자방식이 아닌 것은?

① 1상 여자

② 1~2상 여자

③ 2상 여자

④ 2~4상 여자

11 변압기유 열화방지방법 중 틀린 것은?

① 밀봉방식

② 흡착제방식

③ 수소봉입방식

④ 개방형 콘서베이터

12 변압기의 임피던스 와트와 임피던스 전압을 구하는 시험은?

① 충격전압시험

② 부하시험

③ 무부하시험

④ 단락시험

13 정격전압 6[kV], 정격용량 10,000[kVA], 주파수 60[Hz]인 3상 동기발전기의 단락비는?(단, 1상의 동기임피던스는 3[Ω]이다)

① 0.833

② 1.0

③ 1.2

④ 12

14 같은 정격전압에서 변압기의 주파수만 높이면 가장 많이 증가하는 것은?

① 여자전류

② 온도상승

③ 철 손

④ %임피던스

15 전기기계에 있어서 히스테리시스손을 감소시키기 위한 조치로 옳은 것은?

① 성층철심 사용

② 규소강판 사용

③ 보극 설치

④ 보상권선 설치

16 농형 전동기의 특성으로 옳은 것은?

① 기동전류 및 기동 [kVA]가 크고 기동토크가 크다.
② 기동전류 및 기동 [kVA]가 작고 기동토크가 작다.
③ 기동전류 및 기동 [kVA]가 작고 기동토크가 크다.
④ 기동전류 및 기동 [kVA]가 크고 기동토크가 작다.

17 직류발전기의 계자철심에 잔류자기가 없어도 발전을 할 수 있는 발전기는?

① 타여자발전기   ② 분권발전기
③ 직권발전기   ④ 복권발전기

18 터빈발전기 출력 1,350[kVA], 3,600[rpm], 2극, 11[kV]일 때 역률 80[%]에서 전부하 효율이 96[%]라 하면 손실전력 [kW]은?

① 36.6   ② 45
③ 56.6   ④ 65

19 동기발전기의 병렬운전 중 계자를 변화시키면 어떻게 되는가?

① 무효순환전류가 흐른다.   ② 주파수 위상이 변한다.
③ 유효순환전류가 흐른다.   ④ 속도조정률이 변한다.

20 변압기에서 부하에 관계없이 자속만을 만드는 전류는?

① 철손전류   ② 자화전류
③ 여자전류   ④ 교차전류

01 정격 150[kVA], 철손 1[kW], 전부하동손이 4[kW]인 단상 변압기의 최대효율[%]과 최대효율 시의 부하[kVA]는?(단, 부하 역률은 1이다)

① 96.8[%], 125[kVA]

② 97[%], 50[kVA]

③ 97.2[%], 100[kVA]

④ 97.4[%], 75[kVA]

02 전압변동률이 작은 동기발전기는?

① 동기리액턴스가 크다.

② 전기자 반작용이 크다.

③ 단락비가 크다.

④ 값이 싸진다.

03 사이리스터에서의 래칭(Latching)전류에 관한 설명으로 옳은 것은?

① 게이트를 개방한 상태에서 사이리스터 도통 상태를 유지하기 위한 최소의 순전류

② 게이트 전압을 인가한 후에 급히 제거한 상태에서 도통 상태가 유지되는 최소의 순전류

③ 사이리스터의 게이트를 개방한 상태에서 전압이 상승하면 급히 증가하게 되는 순전류

④ 사이리스터가 턴온하기 시작하는 순전류

04 20극, 11.4[kW], 60[Hz], 3상 유도전동기의 슬립이 5[%]일 때 2차 동손이 0.6[kW]이다. 전부하토크[N·m]는?

① 523

② 318

③ 276

④ 189

05 전기자반작용이 직류발전기에 영향을 주는 것을 설명한 것 중 틀린 것은?

① 전기자 중성축을 이동시킨다.
② 자속을 감소시켜 부하 시 전압강하의 원인이 된다.
③ 정류자 편간전압이 불균일하게 되어 섬락의 원인이 된다.
④ 전류의 파형은 찌그러지나 출력에는 변화가 없다.

06 단상 및 3상 유도전압조정기에 관하여 옳게 설명한 것은?

① 단락권선은 단상 및 3상 유도전압조정기 모두 필요하다.
② 3상 유도전압조정기에는 단락권선이 필요 없다.
③ 3상 유도전압조정기의 1차와 2차 전압은 동상이다.
④ 단상 유도전압조정기의 기전력은 회전자계에 의해서 유도된다.

07 동기전동기에 관한 다음 기술사항 중 틀린 것은?

① 회전수를 조정할 수 없다.
② 직류여자기가 필요하다.
③ 난조가 일어나기 쉽다.
④ 역률을 조정할 수 없다.

08 코일피치와 자극피치의 비를 β라 하면 기본파 기전력에 대한 단절계수는?

① $\sin\beta\pi$

② $\cos\beta\pi$

③ $\sin\dfrac{\beta\pi}{2}$

④ $\cos\dfrac{\beta\pi}{2}$

09 반도체 사이리스터(Thyristor)를 사용하여 전압위상제어 시 그 평균값을 제어하는 속도 제어용으로 간단하여 널리 사용되는 것은?

① 전압제어

② 2차 저항법

③ 역상제동

④ 1차 저항법

10 직류발전기에서 브러시 간에 유기되는 기전력 파형의 맥동을 방지하는 대책이 될 수 없는 것은?

① 사구(Skewed Slot)를 채용할 것

② 갭의 길이를 균일하게 할 것

③ 슬롯 폭에 대하여 갭을 크게 할 것

④ 정류자편수를 적게 할 것

11 유도전동기의 동기와트에 대한 설명으로 옳은 것은?

① 동기속도에서 1차 입력

② 동기속도에서 2차 입력

③ 동기속도에서 2차 출력

④ 동기속도에서 2차 동손

12 변압기 온도시험을 하는 데 가장 좋은 방법은?

① 실부하법

② 반환부하법

③ 단락시험법

④ 내전압시험법

13 사이리스터 명칭에 관한 설명 중 틀린 것은?

① SCR은 역저지 3극 사이리스터이다.
② SSS은 2극 쌍방향 사이리스터이다.
③ TRIAC은 2극 쌍방향 사이리스터이다.
④ SCS는 역저지 4극 사이리스터이다.

14 화학공장에서 선로의 역률은 앞선 역률 0.7이었다. 이 선로에 동기조상기를 병렬로 결선해서 과여
자로 하면 선로의 역률은 어떻게 되는가?

① 뒤진 역률이며 역률은 더욱 나빠진다.
② 뒤진 역률이며 역률은 더욱 좋아진다.
③ 앞선 역률이며 역률은 더욱 좋아진다.
④ 앞선 역률이며 역률은 더욱 나빠진다.

15 대용량 발전기 권선의 층간 단락보호에 가장 적합한 계전방식은?

① 과부하계전기   ② 접지계전기
③ 차동계전기   ④ 온도계전기

16 직류기에 탄소 브러시를 사용하는 주된 이유는?

① 고유저항이 작기 때문에
② 접촉저항이 작기 때문에
③ 접촉저항이 크기 때문에
④ 고유저항이 크기 때문에

17 단상 변압기의 3상 Y-Y결선에 대한 설명으로 잘못된 것은?

① 제3고조파 전류가 흐르며 유도장해를 일으킨다.

② 역 V결선이 가능하다.

③ 권선전압이 선간전압의 3배이므로 절연이 용이하다.

④ 중성점 접지가 된다.

18 3상 권선형 유도전동기의 토크속도 곡선이 비례추이한다는 것은 그 곡선이 무엇에 비례해서 이동하는 것을 말하는가?

① 슬 립

② 회전수

③ 2차 저항

④ 공급전압의 크기

19 변압기의 결선 중에서 6상 측의 부하가 수은정류기일 때 주로 사용되는 결선은?

① 포크 결선(Fork Connection)

② 환상 결선(Ring Connection)

③ 2중 3각 결선(Double Star Connection)

④ 대각 결선(Diametrical Connection)

20 전기기기에 사용되는 절연물의 종류 중 H종 절연물에 해당되는 최고 허용온도[℃]는?

① 105

② 120

③ 155

④ 180

01 15[kW] 3상 유도전동기의 기계손이 350[W], 전부하 시의 슬립이 3[%]이다. 전부하 시의 2차 동손[W]은 약 얼마인가?

① 439.5

② 453

③ 460.5

④ 475

02 서보모터의 특징에 대한 설명으로 틀린 것은?

① 발생토크는 입력신호에 비례하고, 그 비가 클 것

② 직류 서보모터에 비하여 교류 서보모터의 시동토크가 매우 클 것

③ 시동토크는 크나 회전부의 관성모멘트가 작고, 전기적 시정수가 짧을 것

④ 빈번한 시동, 정지, 역전 등의 가혹한 상태에 견디도록 견고하고, 큰 돌입전류에 견딜 것

03 직류발전기의 무부하 특성곡선은 다음 중 어느 관계를 표시한 것인가?

① 계자전류–부하전류

② 단자전압–계자전류

③ 단자전압–회전속도

④ 부하전류–단자전압

04 1상의 유도기전력이 6,000[V]인 동기발전기에서 1분간 회전수를 900[rpm]에서 1,800[rpm]으로 하면 유도기전력은 약 몇 [V]인가?

① 6,000

② 12,000

③ 24,000

④ 36,000

05 직류발전기의 정류 초기에 전류변화가 크며 이때 발생되는 불꽃정류로 옳은 것은?

① 과정류
② 직선정류
③ 부족정류
④ 정현파정류

06 그림과 같은 단상 브리지 정류회로에서 전원부분과 연결해야 될 단자는?

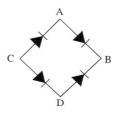

① A-B
② B-C
③ C-D
④ D-A

07 3상 동기발전기의 각 상의 유기기전력 중에서 제5고조파를 제거하려면 단절계수(코일간격/극 피치)는 얼마가 가장 적당한가?

① 0.4
② 0.8
③ 1.2
④ 1.6

08 단상 변압기에서 전부하의 2차 전압은 100[V]이고, 전압변동률은 4[%]이다. 1차 단자전압[V]은?
(단, 1차, 2차 권선비는 20 : 1이다)

① 1,920
② 2,080
③ 2,160
④ 2,260

09 변압기 내부고장 검출을 위해 사용하는 계전기가 아닌 것은?

① 과전압계전기   ② 비율차동계전기
③ 부흐홀츠계전기   ④ 충격압력계전기

10 A, B 2대의 동기발전기를 병렬 운전 중 계통 주파수를 바꾸지 않고 B기의 역률을 좋게 하는 방법은?

① A기의 여자전류를 증대
② A기의 원동기 출력을 증대
③ B기의 여자전류를 증대
④ B기의 원동기 출력을 증대

11 단상 반파의 정류 효율은?

① $\dfrac{4}{\pi^2} \times 100\,[\%]$ ② $\dfrac{\pi^2}{4} \times 100\,[\%]$

③ $\dfrac{8}{\pi^2} \times 100\,[\%]$ ④ $\dfrac{\pi^2}{8} \times 100\,[\%]$

12 어떤 변압기의 전압변동률은 부하역률 100[%]에서 2[%], 부하역률 80[%]에서 3[%]이다. 이 변압기의 최대 전압변동률은 약 몇 [%]인가?

① 3.1   ② 4.2
③ 5.1   ④ 6.2

13 전압비가 420/105[V]의 변압기를 감극성으로 결선하고 고압측에 400[V]의 전압을 가하면 고압측과 저압측 사이에 접속된 전압계의 지시는 몇 [V]인가?

① 200   ② 300
③ 400   ④ 500

14 단상 유도전동기의 기동 시 브러시를 필요로 하는 것은?

① 분상 기동형
② 반발 기동형
③ 콘덴서 분상 기동형
④ 셰이딩 코일 기동형

15 직류 복권발전기의 병렬운전에 있어 균압선을 붙이는 목적은 무엇인가?

① 손실을 경감한다.
② 운전을 안정하게 한다.
③ 고조파의 발생을 방지한다.
④ 직권계자 간의 전류증가를 방지한다.

16 2,200/210[V], 5[kVA] 단상 변압기의 퍼센트 저항강하 2.4[%], 리액턴스강하 1.8[%]일 때 임피던스 와트[W]는?

① 90
② 120
③ 240
④ 320

17 직류분권발전기의 무부하포화곡선이 $V = \dfrac{940 I_f}{33 + I_f}$ 일 때 계자저항이 20[Ω]이면 몇 [V]의 전압이 유기되는가?(단, I_f는 계자전류[A], V는 무부하전압[V]이다)

① 140
② 160
③ 280
④ 300

18 유도전동기의 기동계급은?

① 16종   ② 19종

③ 23종   ④ 26종

19 정류기의 직류 측 평균전압이 2,000[V]이고 리플률이 3[%]일 경우, 리플전압의 실횻값[V]은?

① 20   ② 30

③ 50   ④ 60

20 3상 유도전동기에서 동기와트로 표시되는 것은?

① 각속도   ② 토 크

③ 2차 출력   ④ 1차 입력

01 10[kW] 3상 380[V] 유도전동기의 전부하 전류는 약 몇 [A]인가?(단, 전동기의 효율은 85[%], 역률은 85[%]이다)

① 15

② 21

③ 26

④ 36

02 직류기발전기에서 양호한 정류(整流)를 얻는 조건으로 틀린 것은?

① 정류주기를 크게 할 것

② 리액턴스 전압을 크게 할 것

③ 브러시의 접촉저항을 크게 할 것

④ 전기자 코일의 인덕턴스를 작게 할 것

03 동기발전기의 단락비를 계산하는 데 필요한 시험은?

① 부하시험과 돌발 단락시험

② 단상 단락시험과 3상 단락시험

③ 무부하 포화시험과 3상 단락시험

④ 정상, 역상, 영상 리액턴스의 측정시험

04 변압기의 전일효율을 최대로 하기 위한 조건은?

① 전부하 시간이 짧을수록 무부하손을 적게 한다.

② 전부하 시간이 짧을수록 철손을 크게 한다.

③ 부하시간에 관계없이 전부하 동손과 철손을 같게 한다.

④ 전부하 시간이 길수록 철손을 적게 한다.

05 직류발전기의 전기자 반작용의 영향이 아닌 것은?

① 주자속이 증가한다.
② 전기적 중성축이 이동한다.
③ 정류작용에 악영향을 준다.
④ 정류자 편 사이의 전압이 불균일하게 된다.

06 일반적인 농형 유도전동기에 비하여 2중 농형 유도전동기의 특징으로 옳은 것은?

① 손실이 적다.　　　　　　　② 슬립이 크다.
③ 최대토크가 크다.　　　　　　④ 기동토크가 크다.

07 슬롯수 48의 고정자가 있다. 여기에 3상 4극의 2층권을 시행할 때 매극 매상의 슬롯수와 총 코일수를 차례대로 나열하면?

① 4, 28　　　　　　　② 4, 48
③ 12, 24　　　　　　　④ 12, 48

08 직류 분권전동기의 기동 시 계자전류는?

① 큰 것이 좋다.　　　　　　② 정격출력 때와 같은 것이 좋다.
③ 작은 것이 좋다.　　　　　④ 0에 가까운 것이 좋다.

09 실리콘 다이오드의 특성으로 잘못된 것은?

① 전압강하가 크다.　　　　　② 정류비가 크다.
③ 허용온도가 높다.　　　　　④ 역내전압이 크다.

10 직권전동기에서 위험속도가 되는 경우는?

① 정격전압, 무부하

② 저전압, 과여자

③ 전기자에 저저항 접속

④ 정격전압, 과부하

11 30[kVA], 3,300/200[V], 60[Hz]의 3상 변압기 2차 측에 3상 단락이 생겼을 경우 단락전류는 약 몇 [A]인가?(단, %임피던스전압은 3[%]라고 한다)

① 2,250

② 2,620

③ 2,730

④ 2,886

12 권수비 10 : 1인 동일 정격의 3대의 단상 변압기를 Y-△로 결선하여 2차 단자에 200[V], 75[kVA]의 평형부하를 걸었을 때 각 변압기의 1차 권선의 전류 및 1차 선간전압을 구하면?(단, 여자전류와 임피던스는 무시한다)

① 12.5[A], 2,000[V]

② 12.5[A], 3,464[V]

③ 21.6[A], 2,000[V]

④ 21.6[A], 3,464[V]

13 트랜지스터에 비해 스위칭속도가 매우 빠른 이점이 있는 반면에 용량이 적어서 비교적 저전력용에 주로 사용되는 전력용 반도체소자는?

① SCR

② GTO

③ IGBT

④ MOSFET

14 6,000/200[V], 5[kVA]의 단상 변압기를 승압기로 연결하여 1차 측에 6,000[V]를 가할 때 2차 측에 걸 수 있는 최대부하용량[KVA]은?

① 150

② 155

③ 160

④ 165

15 3상 동기발전기에 3상 전류(평형)가 흐를 때 전기자반작용은 이 전류가 기전력에 대하여 A일 때 감자작용이 되고 B일 때 증자작용이 된다. A, B에 적당한 것은?

① A : 90° 뒤질 때, B : 90° 앞설 때
② A : 90° 앞설 때, B : 90° 뒤질 때
③ A : 90° 뒤질 때, B : 90° 동상일 때
④ A : 90° 동상일 때, B : 90° 앞설 때

16 동기발전기 2대로 병렬운전할 때 일치하지 않아도 되는 것은?

① 기전력의 크기 　　　　② 기전력의 위상
③ 부하전류 　　　　④ 기전력의 주파수

17 380[V], 60[Hz], 4극, 10[kW]인 3상 유도전동기의 전부하 슬립이 4[%]이다. 전원 전압을 10[%] 낮추는 경우 전부하 슬립은 약 몇 [%]인가?

① 3.3 　　　　② 3.6
③ 4.4 　　　　④ 4.9

18 2상 교류 서보모터를 구동하는 데 필요한 2상 전압을 얻는 방법으로 널리 쓰이는 방법은?

① 2상 전원을 직접 이용하는 방법
② 환상 결선 변압기를 이용하는 방법
③ 여자권선에 리액터를 삽입하는 방법
④ 증폭기 내에서 위상을 조정하는 방법

19 3상 유도전동기에서 회전자가 슬립 s로 회전하고 있을 때 2차 유기전압 E_{2s} 및 2차 주파수 f_{2s}와 s와의 관계는?(단, E_2는 회전자가 정지하고 있을 때 2차 유기기전력이며 f_1은 1차 주파수이다)

① $E_{2s} = sE_2$, $f_{2s} = sf_1$

② $E_{2s} = sE_2$, $f_{2s} = \dfrac{f_1}{s}$

③ $E_{2s} = \dfrac{E_2}{s}$, $f_{2s} = \dfrac{f_1}{s}$

④ $E_{2s} = (1-s)E_2$, $f_{2s} = (1-s)f_1$

20 변압기에서 1차 측의 여자어드미턴스를 Y_0라고 한다. 2차 측으로 환산한 여자어드미턴스 $Y_0{}'$을 옳게 표현한 식은?(단, 권수비를 a라고 한다)

① $Y_0{}' = a^2 Y_0$

② $Y_0{}' = a Y_0$

③ $Y_0{}' = \dfrac{Y_0}{a^2}$

④ $Y_0{}' = \dfrac{Y_0}{a}$

전기공사기사	2022년 제4회 정답 및 해설								
01	02	03	04	05	06	07	08	09	10
①	②	①	①	④	④	③	③	④	①
11	12	13	14	15	16	17	18	19	20
④	④	②	①	④	③	②	②	③	④

01 정류회로에서 평활회로 사용 목적
출력전압의 맥류분을 감소하기 위한 저역 필터로서 콘덴서와 저주파 초크 코일 또는 저항으로 구성된다.

02 유도전동기의 부하가 증가하면 전체전류에서 자화전류가 차지하는 비율이 상대적으로 작아지기 때문에 역률이
좋아지고 속도 감소, 슬립 증가, 2차 유도기전력이 증가한다.

03 분권 발전기의 유기기전력
$E = V + I_a R_a = 100 + 2 \times 3 = 106[\text{V}]$
여기서, $I_a = I_f + I$, 무부하 단자 시 $I_a = I_f$
단자전압 $V = I_f R_f = 2 \times 50 = 100[\text{V}]$

04 위상 특성곡선(V곡선 $I_a - I_f$ 곡선, P 일정) : 계자전류의 변화에 대한 전기자전류의 변화를 나타낸 곡선(동기조
상기로 조정)

가로축 I_f	최저점 $\cos\theta = 1$	세로축 I_a
감 소	계자전류 I_f	증 가
증 가	전기자전류 I_a	증 가
뒤진 역률(지상)	역 률	앞선 역률(진상)
L	작 용	C
부족여자	여 자	과여자
	$\cos\theta = 1$에서 전력 비교 $P \propto I_a$, 위 곡선의 전력이 크다.	

05 3상 직권 정류자 전동기에서 중간 변압기를 사용하는 목적
• 전원 전압의 크기에 관계없이 회전자전압을 정류 작용에 알맞은 값으로 선정할 수 있다.
• 중간 변압기의 권수비를 조정하여 전동기 특성을 조정할 수 있다.
• 경부하 시 직권 특성 $\left(Z \propto I^2 \propto \dfrac{1}{N^2}\right)$ 이므로 속도가 크게 상승할 수 있다. 따라서 중간 변압기를 사용하여
속도상승을 억제할 수 있다.

06 제동권선의 효과
- 난조 방지
- 기동토크 발생
- 불평형 부하 시의 전류 및 전압 파형 개선
- 송전선의 불평형 단락 시의 이상전압 방지

07 무부하 포화곡선에서 포화계수(포화율)

$$\delta = \frac{\overline{BC}}{\overline{CD}}$$

08

$$자기용량 = \frac{2}{\sqrt{3}} \frac{V_h - V_L}{V_h} \times 부하용량$$

$$= \frac{2}{\sqrt{3}} \frac{(3,300 - 3,000)}{3,300} \times 150 = 15.75[\text{kVA}]$$

$$\therefore \ 1대의\ 자기용량 = \frac{15.75}{2} = 7.87[\text{kVA}]$$

09 변압기에서 자속을 만드는 전류는 자화전류이다.

10 단상 유도전동기
- 종류(기동토크가 큰 순서대로) : 반발기동형 > 반발유도형 > 콘덴서기동형 > 분상기동형 > 셰이딩코일형 > 모노사이클릭형
- 단상 유도전동기의 특징
  - 교번자계 발생
  - 기동 시 기동토크가 존재하지 않으므로 기동장치가 필요하다.
  - 슬립이 0이 되기 전에 토크는 미리 0이 된다.
  - 2차 저항이 증가되면 최대토크는 감소한다(비례추이할 수 없다).
  - 2차 저항값이 어느 일정값 이상이 되면 토크는 부(−)가 된다.

11

종 류	횡 축	종 축	조 건
무부하 포화곡선	I_f (계자전류)	V (단자전압)	n일정, $I = 0$
외부 특성곡선	I (부하전류)	V (단자전압)	n일정, R_f 일정
내부 특성곡선	I (부하전류)	E (유기기전력)	n일정, R_f 일정
부하 특성곡선	I_f (계자전류)	V (단자전압)	n일정, I 일정
계자 조정곡선	I (부하전류)	I_f (계자전류)	n일정, V 일정

12 단락전류 $I_{2s} = \dfrac{100}{\%Z} \times I_{2n} = \dfrac{100}{3} \times 86.6 \fallingdotseq 2,886.7[\text{A}]$

여기서, 정격전류 $I_{2n} = \dfrac{30 \times 10^3 [\text{VA}]}{\sqrt{3} \times 200} \fallingdotseq 86.6[\text{A}]$

13 2차 동손 $P_{c2} = sP_2 = s \times \dfrac{P_1}{1-s}$[W]

14 **권선형 유도전동기의 속도 제어법**
- 2차 저항 제어법
  - 토크의 비례추이를 이용
  - 2차 회로에 저항을 넣어서 같은 토크에 대한 슬립 s를 바꾸어 속도를 제어
- 2차 여자법 : 비교적 효율이 좋고 단계적인 속도 제어를 한다.
  - 유도전동기 회전자에 슬립주파수 전압(주파수)을 공급하여 속도를 제어

15 **동기 전동기의 특징**

장 점	단 점
• 속도가 N_s로 일정 • 역률을 항상 1로 운전 가능 • 효율이 좋음 • 공극이 크고 기계적으로 튼튼함	• 보통 기동토크가 작음 • 속도 제어가 어려움 • 직류 여자가 필요함 • 난조가 일어나기 쉬움

16 전기자전류 $I_a = \dfrac{TN}{0.975E} = \dfrac{15 \times 1,200}{0.975 \times 220} ≒ 84$[A]

여기서, 토크 $T = \dfrac{P}{\omega} = 9.55\dfrac{P}{N}$[N·m]$= 0.975\dfrac{P}{N} = 0.975\dfrac{EI_a}{N}$[kg·m]

17 직권전동기는 전기철도, 기중기 등의 부하변동이 심하고 큰 기동토크가 요구되는 기기에 사용된다.

18 동기속도 $N_s = \dfrac{120f}{p}$[rpm]에서 $N_s \propto \dfrac{1}{p}$의 그래프

19 **변압기의 임피던스 와트**

$P_s = \dfrac{p \times P_n}{100} = \dfrac{2.4 \times 5 \times 10^3}{100} = 120$[W]

여기서, $p = \dfrac{I_{1n}r_{21}}{V_{1n}} \times 100 = \dfrac{I_{1n}^2 r_{21}}{I_{1n}V_{1n}} \times 100 = \dfrac{P_s}{P_n} \times 100$

20 **n차 고조파 분포권 계수(K_d)**

$$K_d = \frac{\sin\dfrac{\pi}{2n}}{q\sin\dfrac{\pi}{2nq}} = \frac{\sin\dfrac{\pi}{2\times3}}{3\sin\dfrac{\pi}{2\times3\times3}} = \frac{\sin\dfrac{\pi}{6}}{3\sin\dfrac{\pi}{18}} = \frac{\dfrac{1}{2}}{3\sin\dfrac{\pi}{18}} = \frac{1}{6\sin\dfrac{\pi}{18}}$$

전기공사기사		2023년 제1회 정답 및 해설							
01	02	03	04	05	06	07	08	09	10
③	①	①	①	④	①	③	②	②	②
11	12	13	14	15	16	17	18	19	20
③	②	④	②	①	③	②	②	②	③

01
토크 $T = \dfrac{60P_2}{2\pi N_s}[\mathrm{N \cdot m}]$ 이므로 2차 입력에 비례하고 동기속도에 반비례한다.

02
불꽃 없는 정류를 얻으려면
$$e_b > e_L = L\frac{di}{dt} = L\frac{2I_a}{T_c}$$
여기서, e_b : 브러시 접촉면 전압강하
$\qquad e_L$: 평균리액턴스 전압
$\qquad I_a$: 전기자전류
$\qquad T_c$: 정류시간
• 자체 인덕턴스가 작아야 한다(L : 小).
• 정류주기가 길어야 한다(회전속도는 느릴 것)(T_c : 大).
• 브러시 접촉저항이 커야 한다. → 저항정류(탄소 브러시)
• 리액턴스 평균전압이 작아야 한다. → 전압정류(보극 설치)
• 브러시 접촉면 전압강하 > 평균리액턴스 전압($e_b > e_L$)

03
권수비 $a = \dfrac{3,000}{200} = 15$

$\therefore Z_x = \dfrac{Z_1}{a^2} = \dfrac{225}{15^2} = 1$

04
맥동률 $= \dfrac{\text{교류분}}{\text{직류분}} \times 100 = \sqrt{\dfrac{\text{실횻값}^2 - \text{평균값}^2}{\text{평균값}^2}} \times 100$

정류 종류	단상 단파	단상 전파	3상 반파	3상 전파
맥동률[%]	121	48	17.7	4.04
맥동주파수[Hz]	f	$2f$	$3f$	$6f$
정류효율[%]	40.5	81.1	96.7	99.8

05 직류전동기 속도제어 : $n = K' \dfrac{V - I_a R_a}{\phi}$ (K' : 기계정수)

종 류	특 징
전압제어	• 광범위 속도제어가 가능하다. • 워드-레오나드 방식(광범위한 속도 조정, 효율양호) • 일그너 방식(부하가 급변하는 곳, 플라이휠 효과 이용, 제철용 압연기) • 정토크제어 • SCR과 조합하여 사용하는 방식
계자제어	• 세밀하고 안정된 속도제어를 할 수 있다. • 속도제어 범위가 좁다. • 효율은 양호하나 정류가 불량하다. • 정출력 가변속도제어
저항제어	• 속도 조정 범위가 좁다. • 효율이 저하된다.

06 자기여자현상 방지법
 • 발전기 2대 또는 3대를 병렬로 모선에 접속
 • 수전단에 동기조상기를 접속하고 이것을 부족여자로 하여 지상전류로 사용
 • 송전선로의 수전단에 변압기를 사용
 • 수전단에 리액턴스를 병렬로 접속
 • 발전기의 단락비를 크게 한다.

07 3상 직권 정류자전동기에서 중간변압기를 사용하는 목적
 • 전원전압의 크기에 관계없이 회전자전압을 정류작용에 알맞은 값으로 선정할 수 있다.
 • 중간변압기의 권수비를 조정하여 전동기 특성을 조정할 수 있다.
 • 경부하 시 직권 특성 $\left(Z \propto I^2 \propto \dfrac{1}{N^2}\right)$이므로 속도가 크게 상승할 수 있다. 따라서 중간변압기를 사용하여
  속도상승을 억제할 수 있다.

08 역저지 3단자 소자
 • SCR : 게이트신호로 ON
 • LASCR : 빛을 게이트신호로 ON
 • GTO : 게이트신호로 ON/OFF

09 동기발전기의 병렬운전 조건

필요조건	다른 경우 현상
기전력의 크기가 같을 것	무효순환전류(무효횡류)
기전력의 위상이 같을 것	동기화전류(유효횡류)
기전력의 주파수가 같을 것	동기화전류 : 난조 발생
기전력의 파형이 같을 것	고주파 무효순환전류 : 과열 원인
(3상) 기전력의 상회전 방향이 같을 것	

10
- 발전기
  - 앞선 전류–진전류–C부하(진상) = 증자작용
  - 뒤진 전류–지전류–L부하(지상) = 감자작용
- 전동기
  - 앞선 전류–진전류–C부하(진상) = 감자작용
  - 뒤진 전류–지전류–L부하(지상) = 증자작용

11 단락권선이란 누설리액턴스에 의한 전압강하 경감

12 $\dfrac{P_i}{P_c} = \left(\dfrac{1}{m}\right)^2$ 에서 역수이므로 $\dfrac{P_c}{P_i} = \left(\dfrac{5}{4}\right)^2 = 1.56$

13

$\overline{OC} = 1 \times \cos\phi = 0.6$

$\overline{BC} = 1 \times \sin\phi = 0.8$

$\overline{AC} = 0.8 + 0.6 = 1.4$

$\overline{OA} = \sqrt{1.4^2 + 0.6^2} = 1.52$

$\therefore$ 전압변동률 $\varepsilon = \dfrac{1.52 - 1}{1} = 0.52 = 52[\%]$

14 토크$(T) = \dfrac{EI_a}{2\pi\dfrac{N}{60}} = \dfrac{(V - I_a R_a)I_a}{2\pi\dfrac{N}{60}} = \dfrac{(110 - 15 \times 2) \times 15}{2\pi \times \dfrac{1,800}{60}} = 6.4[\text{N} \cdot \text{m}]$

15 $T_s : I^2 = T_s{'} : I{'}^2$ 에서

$T_s{'} = \left(\dfrac{I{'}}{I}\right)^2 T_s = \left(\dfrac{300 I_n}{500 I_n}\right)^2 \times 220 T = 79.2 T$

16 변압기의 시험

무부하(개방)시험	단락시험
• 여자전류 측정	• 임피던스 전압 측정
• 철손 측정	• 임피던스 와트(동손) 측정
• 여자어드미턴스 측정	• 전압변동률 측정

17 회전속도 $N_s = \dfrac{\alpha}{360} \cdot f_s = \dfrac{2}{360} \times 1,800 = 10[\text{rps}]$

18 $P_{c2} = \dfrac{s}{1-s} P_{20} = \dfrac{0.03}{1-0.03}(15,000 + 350) = 474.74[\text{W}]$

19 부하 역률이 100[%]일 때 $\varepsilon_{100} = p = 3[\%]$

최대 전압 변동률 $\varepsilon_{\max}$ 는 부하 역률 $\cos\phi_m$ 일 때이므로

$$\cos\phi_m = \frac{p}{\sqrt{p^2 + q^2}} = 0.6, \quad \frac{3}{\sqrt{3^2 + q^2}} = 0.6 \quad \therefore\ q = 4[\%]$$

또한 최대 전압 변동률 $\varepsilon_{\max}$ 는

$$\varepsilon_{\max} = \sqrt{p^2 + q^2} = \sqrt{3^2 + 4^2} = 5[\%]$$

20 **직류 분권전동기 중권에서 토크**

$$T = \frac{PZ}{2\pi a}\phi I_a = \frac{Z}{2\pi}\phi I_a = \frac{100}{2\pi} \times 0.628 \times 5 \fallingdotseq 50[\text{N} \cdot \text{m}]$$

전기공사기사		2023년 제2회 정답 및 해설							
01	02	03	04	05	06	07	08	09	10
①	③	③	③	④	③	②	①	①	④
11	12	13	14	15	16	17	18	19	20
①	①	③	①	③	①	②	①	②	②

01 전기자 반작용의 영향
- 주자속 감소 : 발전기 – 유기기전력 감소, 전동기 – 토크 감소, 속도 증가
- 전기적 중성축 이동 : 발전기 – 회전방향, 전동기 – 회전 반대방향
- 정류자 편 간의 불꽃 섬락 발생 : 정류 불량의 원인

02 **1차 저항 기동방식** : 전동기 1차 측에 저항을 삽입하여 전압강하를 이용하여 기동기 기동저항을 감소하여 기동하는 방법

03 (a) $P_V = \sqrt{3}\, P = \sqrt{3} \times 100 = 173.2 [\text{kVA}]$

(b) 1대의 출력 $P_0 = \dfrac{P_V}{2} = \dfrac{173.2}{2} = 86.6 [\text{kVA}]$

04 2중 농형 유도전동기는 일반적인 농형 유도전동기에 비하여 기동전류가 작고 기동토크가 크다.

05 래칭전류란 사이리스터가 턴온하기 위하여 게이트에 인가하여야 하는 순전류를 말한다.

06 분포권의 특징
- 분포권은 집중권에 비하여 합성유기기전력이 감소한다.
- 기전력의 고조파가 감소하여 파형이 좋아진다.
- 권선의 누설리액턴스가 감소한다.
- 전기자권선에 의한 열을 고르게 분포시켜 과열을 방지한다.

07 감자기자력 $AT_d = \dfrac{2\alpha}{\pi} \cdot \dfrac{ZI_a}{2aP}$ (여기서, α : 브러시 이동각)

08 Heyland 원선도
유도전동기 1차 부하전류의 선단 부하의 증감과 더불어 그리는 그 궤적이 항상 반원주상에 있는 것을 이용하여 여러 가지 값을 구하는 곡선

작성에 필요한 값	저항 측정	무부하시험	구속시험
		철손, 여자전류	동손, 임피던스 전압, 단락전류
구할 수 있는 값		1차 입력, 2차 입력(동기와트), 철손, 슬립 1차 저항손, 2차 저항손, 출력, 효율, 역률	
구할 수 없는 값		기계적 출력, 기계손	

09 역률제어와는 관계가 없다.

10 누설변압기 특성으로는 정출력, 정전류 특성이 필요하며 전류가 증가하면 전압이 저하하는 수하 특성이 있어야 한다.

11 **동기전동기의 특징**

장 점	단 점
• 속도가 N_s로 일정	• 보통 기동토크가 작음
• 역률을 항상 1로 운전 가능	• 속도 제어가 어려움
• 효율이 좋음	• 직류 여자가 필요함
• 공극이 크고 기계적으로 튼튼함	• 난조가 일어나기 쉬움

12 발전기인 경우 유기기전력 $E_G = V + I_a R_a = 200 + 100 \times 0.05 = 205 [\mathrm{V}]$
전동기인 경우 역기전력 $E_M = V - I_a R_a = 200 - 100 \times 0.05 = 195 [\mathrm{V}]$

$$N_M = N_G \times \frac{E_M}{E_G} = 1,500 \times \frac{195}{205} = 1,426.8 \fallingdotseq 1,427 [\mathrm{rpm}]$$

13 용량은 1차, 2차 같으므로 $I_1 = \dfrac{P}{\sqrt{3}\ V_1} = \dfrac{75,000}{\sqrt{3} \times \sqrt{3} \times 2,000} = 12.5 [\mathrm{A}]$

※ $E_1 = a E_2 = 10 \times 200 = 2,000$
  1차 선간전압 $V_1 = \sqrt{3}\ E_1 = \sqrt{3} \times 2,000$

14 매극 매상의 슬롯수가 1이면 유도기전력은 매극 매상의 코일변을 형성하는 각 도체의 유도기전력 사이에 위상차가 없는 경우이며 이와 같은 권선법을 집중권이라고 한다.

15 정격주파수 f, 정격전압 V라고 하면, 철손 $P_i = k f B_m^2 = k f \left(k' \dfrac{V}{f} \right)^2$의 조건에서 상승한 주파수는 $f' = 0.97 f$, 감소한 전압은 $V' = 1.03 V$, 이때의 철손을 P_i'라고 하면

$$P_i' = k \frac{V'^2}{f'} = k \frac{1.03^2 V^2}{0.97 f} \fallingdotseq \frac{1.06}{0.97} P_i \fallingdotseq 1.0927 P_i$$

즉, 철손은 약 9.4[%] 증가한다.

16 **변압기의 전압변동률**
$\varepsilon = p \cos\theta \pm q \sin\theta$ (+ : 지상, − : 진상)
  $= 1.5 \times 0.8 + 3 \times (-0.6) = -0.6 [\%]$
여기서, p : %저항강하, q : %리액턴스강하

17 **균압선**
• 병렬운전을 안정하게 하기 위하여 설치하는 것
• 직렬 계자권선을 가지는 발전기에 필요 : 직권 및 복권발전기

18 **콘덴서 기동형 전동기의 특성**
- 분상 기동형의 일종으로 직렬로 콘덴서를 연결한다.
- 회전자계는 원형이다.
- 기동전류는 작고 기동회전력이 크다.
- 진동과 소음이 작다.
- 역률과 효율이 다른 단상 유도전동기에 비해 좋다.

19 **브러시의 위치 변경으로 회전방향을 조정하는 기계**
- 단상 반발전동기(아트킨손형, 톰슨형, 데리형) : 교·직 양용 – 만능전동기
- 단상 직권 정류자전동기(직권형, 보상 직권형, 유도보상 직권형)
- 3상 분권 정류자전동기(시라게전동기)

20 유도자형 발전기는 수백~수만[Hz] 정도의 주파수를 발생시키는 고주파발전기에는 계자극과 전기자를 함께 고정시키고 그 중앙에 유도자라고 하는 권선이 없는 회전자를 갖고 있다.

전기공사기사		**2023년 제4회 정답 및 해설**							
01	02	03	04	05	06	07	08	09	10
③	④	①	③	①	①	②	①	②	④
11	12	13	14	15	16	17	18	19	20
③	④	③	④	②	④	①	②	①	②

01 n차 고조파 분포권 계수(K_d)

$$K_d = \frac{\sin\dfrac{\pi}{2n}}{q\sin\dfrac{\pi}{2nq}} = \frac{\sin\dfrac{\pi}{2\times3}}{3\sin\dfrac{\pi}{2\times3\times3}} = \frac{\sin\dfrac{\pi}{6}}{3\sin\dfrac{\pi}{18}} = \frac{\dfrac{1}{2}}{3\sin\dfrac{\pi}{18}} = \frac{1}{6\sin\dfrac{\pi}{18}}$$

02 V결선 시 용량 $P_V = \sqrt{3}\,P_1$ 이며

△결선 시 용량 $P_\triangle = 3P_1 = \sqrt{3}\times\sqrt{3}\,P_1 = \sqrt{3}\times P_V$ 이므로

$P_\triangle = \sqrt{3}\times100 = 100\sqrt{3}\,[\mathrm{kVA}]$

03
- 점호각이 0°인 경우 $V' = \dfrac{\sqrt{2}\,V}{2\pi}(1+\cos0°) = \dfrac{\sqrt{2}\,V}{2\pi}\times2$

- 점호각이 60°인 경우 $V'' = \dfrac{\sqrt{2}\,V}{2\pi}(1+\cos60°) = \dfrac{\sqrt{2}\,V}{2\pi}\times1.5$ 이므로

$\dfrac{1.5}{2} = \dfrac{3}{4}$ 배

04 토크 $T = \dfrac{60P_2}{2\pi N_s}[\mathrm{N\cdot m}]$ 이므로 2차 입력에 비례하고 동기속도에 반비례한다.

05 직권전동기의 위험속도는 정격전압에 무부하 시이므로 기어운전을 한다.

06 유도전압조정기 용량 $P = eI_s = 30\times6 = 180[\mathrm{VA}]$

07 전동기에서 $E = V - I_a R_a = 600 - I_a\times0.22 = 600 - 136.5\times0.22 ≒ 570[\mathrm{V}]$

$I_a = I - I_f = ⓐ - ⓑ = 138 - 1.5 = 136.5[\mathrm{A}]$

ⓐ 부하전류 $I = \dfrac{P}{V} = \dfrac{82,888.9}{600} ≒ 138[\mathrm{A}]$

  (전동기 입력 $P = \dfrac{P_0}{\eta} = \dfrac{100\times746}{0.9} = 82,888.9$)

ⓑ 계자전류 $I_f = \dfrac{V}{R_f} = \dfrac{600}{400} = 1.5[\mathrm{A}]$

08 Heyland 원선도

유도전동기 1차 부하전류의 선단 부하의 증감과 더불어 그리는 그 궤적이 항상 반원주상에 있는 것을 이용하여 여러 가지 값을 구하는 곡선

작성에 필요한 값	저항 측정	무부하시험	구속시험
		철손, 여자전류	동손, 임피던스 전압, 단락전류
구할 수 있는 값		1차 입력, 2차 입력(동기와트), 철손, 슬립 1차 저항손, 2차 저항손, 출력, 효율, 역률	
구할 수 없는 값		기계적 출력, 기계손	

09 역저지 3단자 소자
- SCR : 게이트신호로 ON
- LASCR : 빛을 게이트신호로 ON
- GTO : 게이트신호로 ON/OFF

10 스텝모터는 디지털신호에 비례하여 일정 각도만큼 회전하는 모터로서, 여자방식은 1상·2상 여자방식으로 되어 있다.

11 열화방지 설비 : 브리더, 질소봉입, 콘서베이터 설치
※ 수소가스는 권선 사이에서 아크에 의해 발생하는 가스이다.

12 변압기의 시험

측정항목	특성시험
철손, 기계손	무부하시험
동기임피던스, 동기리액턴스	단락시험
단락비	무부하시험, 단락시험

13 단락비 $k_s = \dfrac{1}{\%Z} = \dfrac{6}{5} = 1.2$

$\%Z = \dfrac{I_n Z_s}{E_n} = \dfrac{I_n \times 3}{\dfrac{6,000}{\sqrt{3}}} = \dfrac{962.25 \times 3}{\dfrac{6,000}{\sqrt{3}}} = \dfrac{5}{6}$

여기서, $I_n = \dfrac{P}{\sqrt{3}\,V} = \dfrac{10,000 \times 10^3}{\sqrt{3} \times 6,000} = 962.25 [A]$

14 주파수 변환 : 60[Hz]에서 50[Hz]

구 분	자 속	자속밀도	여자전류	철 손	리액턴스	온도상승	속 도	%Z
주파수	반비례 $\dfrac{6}{5}$	반비례 $\dfrac{6}{5}$	반비례 $\dfrac{6}{5}$	반비례 $\dfrac{6}{5}$	비례 $\dfrac{5}{6}$	반비례 $\dfrac{6}{5}$	비례 $\dfrac{5}{6}$	비례 $\dfrac{5}{6}$

15 • 와전류손을 감소 : 강판성층
• 히스테리시스손을 감소 : 규소강판

16 **농형 유도전동기의 특성**
• 구조는 튼튼하고 취급이 간단하다.
• 가격이 저렴하고 역률, 효율이 높다.
• 기동전류(=기동용량[kVA])가 크고 기동토크가 작다.
• 소형 및 중형에 많이 사용된다.

17 타여자발전기는 계자권선이 별도의 회로이므로 잔류자기가 없어도 발전이 가능하다.

18 발전기 입력 $P = \dfrac{P_0 \cos\theta}{\eta} = \dfrac{1,350 \times 0.8}{0.96} = 1,125[\mathrm{kW}]$

발전기 출력 $P_0 = 1,350 \times 0.8 = 1,080[\mathrm{kW}]$

손실 $P' = P - P_0 = 1,125 - 1,080 = 45[\mathrm{kW}]$

19 동기발전기의 병렬운전 조건에서 유기기전력의 크기가 같지 않으면 여자전류의 변화에 의해 두 발전기 사이에 무효순환전류가 흐르게 된다.

무효순환전류 $I_c = \dfrac{E_1 - E_2}{2Z_s} = \dfrac{E_c}{2Z_c}$

20 변압기에서 자속을 만드는 전류는 자화전류이다.

전기공사산업기사	2023년 제1회 정답 및 해설								
01	02	03	04	05	06	07	08	09	10
④	③	④	②	④	②	④	③	①	④
11	12	13	14	15	16	17	18	19	20
②	②	③	④	③	③	③	③	①	④

01

최대효율 조건 : $\left(\dfrac{1}{m}\right)^2 P_c = P_i$

부하 $\dfrac{1}{m} = \sqrt{\dfrac{P_i}{P_c}} = \sqrt{\dfrac{1}{4}} = 0.5$

동손 $P_c = 4\left(\dfrac{1}{m}\right)^2 = 4\left(\dfrac{1}{2}\right)^2 = 1$

$\therefore$ 최대효율 시 용량 $P \times \dfrac{1}{m} = 150 \times 0.5 = 75\,[\text{kVA}]$

효율 $\eta = \dfrac{출력}{출력 + 철손 + 동손} = \dfrac{75}{75 + 1 + 1} \times 100 ≒ 97.4\,[\%]$

02

단락비	소	대
동기리액턴스	대	소
전압변동률	대	소
전기자 반작용	대	소
자기여자현상	대	소

03

SCR의 특징
- 정류기능을 가진 단일 방향성 3단자 소자이다.
- 과전압에 약하고 열용량이 적어 고온에 약하다.
- 아크가 생기지 않으므로 열의 발생이 적다.
- 역방향 내전압이 크고, 전압강하가 작다.
- Turn On 조건은 양극과 음극 간에 브레이크 오버전압 이상의 전압을 인가하고, 게이트에 래칭전류 이상의 전류를 인가한다.
- Turn Off 조건은 애노드의 극성을 부(−)로 한다.
- 래칭전류는 사이리스터가 Turn On하기 시작하는 순전류이다.
- 이온이 소멸되는 시간이 짧다.
- 직류 및 교류 전압제어를 하며 스위칭 소자이다.

04

$T = \dfrac{60 P_2}{2\pi N_s} = \dfrac{60 \times \left(\dfrac{P_{c2}}{s}\right)}{2\pi\left(\dfrac{120f}{P}\right)} = \dfrac{60 \times \left(\dfrac{600}{0.05}\right)}{2\pi \times \left(\dfrac{120 \times 60}{20}\right)} = 318.3\,[\text{N} \cdot \text{m}]$

05 전기자 반작용의 영향
- 주자속 감소 : 발전기 – 유기기전력 감소, 전동기 – 토크 감소, 속도 증가
- 전기적 중성축 이동 : 발전기 – 회전방향, 전동기 – 회전 반대방향
- 정류자 편 간의 불꽃 섬락 발생 : 정류 불량의 원인

06 유도전압조정기

종 류	단상 유도전압조정기	3상 유도전압조정기
특 징	• 교번자계 이용 • 입력과 출력 위상차 없음 • 단락권선 필요	• 회전자계 이용 • 입력과 출력 위상차 있음 • 단락권선 필요 없음

- 단락권선의 역할 : 누설리액턴스에 의한 2차 전압 강하 방지
- 3상 유도전압조정기 위상차 해결 → 대각 유도전압조정기

07 동기전동기의 특징

장 점	단 점
• 속도가 N_s로 일정 • 역률을 항상 1로 운전 가능 • 효율이 좋음 • 공극이 크고 기계적으로 튼튼함	• 보통 기동토크가 작음 • 속도제어가 어려움 • 직류 여자가 필요함 • 난조가 일어나기 쉬움

08 단절권 계수

$$K_p = \sin\frac{\beta\pi}{2}$$

09 사이리스터 : 정류전압의 크기를 위상으로 제어한다.

10 양호한 정류방법
- 보극과 탄소 브러시를 설치한다.
- 평균 리액턴스 전압을 줄인다.
- 정류주기를 길게 한다.
- 회전속도를 늦게 한다.
- 인덕턴스를 작게 한다(단절권 채용).
- 정류자 편수를 많이 설치한다.

11 동기와트 $T = \dfrac{P}{\omega} = \dfrac{P}{2\pi n} = \dfrac{(1-s)P_2}{2\pi(1-s)n_s} = \dfrac{P_2}{\omega_s}$

$$\therefore \ T = \frac{60}{2\pi}\frac{P_2}{N_s}[\text{N} \cdot \text{m}] = P_2[\text{동기와트}]$$

12
- 직류기의 토크 측정 시험
  - 소형 : 와전류 제동기법, 프로니 브레이크법
  - 대형 : 전기 동력계법
- 온도시험 : 반환부하법(카프법, 홉킨스법, 블론델법), 실부하법, 저항법
- 앰플리다인 : 계자전류를 변화시켜 출력을 조정하는 직류발전기

13

사이리스터의 구분

단방향		양방향	
3단자	4단자	2단자	3단자
SCR GTO LASCR	SCS	DIAC SSS	TRIAC

14

위상 특성곡선(V곡선 $I_a - I_f$ 곡선, P 일정) : 계자전류의 변화에 대한 전기자전류의 변화를 나타낸 곡선(동기조상기로 조정)

가로축 I_f	최저점 $\cos\theta = 1$	세로축 I_a
감 소	계자전류 I_f	증 가
증 가	전기자전류 I_a	증 가
뒤진 역률(지상)	역 률	앞선 역률(진상)
L	작 용	C
부족여자	여 자	과여자
$\cos\theta = 1$에서 전력 비교 $P \propto I_a$, 위 곡선의 전력이 크다.		

15

차동계전기는 발전기, 변압기, 모선 등의 단락사고 시 검출용으로 사용된다.

16

브러시의 조건
접촉저항이 클 것, 마찰저항이 작을 것, 기계적으로 튼튼할 것

17

Y-Y결선의 특징
- 중성점 접지가 가능하여 단절연이 가능
- 이상전압 발생을 방지할 수 있고 지락사고 검출이 용이
- 상전압이 선간전압의 $\frac{1}{\sqrt{3}}$ 배이므로 고전압 결선에 용이

18

권선형 유도전동기에서 2차 저항이 증가하면 토크 곡선 등이 슬립이 증가하는 방향으로 2차 저항에 비례하며 이동한다. 즉, 같은 토크에서 2차 저항과 슬립은 비례하는데, 이를 비례추이라 한다.

19 · 3상–2상 간의 상수변환 결선법 : 스코트 결선(T결선), 메이어 결선, 우드 브리지 결선
   · 3상–6상 간의 상수변환 결선법 : 환상 결선, 2중 3각 결선, 2중 성형 결선, 대각 결선, 포크 결선

20 **절연물의 허용온도[℃]**

Y	A	E	B	F	H	C
90	105	120	130	155	180	180 초과

전기공사산업기사	2023년 제2회 정답 및 해설								
01	02	03	04	05	06	07	08	09	10
④	②	②	②	①	④	②	②	①	①
11	12	13	14	15	16	17	18	19	20
①	①	②	②	②	②	③	②	④	②

01

$$P_{c2} = \frac{s}{1-s} P_{20} = \frac{0.03}{1-0.03}(15,000+350)$$
$$= 474.74[\text{W}]$$

02

DC 서보전동기와 AC 서보전동기의 비교

DC 서보전동기	AC 서보전동기
브러시의 마찰에 의한 부동작시간(지연시간)이 있다.	마찰이 적다(베어링 마찰뿐이다).
정류자와 브러시의 손질이 필요하다.	튼튼하고 보수가 쉽다.
직류전원이 필요하며 회로의 독립이 곤란하다.	회로는 절연변압기에 의해 쉽게 독립시킬 수 있다.
직류 서보증폭기는 드리프트에 문제가 있다.	비교적 제어가 용이하다.
기동토크는 AC식보다 월등히 크다.	토크는 DC식에 비하여 뒤떨어진다.
회전속도를 임의로 선정할 수 있다.	극수와 주파수로 회전수가 결정된다.
회전 증폭기, 제어발전기의 조합으로 대용량의 것을 만들 수 있다.	대용량의 것은 2차 동손 때문에 온도상승에 대한 특별한 고려를 해야 한다.
전기자 및 계자에 의해서 제어할 수 있다.	전압 및 위상제어를 할 수 있다.
계자에 여러 종류의 제어권선을 병용할 수 있다.	제어전압의 임피던스가 특성에 영향을 미친다.

03

종 류	횡 축	종 축	조 건
무부하 포화곡선	I_f (계자전류)	V (단자전압)	n 일정, $I=0$
외부 특성곡선	I (부하전류)	V (단자전압)	n 일정, R_f 일정
내부 특성곡선	I (부하전류)	E (유기기전력)	n 일정, R_f 일정
부하 특성곡선	I_f (계자전류)	V (단자전압)	n 일정, I 일정
계자 조정곡선	I (부하전류)	I_f (계자전류)	n 일정, V 일정

04

$E = 4.44 k f \phi \omega$ 에서 $f = \dfrac{P N_s}{120}$ 이므로 $E \propto N_s$

$$E' = \frac{N'}{N} E = \frac{1,800}{900} \times 6,000 = 12,000[\text{V}]$$

05 **과정류** : 정류 초기에 브러시(전단부)에서 전류가 지나치게 급히 변화되어 높은 전압이 발생, 브러시 앞(전단)부분에서 불꽃이 발생한다.

06 다이오드 동일 방향 중간에 각각 전원을 인가해야 한다.

07 제3고조파를 제거하기 위해서는 $\dfrac{코일간격}{극간격}$ 을 67[%]로 해야 한다.

제5고조파를 제거하기 위해서는 $\dfrac{코일간격}{극간격}$ 을 80[%]로 해야 한다.

∴ 0.8

08 변압기의 전압변동률 $\varepsilon = \dfrac{V_{20} - V_{2n}}{V_{2n}} \times 100$ 에서

$$V_{20} = \left(1 + \dfrac{\varepsilon}{100}\right) \times V_{2n} = 1.04 \times 100 = 104[\text{V}]$$

∴ 1차 단자전압 $V_{10} = a \times V_{20} = 20 \times 104 = 2,080[\text{V}]$

09 **변압기 내부고장 보호용**
- 전기적인 보호 : 차동계전기(단상), 비율차동계전기(3상)
- 기계적인 보호 : 부흐홀츠계전기, 유온계, 유위계, 서든프레서(압력계전기)

10 **동기발전기의 병렬운전**
- 유기기전력이 높은 발전기(여자전류가 높은 경우) : 90° 지상전류가 흘러 역률이 저하된다.
- 유기기전력이 낮은 발전기(여자전류가 낮은 경우) : 90° 진상전류가 흘러 역률이 상승된다.

11 단상 반파 정류 효율 $\eta = \dfrac{4}{\pi^2} \times 100 = 40.5[\%]$

12 역률 100[%]일 때 $\varepsilon = p = 2$
역률 80[%]일 때 $\varepsilon = p\cos\theta + q\sin\theta$ 에서 $3 = 2 \times 0.8 + q \times 0.6$ 이므로 $q = 2.33[\%]$
∴ $\varepsilon_{\max} = \sqrt{p^2 + q^2} = \sqrt{2^2 + 2.33^2} = 3.1[\%]$

13 권수비 $a = \dfrac{420}{105} = 4$ 이므로

$V_1 = 400[\text{V}]$ 인가 시 $V_2 = 100[\text{V}]$ 이다.
감극성이므로 $V_3 = V_1 - V_2 = 400 - 100 = 300[\text{V}]$

14 반발형은 브러시가 필요하다.

15 **균압선**
- 병렬운전을 안정하게 하기 위하여 설치하는 것
- 직렬 계자권선을 가지는 발전기에 필요 : 직권 및 복권발전기

16 임피던스 와트 $P_c = \%r \times P_n = 0.024 \times 5,000 = 120[\text{W}]$

17

$$I_f = \frac{V}{R_f} = \frac{V}{20}$$

$$V = \frac{940 \times \dfrac{V}{20}}{33 + \dfrac{V}{20}} \text{에서} \ \left(33 + \frac{V}{20}\right)V = 940 \times \frac{V}{20}$$

$$\therefore \ V = 280[\text{V}]$$

18 유도전동기의 기동계급은 다음과 같다.

기동계급	1[kW]당 입력[kVA]	기동계급	1[kW]당 입력[kVA]
A	4.2 미만	L	12.1 이상 13.4 미만
B	4.2 이상 4.8 미만	M	13.4 이상 15.0 미만
C	4.8 이상 5.4 미만	N	15.0 이상 16.8 미만
D	5.4 이상 6.0 미만	P	16.8 이상 18.8 미만
E	6.0 이상 6.7 미만	R	18.8 이상 21.5 미만
F	6.7 이상 7.5 미만	S	21.5 이상 24.1 미만
G	7.5 이상 8.4 미만	T	24.1 이상 26.8 미만
H	8.4 이상 9.5 미만	U	26.8 이상 30.0 미만
J	9.5 이상 10.7 미만	V	30.0 이상
K	10.7 이상 12.1 미만		

19 리플전압$(V) = \dfrac{E_a}{E_d}$

$$E_a = VE_d = 0.03 \times 2,000 = 60[\text{V}]$$

20 동기와트는 동기 각속도로 회전 시 2차 입력을 토크로 표시한 것이다.

전기공사산업기사	**2023년 제4회 정답 및 해설**								
01	02	03	04	05	06	07	08	09	10
②	②	③	①	①	④	②	①	①	①
11	12	13	14	15	16	17	18	19	20
④	②	④	②	①	③	④	④	①	①

01 전부하 전류 $I = \dfrac{P}{\sqrt{3}\ V\cos\theta\eta} = \dfrac{10\times10^3}{\sqrt{3}\times380\times0.85\times0.85} ≒ 21[\text{A}]$

02 **양호한 정류방법**
- 보극과 탄소 브러시를 설치한다.
- 평균 리액턴스 전압을 줄인다.
- 정류주기를 길게 한다.
- 회전속도를 늦게 한다.
- 인덕턴스를 작게 한다(단절권 채용).

03

측정 항목	특성 시험
철손, 기계손	무부하시험
동기임피던스, 동기리액턴스	단락시험
단락비	무부하시험, 단락시험

04 **최대전일효율 조건** : $24P_i = \sum hP_c$
전부하시간이 길수록 철손 P_i를 크게 하고, 짧을수록 철손 P_i를 작게 한다.

05 **전기자 반작용의 영향**
- 주자속 감소 : 발전기 – 유기기전력 감소, 전동기 – 토크 감소, 속도 증가
- 전기적 중성축 이동 : 발전기 – 회전방향, 전동기 – 회전 반대방향
- 정류자 편 간의 불꽃 섬락 발생 : 정류 불량의 원인

06 2중 농형 유도전동기는 일반적인 농형 유도전동기에 비하여 기동전류가 작고 기동토크가 크다.

07
- 슬롯수 $= \dfrac{\text{슬롯수}}{\text{극수}\times\text{상수}} = \dfrac{48}{4\times3} = 4$
- 총 코일수 $= \dfrac{\text{도체수}}{2} = \dfrac{48\times2}{2} = 48$

08 **직류 분권전동기의 계자저항**
$T = k\phi I_a[\text{N}\cdot\text{m}]$, $I_f = \dfrac{V}{R_f + R_{FR}}$ 에서 기동토크를 크게 하려면 자속이 증가해야 하고 여자전류는 클수록 좋다.
따라서 계자권선과 직렬로 연결된 계자저항을 0으로 해 둔다.

09 실리콘 다이오드는 허용온도(150[℃])가 높으며 전류밀도가 크고 효율이 높고 전압강하가 작으며 역방향 내압이 크다.

10 직권전동기의 위험속도는 정격전압에 무부하 시이므로 기어운전을 한다.

11 단락전류 $I_s = \dfrac{1}{\%Z} \times I_n = \dfrac{1}{0.03} \times \dfrac{30,000}{\sqrt{3} \times 200} = 2,886[\text{A}]$

12
- 1차 전류 $I = \dfrac{P}{\sqrt{3}\,V_1} = \dfrac{75,000}{\sqrt{3} \times (2,000\sqrt{3})} = 12.5[\text{A}]$
- 1차 선간접압 $V_1 = \sqrt{3} \times (V_2 \times a) = \sqrt{3} \times (200 \times 10) = 2,000\sqrt{3} = 3,464[\text{V}]$

13 MOSFET는 스위칭속도가 빨라 고속스위칭에 사용되며 저저압 대전류용으로 저전력에 사용된다.

14 부하용량 $= \dfrac{V_h}{V_h - V_l} \times$ 자기용량 $= \dfrac{6,200}{6,200 - 6,000} \times 5 = 155[\text{kVA}]$

15 **동기기 전기자 반작용**
- 횡축 반작용(교차 자화작용 : R부하) : 전기자전류와 단자전압 동상
- 직축 반작용(L부하, C부하)

자 속	발전기	전동기
감 자	• 전류가 전압보다 뒤짐 • 뒤진 전류 – 지전류 – L부하(지상) = 감자작용	• 전류가 전압보다 앞섬 • 앞선 전류 – 진전류 – C부하(진상) = 감자작용
증 자	• 전류가 전압보다 앞섬 • 앞선 전류 – 진전류 – C부하(진상) = 증자작용	• 전류가 전압보다 뒤짐 • 뒤진 전류 – 지전류 – L부하(지상) = 증자작용

16 **동기발전기의 병렬운전 조건**

필요조건	다른 경우 현상
기전력의 크기가 같을 것	무효순환전류(무효횡류)
기전력의 위상이 같을 것	동기화전류(유효횡류)
기전력의 주파수가 같을 것	동기화전류 : 난조 발생
기전력의 파형이 같을 것	고주파 무효순환전류 : 과열 원인
(3상) 기전력의 상회전 방향이 같을 것	

17 $T \propto V^2$, $s \propto \dfrac{1}{V^2}$ 에서

$s : \dfrac{1}{V^2} = s' : \dfrac{1}{V'^2}$

$s' = \left(\dfrac{V}{V'}\right)^2 s = \left(\dfrac{V}{0.9V}\right)^2 s = \left(\dfrac{1}{0.9}\right)^2 \times 4 = 4.9[\%]$

18 서보모터는 펄스 폭으로 위치(각도)의 위상 및 전압, 전압·위상 혼합제어를 이용한다.

19 유도전동기 유도기전력과 주파수

정 지		s속도 운전	
주파수	유도기전력	주파수	유도기전력
$f_2 = f_1$	$E_2 = E_1$	$f_2{'} = s f_2$	$E_2{'} = s E_2$

20 $$권수비(a) = \sqrt{\frac{Z_1}{Z_2}} = \sqrt{\frac{\dfrac{1}{Y_0}}{\dfrac{1}{Y_0{'}}}} = \sqrt{\frac{Y_0{'}}{Y_0}}$$

$$a^2 = \frac{Y_0{'}}{Y_0} \implies Y_0{'} = a^2 Y_0$$

좋은 책을 만드는 길, 독자님과 함께하겠습니다.

전기기기

개정 2판1쇄 발행	2024년 01월 05일 (인쇄 2023년 11월 27일)	
초 판 발 행	2022년 01월 05일 (인쇄 2021년 11월 17일)	
발 행 인	박영일	
책 임 편 집	이해욱	
편 저	류승헌	
편 집 진 행	윤진영 · 김경숙	
표 지 디 자 인	권은경 · 길전홍선	
편 집 디 자 인	정경일 · 심혜림	
발 행 처	(주)시대고시기획	
출 판 등 록	제10-1521호	
주 소	서울시 마포구 큰우물로 75 [도화동 538 성지 B/D] 9F	
전 화	1600-3600	
팩 스	02-701-8823	
홈 페 이 지	www.sdedu.co.kr	
I S B N	979-11-383-6368-6(14560)	
	979-11-383-6365-5(세트)	
정 가	18,000원	